Le Starter

Créer
sa page Web

D1362364

CAMPUSPRESS
F R A N C E

CampusPress France a apporté le plus grand soin à la réalisation de ce livre afin de vous fournir une information complète et fiable. Cependant, CampusPress France n'assume de responsabilités, ni pour son utilisation, ni pour les contrefaçons de brevets ou atteintes aux droits de tierces personnes qui pourraient résulter de cette utilisation.

Les exemples ou les programmes présents dans cet ouvrage sont fournis pour illustrer les descriptions théoriques. Ils ne sont en aucun cas destinés à une utilisation commerciale ou professionnelle.

Tous les noms de produits ou marques cités dans ce livre sont des marques déposées par leurs propriétaires respectifs.

Publié par CampusPress France
19, rue Michel Le Comte 75003 PARIS
Tél : 01 44 54 51 10

Mise en pages : Andassa
ISBN : 2-7440-0861-3

Auteur : Michel Dreyfus

Table des matières

Introduction

L'une des raisons majeures de la vogue croissante de l'Internet est incontestablement le Web, par l'attrait et la diversité des présentations qu'il propose. Après en avoir vu quelques dizaines, on éprouve la démangeaison de se joindre au concert et de proposer sa propre page Web. Sur le plan technique, il n'y a pas de grandes difficultés à surmonter. Les problèmes viennent surtout du côté des idées, de leur expression et de la mise en page, dès l'instant où on souhaite accrocher réellement le visiteur.

Ce livre est destiné à vous guider dans la réalisation de pages Web personnelles depuis leur conception jusqu'à leur transfert sur un serveur, en passant par leur édition. Il est essentiellement concret puisque vous allez y trouver le mode d'emploi de deux des outils les plus importants du Web : l'éditeur et le logiciel de transfert de fichiers.

HTML, mon doux souci

Quoi qu'en disent certains, il nous semble impossible de tout ignorer de HTML, le "langage" qui est utilisé pour écrire les pages Web. Ce n'est pas un langage au même titre que BASIC, C ou FORTRAN, mais cela ressemble plutôt à ces commandes de formatage qu'utilisent les traitements de texte modernes comme Word de Microsoft ou WordPerfect, à cela près que HTML s'attache davantage à la structure d'un document, au rendu des différentes parties d'un texte (illustré ou non), qu'à sa reproduction sous un aspect strictement semblable à ce qu'avait imaginé l'auteur.

Par exemple, l'importance *relative* des titres et des sous-titres de vos pages sera respectée, mais c'est l'utilisateur qui décidera en dernier ressort de la police dans laquelle elles devront être affichées, quels qu'aient été les choix de l'auteur. La façon dont l'ensemble d'une page lui apparaîtra différera selon le type d'écran qu'il utilisera (dimensions, résolution, nombre de couleurs). Autrement dit, l'auteur Web ne peut pas prétendre à une reproduction fidèle de ses intentions.

Ce que vous avez et ce que vous savez

Vous possédez un micro-ordinateur de type PC fonctionnant sous Windows (95, 98 ou même NT) et vous savez en utiliser les commandes essentielles. Vous avez déjà un abonnement à un fournisseur d'accès et une certaine expérience de l'Internet[1]. Parmi les logiciels spécifiques de l'Internet, vous avez déjà un navigateur, sans doute Netscape Navigator ou Internet Explorer qui sont les plus répandus. Et c'est tout. Deux autres programmes, au moins, vous seront nécessaires. Nous vous dirons lesquels, où vous les procurer et comment les utiliser, dans les deuxième et troisième parties de ce livre.

Dico

Le terme *navigateur* désigne un logiciel de navigation sur le Web. On rencontre parfois le terme anglo-saxon *browser* ou diverses traductions françaises ou québécoises, telles que *butineur* ou *fureteur*...

Votre fournisseur d'accès vous permet d'héberger une présentation Web sur son disque dur et vous alloue pour cela un espace suffisant (1 Mo est étriqué ; 5 Mo vous apportera un confort acceptable ; avec 10 Mo, vous serez à l'aise). Sinon, nous verrons au Chapitre 15 qu'il existe de généreux mécènes vous offrant un peu de place sur leur serveur.

Info

Et pour ceux qui ne jurent que par le Macintosh ? Lorsqu'on voit une page Web, on oublie ses origines ; sa structure est la même quelle que soit la machine qui a servi à l'écrire. Les principes de composition d'une présentation Web restent les mêmes, seuls les logiciels diffèrent comme l'éditeur et le logiciel de transfert des fichiers sur le serveur.

---

1. Sinon, et du même auteur, il existe *Se former en un jour à Internet* et un *Starter Internet* (tous deux édités par CampusPress France).

Ah ! nous allions oublier : vous savez rédiger un texte qui tient debout. Sans être candidat au Goncourt, vous savez construire des phrases qui ont un sens et qui sont susceptibles d'être comprises sans équivoque par ceux qui les lisent. Et vous êtes capable d'aligner plusieurs paragraphes sans faire trop de fautes d'orthographe[1]. Ou bien vous avez un traitement de texte qui dispose d'un correcteur orthographique de qualité. Quant aux accords de participes et autres finesses syntaxiques, ne comptez que sur vous-même ou sur vos amis et évitez tous les logiciels qu'on vous propose pour ceci : le remède pourrait être pire que le mal !

Ce qui vous manque (mais n'est pas nécessaire)

Vous n'avez pas une connexion permanente à l'Internet, comme c'est le cas des grandes entreprises ou des établissements d'enseignement et de recherche. Vous devrez donc recourir à un prestataire extérieur pour *publier* votre présentation.

Vous n'avez pas des qualités artistiques exceptionnelles et peut-être même ne savez-vous pas dessiner. Vous n'êtes pas un spécialiste de la mise en page et vous n'avez jamais rien publié, que ce soit sur le Web ou dans le monde de l'édition papier. Si toutefois vous possédez un peu d'expérience dans un de ces domaines, ce n'est pas rédhibitoire et ça n'en vaudra que mieux. Mais ce n'est pas indispensable.

Ce que vous allez trouver ici

Ce livre est à la fois moins qu'un cours sur HTML et plus qu'une simple présentation du langage. Moins, parce que nous n'avons pas la place d'y développer toutes les options de chaque commande HTML[2]. Plus, parce que nous voulons aller plus loin que HTML lui-même en vous montrant tout ce qu'il y a dans son environnement : comment composer une page Web, pourquoi employer une commande plutôt qu'une autre, ce qu'il faut éviter, comment se faire héberger, comment se faire référencer, etc. Pour cela, nous avons découpé notre exposé en trois parties et autant d'annexes.

---

1.   Que ceux qui accumulent les fôtes d'hortograffe se consolent avec ce jugement de Paul Valéry : "[Notre orthographe] est un recueil impérieux ou impératif d'une quantité d'erreurs d'étymologie artificiellement fixées par des décisions inexplicables."

2.   Pour cela, il existe, chez le même éditeur et du même auteur, *Le Dico HTML*.

Partie I

La partie I est consacrée à la conception et à la réalisation d'un site Web avec tout son environnement. Vous y trouverez les chapitres suivants :

- **Chapitre 1.** Contenu et contenant. Choix d'un sujet. Pour qui écrire ? Principes généraux d'une présentation Web. Attention au copyright ! Comportement des navigateurs.

- **Chapitre 2.** Organisation générale d'une page Web, principes de mise en page et de navigation.

- **Chapitre 3.** Notions de base de HTML, divisions de la page, paragraphes, entités de caractères, etc.

- **Chapitre 4.** Les listes

- **Chapitre 5.** Les images. Utilisation raisonnée et pertinente.

- **Chapitre 6.** Tout ce que vous avez toujours voulu savoir sur les liens sans jamais oser le demander. Liens avec du texte, liens avec des images et des images réactives.

- **Chapitre 7.** Les tableaux et tout ce qu'ils permettent de réaliser avec du texte et aussi avec des images.

- **Chapitre 8.** Le dialogue client-serveur avec les formulaires.

- **Chapitre 9.** Multifenêtrage avec les frames.

- **Chapitre 10.** De tout un peu : Compteurs d'accès, multimédia, Java, ActiveX.

- **Chapitre 11.** Les feuilles de styles et HTML dynamique.

- **Chapitre 12.** Ecrire des scripts avec JavaScript.

- **Chapitre 13.** Récapitulation générale : exemple de présentation Web complète traitée de A à Z.

- **Chapitre 14.** Rapide panorama de quelques-uns des nombreux éditeurs et vérificateurs HTML existants.

- **Chapitre 15.** Et maintenant que votre chef-d'œuvre est achevé, installez-le et faites-le connaître au monde entier.

Partie II

Dans celle-ci, nous allons étudier de près un éditeur HTML spécialisé, FrontPage Express, qui a l'avantage d'être distribué gratuitement par Microsoft en même temps que Windows 98. Vous y trouverez les chapitres suivants :

- **Chapitre 16.** Présentation générale de FrontPage Express.
- **Chapitre 17.** Le texte et les listes.
- **Chapitre 18.** Que peut-on insérer dans une page et comment ?
- **Chapitre 19.** Les liens et les frames.
- **Chapitre 20.** Les tableaux et les formulaires.
- **Chapitre 21.** Les Assistants et les WebBots.

Partie III

Elle est consacrée à l'étude d'un *client FTP*, WS_FTP, logiciel destiné à gérer le transfert et l'organisation des constituants d'un site Web, quel que soit l'éditeur HTML utilisé. Elle se compose de quatre chapitres :

- **Chapitre 22.** Installation et mise en œuvre de WS_FTP.
- **Chapitre 23.** Configuration de WS_FTP.
- **Chapitre 24.** Réalisation des transferts de fichiers.
- **Chapitre 25.** Autres fonctions et commandes de WS_FTP.

Les annexes

Il existe un certain nombre d'informations générales qui n'appartiennent pas à une catégorie plutôt qu'à une autre. Pour cette raison, nous les avons placées à la fin du livre.

- **Annexe A.** Une collection de bonnes adresses, textes intéressants, publications, logiciels, pages dignes d'intérêt, etc.
- **Annexe B.** Les entités de caractères.
- **Annexe C.** Petit glossaire des termes couramment utilisés sur l'Internet.

Deux mots avant de commencer

Nous n'avons pas l'intention de faire de vous un pro du HTML. Notre but est simplement de vous mettre le pied à l'étrier le plus vite possible pour que vous puissiez écrire sans souffrir une page Web qui tienne debout. C'est pourquoi nous avons choisi comme base de ce livre les éléments de la version 4.0 que l'on trouvait déjà dans la version précédente (la 3.2). Ainsi, vous ne risquerez pas de vous laisser séduire par des balises ou des commandes que ne reconnaissent toujours pas les plus récentes versions des navigateurs de Microsoft et de Netscape, voire d'Opera.

Les copies d'écran qui illustrent cet ouvrage ont été réalisées avec différents navigateurs parmi les plus utilisés. Le système d'exploitation utilisé était Windows 98. Que ceux qui n'ont pas l'intention de sacrifier à la mode du changement se rassurent : avec Windows 95, ils ne constateraient aucune différence.

Les adresses des sites Web cités étaient exactes à la fin de l'avant-dernière année du siècle : 1999 (souvenez-vous, en effet que l'année 0 n'a pas existé et que 2000 sera donc la **dernière** année du XXe siècle et non la première du XXIe). Mais les choses étant ce qu'elles sont sur le Web, il n'est pas certain que quelques-unes d'entre elles n'aient pas disparu au moment où vous souhaiterez les utiliser.

Info

Afin de faciliter leur exploitation ultérieure et pour ne pas alourdir le texte, la plupart des URL des ressources citées ont été regroupées dans l'Annexe A, "Les bonnes adresses".

Dico

On appelle *URL* une adresse de ressource Internet. Vous en apprendrez plus sur ce sujet au Chapitre 6.

Conventions typographiques

Afin d'en faciliter la lecture, nous avons adopté dans cet ouvrage les conventions typographiques suivantes :

- Les listings représentant le codage des pages Web et, plus généralement, les éléments d'un langage de programmation ou de codage apparaissent dans une `police à pas fixe`.
- Les adresses Internet, comme **http://www.campuspress.fr** (le site de CampusPress), sont en gras.

Des pavés grisés signalent des notes vous apportant un supplément d'information, en éclairant une notion nouvelle ou en présentant un terme rencontré pour la première fois.

> **Info**
>
> Ces rubriques vous apportent un complément d'information relatif au sujet traité.

> **Dico**
>
> Vous trouverez ici l'explication d'un terme spécifique rencontré pour la première fois.

> **Astuce**
>
> Vous trouverez dans ces rubriques des astuces diverses : raccourci clavier, option "magique", technique réservée aux experts...

> **Attention**
>
> Ici, on vous met en garde contre un risque inhérent à telle ou telle manipulation en vous indiquant, le cas échéant, comment éviter les pièges cachés.

Partie I

Conception et réalisation d'un site Web

Chapitre 1

Contenu et contenant

Il est (presque) aussi facile de créer une page Web vide de sens et qui ne présente aucun intérêt que de défigurer un mur avec un tag informe et laid. Dans les deux cas, c'est la même chose : on n'a rien à dire, mais pour compenser un quelconque sentiment de frustration, pour "exacerber son ego", on se manifeste. Si vous avez néanmoins un certain talent artistique, peut-être le vide de votre pensée sera-t-il moins apparent, mais ceux qui ont atterri par curiosité ou par hasard sur votre page risquent fort de ne pas avoir envie d'y revenir et s'ils vous font de la publicité, elle sera plutôt négative.

La page Web est le dernier espoir de ceux qui ont en vain tenté de se faire publier : c'est l'équivalent de l'édition à compte d'auteur. Lorsque votre manuscrit aura été refusé par tous les éditeurs de livres, vous pourrez toujours en trouver un qui acceptera de le publier pour peu que vous assumiez tous les frais de l'édition et qu'il puisse ainsi réaliser sans risque un appréciable bénéfice. Dans ce domaine, l'avantage du Web, c'est que son coût de production est pratiquement nul. C'est de cette façon que les disques durs de nombreux fournisseurs d'accès sont inutilement remplis.

Le choix d'un sujet

Comme nous l'avons précisé dans l'introduction, vous souhaitez créer une page **personnelle**. Nous écarterons donc tout ce qui peut avoir un but commercial. D'ailleurs, la réalisation d'une bonne présentation d'entreprise, que ce soit pour se faire connaître ou pour vanter ses produits, est affaire de spécialistes de marketing, de publicitaires et de graphistes. Ce n'est pas du travail d'amateur.

Quelques indications de choix

Alors, que vous reste-t-il ? Voici un aperçu non exhaustif des domaines dans lesquels vous pouvez avoir quelque chose à dire :

- **Votre vie.** A condition qu'elle sorte de l'ordinaire. Avez-vous réalisé un exploit peu commun ? Vous êtes-vous trouvé dans une situation dramatique (pris en otage, par exemple) ? Avez-vous fréquenté une célébrité ? Exercez-vous un métier peu courant ?

- **Vos idées.** Vous avez peut-être des opinions bien arrêtées sur certains sujets qui vous tiennent à cœur et vous souhaiteriez les communiquer, voire les faire partager par d'autres. Ou bien vous appartenez à un parti politique qui n'a pas encore compris l'intérêt du Web pour répandre sa doctrine et vous, simple militant, vous voulez aller de l'avant.

- **Votre gazette personnelle.** Si vous avez un point de vue original sur des sujets d'actualité, si votre esprit critique sait présenter certains événements sous un jour inhabituel, si votre curiosité naturelle vous amène à aborder des sujets qui n'intéressent pas le grand public, si votre sens de l'humour, cette "propreté morale et quotidienne de l'esprit[1]", sort de l'ordinaire, vous aller pouvoir en faire profiter vos contemporains. C'est un sujet assez difficile. Outre une bonne "plume", vous devrez savoir vous renouveler afin de maintenir un intérêt constant de la part de vos lecteurs. L'actualité, c'est comme les produits de supermarché : la DLC (date limite de consommation) en est vite dépassée.

- **Votre dernière invention.** Les Français sont bricoleurs et inventifs. Si vous êtes un Géo Trouvetou en mal de communication, voilà un moyen peut-être plus efficace que le concours Lépine pour attirer d'éventuels industriels intéressés par la commercialisation de votre invention. Mais méfiez-vous. N'en dites pas trop avant d'avoir déposé un brevet... Vous pourriez vous faire "piquer" votre idée.

- **Votre violon d'Ingres.** Ce que les américains appellent un *hobby*. Depuis la pêche à la ligne jusqu'à la dégustation comparative des grands bourgognes, en passant par la restauration des motos anciennes, l'éventail est largement ouvert. La presse écrite compte déjà plusieurs périodiques couvrant le sujet. Pourquoi ne pas vous y risquer sur l'Internet ?

- **Le club dont vous êtes membre.** C'est un prolongement du sujet précédent. En France, la vie associative est très vivace, grâces en soient rendues à la loi de 1901 qui se montre très libérale pour créer des associations. Si vous souhaitez que la vôtre puisse élargir son audience, se faire connaître, recruter de nouveaux membres, présentez-la sous son meilleur aspect, montrez ses activités, indiquez la périodicité de ses réunions, le montant de la cotisation, etc.

- **Le fan club que vous avez créé.** Depuis le dernier groupe de folk, rock, rap, truc, machin... à la mode jusqu'aux séries TV dites "cultes", en passant par les boys bands et les spice girls, vous n'avez que

---

1. Jules Renard, *Journal*.

l'embarras du choix. A vous de rassembler suffisamment de documentation originale et intéressante pour que ceux qui partagent votre passion puissent trouver sur votre site des informations originales ou peu connues sur le sujet qui vous passionne tous.

- **Le dernier programme shareware que vous avez créé.** Si vous êtes un passionné de l'informatique et que vous écrivez des programmes qui vous paraissent susceptibles d'intéresser autrui, c'est certainement le moyen le plus rapide et le plus efficace de les faire connaître. Proposez-en une version d'essai en téléchargement dans votre page. Vous ne ferez sans doute pas fortune, car votre clientèle potentielle est bien plus réduite qu'aux Etats-Unis, mais vous attirerez peut-être l'attention d'un éditeur.

- **Et si rien de tout ça ne vous allume ?** Alors, promenez-vous sur le Web et ouvrez grand vos yeux. Vous découvrirez des sujets auxquels vous n'aviez pas pensé et qu vous conviennent parfaitement. A la limite, pourquoi pas une page Web sans sujet précis dont le sujet serait précisément la recherche d'un sujet, pas forcément d'actualité ? Si vous avez de l'imagination, vous pouvez vous y risquer.

Dans tous les cas, il y a un principe à retenir : l'unicité du sujet à traiter. Ne vous dispersez pas ! Gardez un fil conducteur. Plus votre sujet sera original (sans être trop personnel : dans la plupart des cas, votre vie quotidienne n'intéresse personne), plus la façon dont il est traité sera vivante et attrayante et plus vous aurez de visiteurs.

Attirer le chaland

Une page Web, c'est comme une vitrine : si elle n'est pas avenante et si elle n'attire pas le regard, il y a peu de chance que le passant occasionnel pénètre dans le magasin (parcoure la présentation Web). Sans être racoleuse, votre page d'accueil doit être telle qu'elle attire l'œil. Et le visiteur ne doit pas avoir à chercher quel sujet vous pouvez bien traiter. Ne donnez pas, sous prétexte d'esthétisme, dans le travers de ces (mauvaises) publicités vues à la télévision où, au bout de quinze secondes, on se demande encore ce que ça cherche à vendre.

Certaines présentations institutionnelles s'imaginent devoir être rigoureuses et sévères (voire ennuyeuses) ; d'autres, au contraire, s'efforcent de ressembler à Times Square par leur clinquant. La Figure 1.1 montre une présentation au graphique résolument moderne qu'on ne s'attendait pas à trouver chez une vénérable institution comme le Sénat. Par contre, la page d'accueil du Conservatoire national des arts et métiers (voir Figure 1.2) est décevante : le menu des différentes rubriques témoigne d'un manque de recherche condamnable. En outre, sous le titre Actualité, il proposait le 5 novembre 1999 une manifestation qui s'était terminée le 29 octobre ! Encore plus surprenant : le *Journal officiel de la République française*, publication dont le contenu n'est pas réputé pour être un modèle de gaieté, parvient à rendre sa page d'accueil attrayante (voir Figure 1.3) quoique un peu chargée (elle est bien longue à se charger).

Dico

La *page d'accueil* est la page initiale d'une présentation Web, celle sur laquelle on arrive en premier et à partir de laquelle on peut explorer le reste de la présentation.

Figure 1.1 : Le site Web du Sénat se présente d'une façon moderne, mais de bon goût.

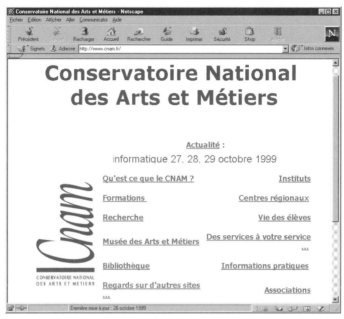

Figure 1.2 : Sur la page d'accueil du CNAM, ce n'est pas l'imagination au pouvoir !

Figure 1.3 : Le site du Journal officiel est nettement plus pimpant que l'édition papier.

Quelques exemples

Voici une liste de quelques sujets déjà traités montrant la grande variété des thèmes qu'on peut aborder ainsi que la façon de les approcher visuellement. La plupart sont des réalisations d'amateurs. Ce que nous voulons montrer par cette courte liste, c'est qu'aucun sujet n'est à l'abri du Web.

- La SPA (Société protectrice des animaux) : **http://www.spa.asso.fr**
- Tout sur Sherlock Holmes : **http://www.interpc.fr/mapage/canevet/ holmes/indessai.htm**
- Les apparitions d'Alfred Hitchcock dans ses films : **http://hitchcock .alienor.fr/apparition.html**
- L'Amicale des Motos Gnome & Rhône : **http://www.multimania .com/amgr/amgr.htm**
- Le Web pour rigoler (*sic*) : **http://www.rigoler.com/**
- L'observatoire de l'An 2000 : **http://www.tour-eiffel.fr/teiffel/an2000 _fr/**
- Le chocolat : **http://www.chocoland.tm.fr**
- "Abraie moi le déluge" (tout sur le monde de l'âne) : **http ://www. bourrico.com**
- Le cabinet de philosophie : **http://www.socrate.com**
- La république libre du Frioul : **http://www.bregantin.org/RLF** (voir Figure 1.4)
- Le royaume de Mérovingie : **http://www.geocities.com/CapitolHill/ 5205**
- Le diocèse de Partenia (site de Mgr Gaillot) : **http://www.partenia .org**
- La culture asiatique : **http://eurasie.net**
- Le site de Philippe Supera, auteur de shareware : **http://www.tarif-com.com**
- La zone d'imbécillité permanente : **http ://www.chez.com/zipiz**
- Venise, comme si vous en reveniez : **http ://home.worldnet.fr/ lolgehel/venise1.html**
- Le Quid : **http://www.quid.fr**
- Les embouteillages de la région parisienne : **http://www.sytadin.tm.fr**
- Tout sur le hard(ware) du PC : **http://www.hardware-fr.com**

- La page personnelle de Yann : **http://www.multimania.org/06/wolfgane/wolf0.htm**
- Le Loto sportif (comment être sacré meilleur pronostiqueur) : **http://www.prono-foot.net/**
- La Redoute : **http://www.redoute.fr**
- L'antivirus AVP : **http://www.avp-france.com/**
- Le Bureau des longitudes (avec des informations scientifiques sur l'éclipse du 11 août 1999) : **http://www.bdl.fr**
- Les anciens du lycée Joffre : **http://www.multimania.org/00/joffre/**
- Les fontaines Wallace : **http://www.multimania.org/07/savoy**
- Tout sur les plantes d'appartement ; soins, classification... : **http://www.multimania.org/00/dolby/appart2.htm**
- La présidence de la République (site officiel) : **http://www.elysee.fr**
- La présidence de la République (site officieux) : **http://www.elysee.org**

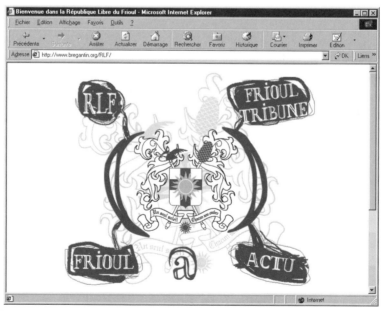

Figure 1.4 : Page d'accueil de la république libre du Frioul.

Qui voulez-vous séduire ?

Si vous publiez, c'est pour être lu. Encore faut-il savoir par qui. Vos lecteurs ne vont pas tomber par hasard sur votre présentation et nous verrons au Chapitre 15 comment vous faire connaître. Encore faut-il définir la façon dont vous entendez ratisser : large (vous adresser à l'ensemble de la population surfeuse) ou étroite (à une fraction bien caractérisée des assidus du Web).

Quel secteur d'intérêt ?

Vous devrez adapter votre forme d'expression au *lectorat* que vous visez. Vous n'allez pas vous adresser de la même façon à un public de spécialistes et à un auditoire de simples curieux. Si le sujet de votre page Web est l'évolution de l'usage de la virgule chez les écrivains naturalistes du XIXe siècle (pourquoi pas, après tout ?), le ton de vos propos et le vocabulaire que vous allez employer devront être châtiés. Si vous avez choisi pour cible des amateurs de belles mécaniques, évitez de rédiger ainsi votre page :

```
La firme s'imposa rapidement pour les cubatures entre 175
et 500 cm³. Elle restait fidèle aux freins sur jante et au
graissage à simple perte, mais fournissait au gré du
public le modèle avec une boîte de vitesses à deux temps,
montée dans le corps de l'arbre à cardan.

C'était un véhicule à deux roues avec un cadre à tube
double spatial. Le réservoir plat, fixé au cadre d'un
seul côté, en raison du montage, conservait sans cesse sa
forme angulaire. Un cadre tubulaire simple, portait à
l'avant une fourche à suspension à ressort culbutrice. Il
était à culbuteur avant à ressort central enroulé. A part
la commande par moteur, la motocyclette était équipée de
pédales. Le garde-boue arrière servait aussi de
modérateur du chauffage.
```

N'oubliez pas que l'un des seuls points communs à tous ceux qui constituent le public du Web est qu'ils savent se servir d'un navigateur et ont quelques idées de la richesse qu'ils peuvent trouver sur le média. Heureusement, ce ne sont pas toujours des informaticiens, loin de là !

Quelle nationalité ?

Nous ne vous apprendrons rien en disant que l'usage de la langue anglaise est prépondérant sur l'Internet et donc sur le Web. Au point que beaucoup de présentations dites "institutionnelles" prévoient une version anglaise de leur texte. C'est le cas, par exemple, du site du CNRS (le Centre national de la recherche scientifique), dont la Figure 1.5 montre la page d'accueil (le pointeur de la souris indique la rubrique *English version*).

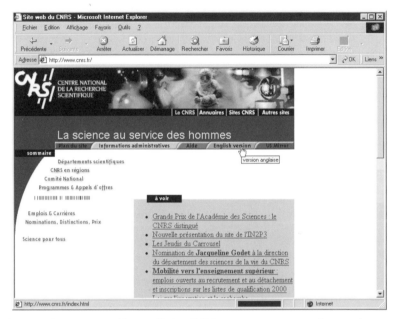

Figure 1.5 : La page d'accueil du CNRS propose une version en langue anglaise.

Inversement, certaines entreprises importantes, comme Microsoft, prévoient des versions nationales à destination des principaux pays du monde comme on peut le voir sur la Figure 1.6.

Dans une présentation personnelle, il est rare d'en arriver à ce point. Avec la langue française, vous couvrirez tous les pays francophones, ce qui n'est déjà pas si mal (n'oubliez pas que, outre la Belgique et la Suisse, vous atteignez ainsi le Québec). Mais si vous êtes auteur de shareware ou que le sujet que vous traitez mérite d'après vous une audience importante, rien ne vous empêche de prévoir une version en anglais. Cela vous imposera la mise à jour concomitante des deux versions, car n'oubliez pas qu'une présentation Web est une chose vivante qu'il faut régulièrement nourrir, corriger, améliorer, compléter.

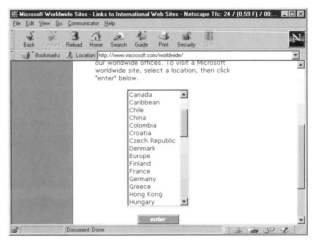

Figure 1.6 : Microsoft prévoit des versions personnalisées pour différents pays.

Quelle structure adopter ?

Une page Web n'est pas une conversation de salon. Avec un journal imprimé, on peut facilement étaler plusieurs pages devant soi. Le Web impose des restrictions en ne vous présentant qu'une seule page à la fois, ayant au plus la taille d'un écran. Bien sûr, rien n'empêche un surfeur d'afficher simultanément sur son écran plusieurs de vos pages. Mais les écrans usuels étant le plus souvent de taille juste suffisante pour une seule page, vouloir en afficher plus d'une seule est une gageure qu'éviteront soigneusement de risquer les amateurs avertis. Dès lors va se poser le problème de la *navigation*, que nous traiterons au chapitre suivant.

Cette fragmentation impose une certaine rigueur dans la structure d'une présentation. Il est impératif que vos lecteurs aient des points de repère pour trouver ce qui les intéresse, aller plus loin, revenir en arrière. Outre une certaine rigueur dans le découpage de votre sujet, nous verrons que ça impose quelques contraintes dans le choix des moyens à mettre en œuvre. Bien que la notion de page n'ait ici rien à voir avec celle qui s'applique à un livre ou à un journal, nous allons retrouver les grandes lignes régissant une composition imprimée.

Le titre

D'abord un titre (si possible accrocheur) suivi d'une brève présentation du sujet que vous allez traiter. N'oubliez pas que, lorsqu'un surfeur appelle une page Web, c'est presque toujours sur cette page d'accueil qu'il va tomber. A vous de lui donner envie de poursuivre son exploration. Regardez les pages de publicité des revues, les gros titres des journaux, et vous aurez une idée des moyens employés pour attirer puis retenir l'attention du flâneur. Ce titre peut être suivi d'une table des matières ou plutôt de sous-titres évoquant les rubriques que vous allez aborder.

Comme le lecteur n'a peut-être pas l'intention de les lire dans l'ordre où vous les avez proposées, il faut créer des appels de liens afin qu'en cliquant sur l'un d'eux, on parvienne immédiatement à la page où le sujet est développé. Evitez de disposer ces liens comme des soldats de plomb à la parade (voir Figure 1.2), mais inspirez-vous plutôt du *Journal officiel* (voir Figure 1.3). Nous reviendrons sur la structure de ces menus de liens au Chapitre 6.

Dico

Un *appel de lien* est constitué par un mot, une suite de mots ou une image, élément sur lequel le visiteur clique pour afficher la page ainsi signalée.

Le corps du sujet

Viennent ensuite les différentes rubriques qui constituent le cœur de l'exposé. Leur nombre et leur agencement dépendent du sujet abordé. Dans la mesure du possible, insérez des images. Pas n'importe lesquelles : il faut qu'elles soient de bonne qualité et en situation. Résistez à la tentation d'en mettre beaucoup et surtout de les choisir de grande taille, car leur temps de chargement risquerait d'indisposer votre visiteur et, lassant sa patience, de le pousser à aller voir ailleurs.

La fin de la présentation

Comment doit se terminer la page ? Pas nécessairement par une conclusion, pour la simple et bonne raison que généralement ça ne s'impose pas. Certes, si vous racontez l'histoire fantastique et incroyable qui vous est arrivée, c'est là qu'on va trouver le dénouement. S'il s'agit de la page d'une association 1901, vous pouvez placer à la fin un bulletin d'adhésion téléchargeable. Mais si c'est votre gazette personnelle, elle peut très bien se terminer de façon abrupte, surtout si les sujets abordés n'avaient pas de liens clairement établis entre eux. A vous de voir...

On donne fréquemment, sous une référence du genre "Autres sites à consulter", une liste d'autres présentations Web dont le sujet se rapproche de celui qu'on souhaite traiter. L'usage veut qu'on demande au *webmaster* concerné la permission de le référencer. En réalité, c'est souvent un artifice pour se faire référencer soi-même par celui qu'on cite (effet dit "de renvoi d'ascenseur"). Pourquoi pas, après tout ?

> **Dico**
>
> Un *webmaster* est celui ou celle qui est responsable de la rédaction et de la mise à jour d'une présentation Web. Evitez le terme *webmestre* qui est grammaticalement incorrect.

La signature

Comme dans la presse écrite, il est d'usage de signer son œuvre. Inutile de mettre votre adresse postale, mais, par contre, n'oubliez pas que vous êtes sur Internet et que le Web est un média interactif. Indiquez donc votre adresse e-mail, ce qui pourra inciter vos lecteurs à vous faire part de leur opinion, voire de leurs critiques. Evitez de leur soumettre un questionnaire. D'abord parce que les gens n'aiment pas toujours répondre à des questions précises, car ils ne sont déjà que trop sollicités. Et ensuite parce que, sur le plan technique, cela demande la mise en place de formulaires dont la gestion est rarement acceptée par les fournisseurs d'accès. Nous reviendrons sur ce problème des formulaires au Chapitre 8.

La fraîcheur de la page

Certaines informations perdent tout intérêt après quelque temps. Par exemple, le délit d'initié perd très vite de son efficacité. Des sujets comme les prévisions météo ou les cours de la Bourse ne sont intéressants que si on sait à quelle date précise (voire à quelle heure) ils ont été publiés. Pareil pour une page ayant pour titre "Les dernières nouveautés informatiques". Comme nous le verrons, une fois terminée l'écriture d'une présentation, le travail ne fait que commencer, car cette présentation, il va falloir la faire vivre et y amener des nouveautés si vous voulez que ceux qui l'ont découverte y reviennent. Afin de les inciter à aller plus loin que la page d'accueil, prenez l'habitude d'indiquer de façon bien visible la date de dernière mise à jour, quelque part dans le premier écran.

Le compteur

Très souvent, vous voyez sur la page d'accueil une phrase disant quelque chose comme :

```
Vous êtes le 367ème visiteur
```

Ce compteur de visites, lorsqu'il est honnêtement géré, permet une mesure de la fréquentation de votre site. Si nous disons "honnêtement", c'est parce qu'un emplacement mal choisi pourrait permettre de compter plusieurs fois la même visite. Sans oublier la possibilité de démarrer le compteur à une valeur différente de zéro.

Ce système de comptage s'effectue grâce à un *script* se trouvant sur le serveur, mais il s'agit là d'un script standard dont l'accès est offert par la plupart des fournisseurs d'accès. Si le vôtre se montre restrictif à cet égard, il existe des compteurs publics auxquels il est assez facile d'avoir accès. Nous en dirons davantage sur le sujet au Chapitre 10.

> **Dico**
>
> Un *script* est un court programme qui se trouve sur le serveur de la présentation et qui est chargé de réaliser une fonction particulière pour une présentation Web.

Attention au copyright !

Vous ne pouvez pas mettre n'importe quoi dans une page Web. Comme tout ce qui devient public, vous tombez sous le coup des lois régissant la reproduction des créations intellectuelles quelles qu'elles soient : textes, dessins, sculptures, photos, musique... A moins que cette œuvre ne soit tombée dans le domaine public.

En 1996, plusieurs éditeurs de musique, détenteurs des droits légaux, ont intenté collectivement une action en justice contre des élèves appartenant à des écoles d'ingénieurs qui avaient utilisé le texte d'une chanson de Jacques Brel dans leur page Web. Et ils ont gagné. Plus récemment, un étudiant qui avait adapté le poème de Raymond Queneau *Cent mille milliards de poèmes* (qui s'y prête particulièrement bien) pour une présentation Web a été assez lourdement condamné sur plainte du fils de l'auteur.

Vous avez parfaitement le droit de reproduire *in extenso* une fable de La Fontaine, depuis longtemps tombé dans le domaine public. De même pour Beethoven. Mais si vous voulez plaquer sur votre page le premier mouvement de la 14e sonate (le célèbre *Clair de lune*), vous n'avez pas le droit d'emprunter le disque de Daniel Barenboïm, car les droits de l'interprète sont, eux aussi, protégés. Mieux vaut, par prudence, l'enregistrer vous-même (si vous en êtes capable, techniquement et surtout artistiquement).

Néanmoins, vous avez le droit de citation, c'est-à-dire que vous pouvez emprunter un court fragment à un article ou à une œuvre d'un auteur contemporain. Pour savoir avec précision où finit la citation et où commence le pillage, adressez-vous à votre avocat habituel. D'une façon générale, si vous voulez reproduire un article ou quelques paragraphes d'un article publié dans un journal, commencez par en demander la permission à l'auteur ou au rédacteur en chef du journal en indiquant clairement l'utilisation que vous voulez en faire. Souvent, surtout s'il s'agit de votre page personnelle ou de la présentation d'une association sans but lucratif, vous obtiendrez cette autorisation, sous réserve de la citation de votre source.

On trouve beaucoup de sites qui proposent gratuitement des images. La plupart vous demandent simplement de citer leur nom, ce qui est la moindre des choses. Ne recopiez pas servilement une image qui vous a plu dans la présentation d'autrui, même s'il s'agit d'une page personnelle : le droit de reproduction n'est pas nécessairement transmissible.

Respectez la législation

Un certain nombre de sujets ne doivent pas être abordés publiquement : la propagande raciste, les théories néo-nazies, la pédophilie ou le révisionnisme comptent parmi ceux qu'il faut éviter — et c'est bien heureux. Vous tomberiez alors sous le coup de la loi et pourriez être poursuivi ainsi que votre fournisseur d'accès. (La jurisprudence est encore floue sur ce point, mais aurait plutôt tendance à un renforcement de sévérité.) Pour éviter de se retrouver sur la paille humide des cachots, beaucoup de fournisseurs d'accès introduisent dans le contrat qu'ils vous font signer une clause de non-responsabilité, comparant leur rôle à celui de La Poste, qui n'est pas poursuivie lorsqu'elle achemine les demandes formulées par des maîtres chanteurs.

A la suite du procès intenté par une vedette du show-biz à l'hébergeur Altern (condamné à 400 000 francs de dommages et intérêt) à qui elle reprochait d'avoir servi de support à un site la montrant dans "le simple appareil d'une beauté qu'on arrache au sommeil", une loi a clarifié, courant 99, la situation des fournisseurs d'accès et des autres prestataires qui ne sont plus systématiquement tenus pour responsables du contenu des pages qu'ils hébergent. C'est donc bien l'auteur de la page qui est — comme c'est normal — tenu pour responsable et peut être poursuivi s'il contrevient à la Loi.

Tous les navigateurs ne naissent pas égaux

Venons-en maintenant à ce que vos lecteurs vont voir. Ne croyez pas que votre présentation leur apparaîtra telle que vous l'avez conçue. Selon le navigateur qu'ils utilisent, les options de configuration qu'ils ont choisies et le format de leur écran, les résultats qu'ils obtiendront pourront être très différents de ceux que vous espériez. Actuellement, 80 % du marché des navigateurs se partage entre Netscape et Microsoft (avec un avantage croissant à ce dernier), tous deux nés aux Etats-Unis et tous deux distribués gratuitement, et un navigateur qui vient du froid, Opera, né en Norvège, mais qui présente plusieurs inconvénients parmi lesquels : il n'est pas gratuit, son rendu de certaines couleurs est inexact, il ne reconnaît pas ou traduit incorrectement certains attributs, et son interprétation de certains scripts JavaScript est parfois approximative.

Le format de l'écran

La Figure 1.7 montre la page d'accueil d'une présentation consacrée à des motos anciennes vue avec un écran 640 × 480 en affichant les images. Les rubriques figurant dans le cadre de navigation, à gauche, sont légèrement amputées et, plus grave, l'image principale, à droite, est tronquée ; il faut agir sur les barres de navigation pour la voir entièrement.

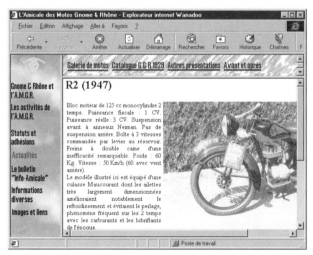

Figure 1.7 : Une page Web affichée en 640 × 480 apparaît tronquée.

La même image, affichée en 800×600 (voir Figure 1.8), montre tous les détails et on voit maintenant le gros plan du moteur dont on n'apercevait que le bord supérieur sur l'image précédente. Ce dernier format est actuellement le plus utilisé et c'est sans doute celui qui apporte le plus de confort visuel sans exiger des écrans aux performances supérieures.

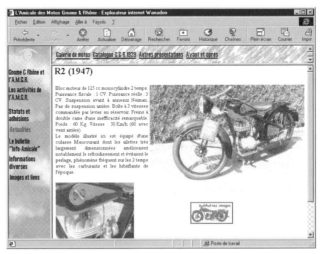

Figure 1.8 : La même page, affichée en 800 × 600, apparaît complète et affiche même des renvois de navigation.

L'affichage des images

Pour gagner du temps, l'internaute peut décider de ne pas afficher les images, acceptant ainsi (de gaieté de cœur ?) de se priver d'un des principaux attraits du Web. On peut voir sur la Figure 1.9 la page d'accueil de Microsoft France affichée normalement sur un écran 640×480 et, sur la Figure 1.10, la même après avoir désactivé le chargement des images. La différence de qualité parle d'elle-même !

Si les auteurs de cette page n'avaient pas utilisé un artifice permettant de remplacer une image absente par un court texte qui en résume l'aspect, les menus de navigation auraient complètement disparu. Certains sujets, privés d'images, perdent alors tout intérêt. Le cas extrême est celui où la présentation Web sert à montrer une galerie de tableaux ou des affiches.

Figure 1.9 : La page d'accueil de Microsoft France, affichée normalement.

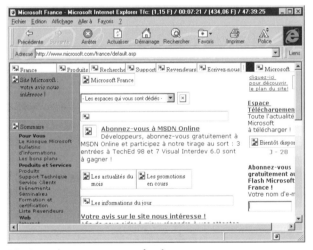

Figure 1.10 : La même page, sans les images.

Le choix de la police de caractères

Enfin, le choix, pour l'affichage, d'une police de petite taille (voir Figure 1.11) ou, au contraire, de taille très grande (voir Figure 1.12), va modifier de façon importante la mise en page et même la navigation dans une présentation. Or, l'utilisateur a toujours la possibilité de modifier à son gré la taille et le type de la police d'affichage standard de son navigateur. Dans ce cas, même si l'auteur Web avait pris la précaution de spécifier un type et un corps particuliers, il n'en sera tenu aucun compte. Le Web, ce n'est pas (encore) de la PAO !

Figure 1.11 : Une page Web affichée avec une police de petite taille.

Figure 1.12 : La même page Web affichée avec une police de grande taille.

L'utilisation d'un navigateur trop ancien

N'oubliez pas que vos visiteurs ne changent pas systématiquement de navigateur dès qu'apparaît une version nouvelle. S'ils sont satisfaits de celle qu'ils utilisent, ils estiment avec raison qu'il est inutile de courir des risques en essuyant de possibles plâtres d'une nouvelle version. Et puis, il faut compter avec le confort de l'habitude. On est souvent bien "dans" son navigateur comme on l'est dans ses vieilles pantoufles !

Cette attitude de conservatisme prudent (qu'on nous passe cette tautologie) est comparable à ce qui s'est produit lorsqu'on est passé du microsillon au CD. Nombreux étaient les audiophiles qui, à la tête d'un parc de quelques centaines de disques noirs, ne tenaient pas à investir dans un lecteur de CD, cher et aux performances incertaines. (Les premiers qui sont apparus sur le marché coûtaient plus de 6 000 francs.) Deux ou trois ans plus tard, le prix avait baissé de moitié, les performances étaient meilleures et les disquaires proposaient un catalogue abondant.

C'est en 1997 que le W3C (l'institution qui établit et promulgue les spécifications HTML) a officialisé HTML 4.0. Si, du jour au lendemain, tous les auteurs Web s'étaient précipités pour incorporer les nouvelles fonctionnalités dans leurs pages, ils auraient rapidement perdu leur audience, les *surfeurs* du Web satisfaits d'un navigateur auquel ils étaient habitués ne voyant aucune raison de l'abandonner pour une nouvelle version aux performances incertaines et aux bogues probables.

Une preuve du conservatisme douillet des utilisateurs du Web est donnée par un article ("Assembling the World's Biggest Library on Your Desktop"), signé par Joseph Alper et publié par la très respectée revue scientifique américaine *Science* (18 septembre 1998, Vol. 281), à propos d'un projet de bibliothèque mondiale universelle des connaissances en cours à l'université Carnegie Melon de Pittsburgh. Il ne s'agit pas d'une utopie, mais d'un projet scientifique financé par le gouvernement des Etats-Unis à hauteur de 50 millions de dollars sur cinq ans. Trois copies d'écran viennent appuyer les explications données sur l'état du projet. Toutes trois montrent que le navigateur utilisé est antérieur à Netscape 4, sans doute Netscape 3 ou même Netscape 2, bien reconnaissable par les icônes de son menu de navigation.

Si votre visiteur utilise un navigateur... exotique, soit parce qu'il utilise un matériel peu répandu, soit parce qu'il est resté fidèle au navigateur qu'il a découvert en 1995, ou encore par paresse ou par ignorance, il risque de se trouver privé de l'affichage d'une grande partie de la page. La Figure 1.13 montre la page d'accueil de l'AMGR affichée par Internet Explorer, et la Figure 1.14, la même page vue avec Mosaic, navigateur réalisé par l'université américaine de l'Illinois, qui a été l'un des premiers à permettre l'exploration du Web, mais qui s'est trouvé rapidement dépassé par des concurrents plus prestigieux, comme Netscape ou Microsoft. (L'université a d'ailleurs décidé, début 1997, de ne plus continuer les développements du produit, mais d'en céder des licences à qui en voudrait.)

Figure 1.13 : La page d'accueil de l'AMGR vue avec Internet Explorer.

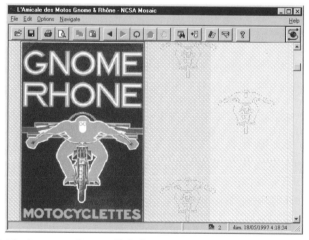

Figure 1.14 : La page d'accueil de l'AMGR (ou plutôt ce qui en reste) vue avec Mosaic.

Le dilemme de l'auteur Web

Tous ces éléments vont vous amener à vous poser une question : "Pour qui dois-je composer ma présentation Web ? Pour le plus grand nombre ou pour ceux de mes visiteurs qui utilisent les plus récents navigateurs ?" Comme souvent, lorsque intervient un effet de mode, il n'est pas facile de répondre de façon nette. Pour notre part, nous pensons qu'il est raisonnable de se fixer un profil d'utilisateur moyen : celui qui possède un matériel et des logiciels pas trop démodés (ce qui en informatique signifie : n'ayant pas plus de deux ans) et qui sait les configurer sans trop de maladresse. Ce qui revient à écarter les deux extrêmes : ceux qui ont encore des modems à 4 800 bps et des navigateurs en mode texte tels que Lynx, d'une part ; et ceux qui ont Internet Explorer 6++ ou Netscape Super Navigator 6** avec une liaison directe à l'Internet par une voie à 2 Mbps, d'autre part.

Cette disparité dans l'interprétation d'une même présentation par les navigateurs de différents éditeurs a conduit un groupe d'auteurs Web, le WASP[1] (*Web Standards Project*), à lancer une pétition sur l'Internet (**http://www.webstandards.org**, voir Figure 1.15) demandant d'"arrêter la fragmentation du Web en persuadant les éditeurs de navigateurs qu'il est de l'intérêt de chacun d'adopter des standards communs". On peut cependant douter de la sincérité et de l'authenticité de ce groupe lorsqu'on lit que le texte de cette pétition s'adresse principalement à Netscape.

Quoi qu'il en soit, évitez de placer sur votre page d'accueil un message comme celui que montre la Figure 1.16, signalant que votre page "est optimisée pour" tel ou tel navigateur. Ce serait reconnaître que vous êtes incapable de réaliser un site Web que tout le monde puisse voir dans de bonnes conditions. Ou pis encore, que vous êtes payé par un éditeur de logiciel à faire de la propagande pour son navigateur. A la rigueur, vous pouvez signaler que la page sera mieux vue avec un format d'écran de 800 × 600 ou de 1 024 × 768.

On en arrive alors à définir un profil d'utilisateur moyen utilisant Netscape Navigator ou Internet Explorer version 4 ou plus récente, et équipé d'un modem à 36 Kbps. Cette configuration permet de charger des images de taille raisonnable dans un temps, lui aussi, raisonnable. Car se priver d'images sur le Web, c'est comme faire un régime sans sel : on survit, mais sans le plaisir de manger, en se contentant de se nourrir.

---

1. Ainsi dénommée, sans doute par analogie avec la désignation traditionnelle des Américains de "pure souche" (*White Anglo-Saxon Protestant*, c'est-à-dire blanc protestant d'origine anglo-saxonne).

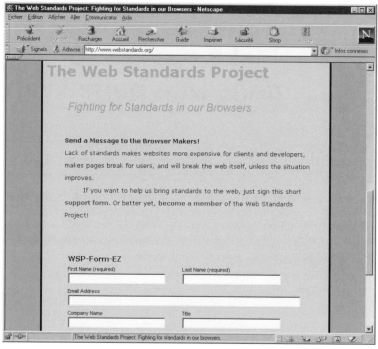

Figure 1.15 : La pétition du WASP demandant aux éditeurs de navigateurs de s'accorder sur un véritable standard.

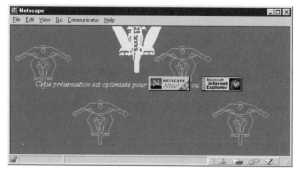

Figure 1.16 : Evitez ce genre de message sur votre page d'accueil : c'est généralement un aveu d'impuissance.

Chapitre 2

La navigation dans une page Web

L'expression "page Web" est trompeuse, car la notion de page a peu de chose à voir avec une page de journal ou de livre. Sur ces supports, c'est le format du papier qui détermine ce que peut contenir la page et, que vous achetiez votre journal à Nîmes ou à Lille, que vous le lisiez dans un parc, assis sur un banc, ou dans le métro, la page physique (matérielle, réelle) contiendra toujours la même chose.

> **Dico**
>
> Une *page Web* est la partie d'une présentation Web pouvant être affichée dans un écran.
>
> Une *présentation Web* est l'ensemble des pages Web traitant d'un sujet particulier. On dit aussi, de plus en plus souvent, *site Web*, bien qu'il y ait ainsi un risque de confusion avec le serveur sur lequel est installé une présentation Web.

Nous avons montré au chapitre précédent qu'il était loin d'en être de même sur le Web, en raison de la diversité des matériels, des systèmes et des options de configuration. L'un des premiers inconvénients qui vont en résulter, c'est la disparition des repères auxquels nous sommes accoutumés : pagination, table des matières, index. Or, de même qu'on peut lire tel ou tel chapitre d'un livre sans nécessairement procéder dans leur ordre naturel, dans une présentation Web, on doit pouvoir atteindre la rubrique à laquelle on s'intéresse sans avoir besoin pour cela de "feuilleter" tout ce qui précède.

D'un autre côté, l'enchaînement des pages Web n'est pas forcément séquentiel comme c'est le cas pour les pages d'un livre. Si on admet — ce qui est le cas général — que chaque rubrique d'une même présentation est représentée par un fichier distinct, on peut avoir plusieurs types d'organisations que nous allons passer en revue.

L'organisation séquentielle

Elle est schématisée par la Figure 2.1. En dehors de quelques cas très particuliers, cette organisation qui reproduit celle de l'écrit est à éviter, car on ne peut atteindre une rubrique donnée qu'en parcourant toutes celles qui précèdent. Elle se révèle très contraignante pour le lecteur, prisonnier du carcan imaginé par l'auteur, et qui ne peut pas s'en échapper pour adopter le parcours qui lui convient. On ne voit d'ailleurs pas la nécessité de cette décomposition. Une seule page suffirait. Ce type d'organisation pourrait néanmoins convenir si on décidait de publier un roman sur le Web. Cela a été le cas, par exemple, pour le livre du Dr Gubler publié à la mort de François Mitterrand, qui avait été retiré de la vente, mais qu'on pouvait "lire" sur le site Web d'un habitant de Besançon. (Cependant, la méthode choisie ne se prêtait pas à une lecture facile, car l'auteur de ce site s'était contenté de scanner une par une les pages du livre et de les proposer séquentiellement sous forme d'images fort longues à charger.)

Astuce

L'avantage d'avoir plusieurs pages courtes au lieu d'une longue page est de pouvoir profiter des commandes *Page précédente* et *Page suivante* du navigateur pour cheminer vers l'avant et vers l'arrière dans la présentation en l'absence de tout autre instrument de navigation.

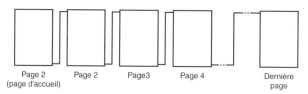

Page 2   Page 2   Page3   Page 4   Dernière
(page d'accueil)   page

Figure 2.1 : Organisation séquentielle (comme un livre) d'une présentation Web.

L'organisation centralisée

Cette organisation, illustrée par la Figure 2.2, est très utilisée : dans une page d'accueil, différents pointeurs (que l'on appelle ici des *liens* et que nous étudierons au Chapitre 6) permettent d'aller directement à telle ou telle rubrique grâce à un menu. La seule question qui se pose est l'accès à ce menu depuis n'importe quelle page. Le système des *frames* (voir Chapitre 9) apporte une réponse élégante à cette question, mais cette fonctionnalité n'est reconnue correctement que par des navigateurs récents.

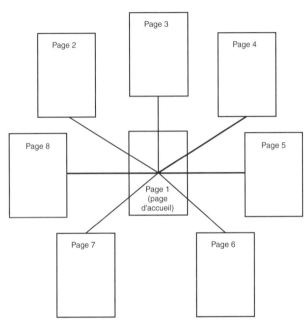

Figure 2.2 : Organisation centralisée d'une présentation Web.

Si la page est longue (plus de deux écrans successifs), on ajoute souvent un second pointeur permettant, à partir de la fin de la page, de remonter à son début. Dans la pratique, en l'absence de frames, on aboutit aux deux types de solution suivants :

- Disposer en tête ou en bas de page (ou aux deux endroits, si la page est longue) des pointeurs renvoyant aux différentes rubriques de la présentation. Cette solution convient aux présentations ne comportant qu'un nombre limité de rubriques, cinq ou six, par exemple. Cette solution est illustrée par la Figure 2.3.

- Disposer en tête **et** en bas de page un pointeur renvoyant sur la page d'accueil où se trouve le menu complet. C'est cette solution qu'il faut adopter pour les présentations très ramifiées où on perdrait trop de place s'il fallait rappeler le plan du site dans chacune des pages. Cette solution est illustrée par la Figure 2.4.

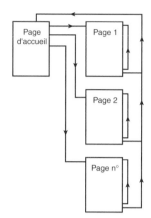

Figure 2.3 : Organisation centralisée avec renvois à la page d'accueil.

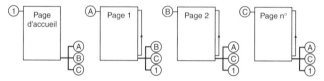

Figure 2.4 : Organisation centralisée avec menu de renvois dans chaque page.

L'organisation hiérarchisée

C'est une arborescence comparable à celle des répertoires d'un disque. On n'y trouve pas de liaisons transversales qui, ici, n'auraient aucune raison d'être. Elle convient bien à des notices techniques ou à des classifications ramifiées comme celles qu'on trouve dans les sciences naturelles. Mais on pourrait aussi l'utiliser pour des catalogues : celui d'une bibliothèque organisée par types d'ouvrages, puis par auteurs, puis par éditeurs, etc. ; ou d'une discothèque organisé par siècles, formes musicales, auteurs, numéros d'opus, noms d'interprètes, etc. ; ou encore pour le jardinage : potagers, fleurs, arbres, saisons, mois, types de cultures... Ce type de solution est illustré par la Figure 2.5. Pour simplifier, les retours vers la page d'accueil et à l'intérieur d'une sous-rubrique n'ont été détaillés qu'à droite de la figure.

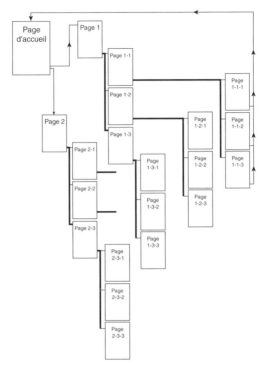

Figure 2.5 : Organisation hiérarchisée.

L'organisation tentaculaire

Dans une présentation comportant beaucoup de pages, pour peu qu'on n'y prenne pas garde, on peut arriver à une structure, ou plutôt à une absence de structure, telle que celle que représente la Figure 2.6. L'auteur Web aura autant de mal à s'y retrouver lors de ses mises à jour que le lecteur de peine à y naviguer.

Sans aller jusqu'à cet extrême, on peut aboutir à une organisation dans laquelle une page particulière doit pouvoir être atteinte à partir de n'importe quelle page. Cela pourrait être le cas d'un glossaire de termes techniques, par exemple. Malheureusement, HTML ne permet pas, à l'heure actuelle, de résoudre commodément ce problème, car la notion de sous-programme en est absente[1]. Pouvoir afficher une page déterminée et

---

1. Nous verrons au Chapitre 21 que FrontPage Express permet cependant de réaliser ce type d'inclusion.

revenir ensuite automatiquement à la suite de l'appel de lien de la page qu'on avait quittée n'a toujours pas été prévu, même dans HTML 4.0, et aucun éditeur de navigateur n'a encore songé à introduire ce perfectionnement. Les frames (appelées aussi cadres) et surtout JavaScript (voir Chapitre 12) permettent de résoudre partiellement ce problème.

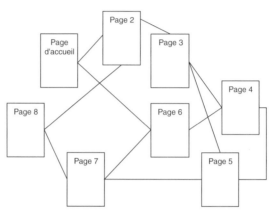

Figure 2.6 : Organisation ramifiée peu pratique.

Astuce

Rien ne vous empêche d'adopter une structure qui soit un mélange de celles que nous avons présentées. C'est votre présentation et c'est vous qui en êtes l'architecte.

Approche pratique de l'organisation

Une fois choisi votre sujet selon les suggestions que nous vous avons présentées dans le premier chapitre, mieux vaut ne pas vous lancer tête baissée dans l'écriture de vos pages sans avoir esquissé préalablement la façon dont elles vont être organisées. C'est ce que les auteurs américains appellent le *storyboard*, terme emprunté au cinéma et qu'on peut traduire en français par découpage. Pour cela, le papier et le crayon semblent être le support idéal. Les adeptes de la pensée shadock[1] pourront utiliser un logiciel de dessin à cet effet, mais le jeu n'en vaut pas la chandelle.

---

1. "Pourquoi faire simple quand on peut faire compliqué ?"

Ce découpage devra mettre en lumière la répartition des rubriques traitées par page et surtout le cheminement qui permet de passer de d'une à l'autre. Dans le cadre d'une présentation Web personnelle, étant donné la place limitée (en général de l'ordre de 5 à 10 Mo) dont on dispose, on ne risque pas d'atteindre des niveaux de complexité tels qu'il soit nécessaire d'établir un montage sur planche de liège avec des rectangles de carton, des ficelles de couleur et des punaises, comme c'est le cas pour certaines présentations professionnelles.

Deux approches sont ici possibles.

L'approche constructionniste

Vous avez un cerveau parfaitement organisé et, de même que Beethoven parvenait à "entendre" ses compositions malgré sa surdité, d'après leur partition[1], vous êtes capable de prévoir de A à Z ce que contiendra votre présentation Web. En conséquence, vous avez décidé que vous n'écririez pas une seule ligne (ou que vous ne lanceriez pas votre éditeur HTML) tant que votre plan ne serait pas esquissé dans ses moindres détails avec tous les liens dans un sens et dans l'autre soigneusement précisés, toutes les images et autres fichiers multimédias rassemblés.

Félicitations ! Vous méritez la Palme d'or du Web. Ou alors, une fois que tout sera terminé et que la dernière ligne sera écrite, vous vous apercevrez avec consternation que le résultat obtenu n'est pas conforme à ce que vous espériez, que des détails auxquels vous n'aviez pas pensé viennent tout gâcher et qu'en conséquence, il ne vous reste plus qu'à tout recommencer.

L'approche expérimentale

C'est la politique des petits pas. Vous voyez *grosso modo* l'organisation d'ensemble, mais, comme vous êtes un sage, vous préférez commencer par concevoir une ou deux rubriques, écrire ou générer leur code HTML et, sans aller plus loin, voir à l'aide d'un navigateur si le résultat obtenu correspond bien à vos espérances. En général, ce ne sera pas le cas et vingt fois (en pratique, cinq ou six seulement), vous allez devoir sur le métier remettre votre ouvrage. C'est de cette façon que vous trouverez le *ton*, le *rythme* qui conviendra au sujet que vous abordez. Une fois que ce sera fait, vous n'aurez plus qu'à organiser les autres rubriques sur le même modèle.

---

1. D'où, probablement, cette opinion d'un contemporain : "Beethoven était tellement sourd que, jusqu'à sa mort, il a cru qu'il faisait de la peinture."

C'est l'approche que nous préférons, et de loin. Elle nous paraît mieux correspondre à l'idée de chose vivante qu'est une présentation Web, sans cesse mise à jour et recommencée, que l'approche constructionniste, par trop rigide.

Conseils de mise en page

Comme nous le verrons, HTML permet dans une certaine mesure de choisir la police d'affichage du texte. Les débutants qui découvrent la magie du traitement de texte s'empressent d'employer le plus grand nombre de polices possible, aboutissant ainsi à des textes hétéroclites et souvent difficiles à lire. Ce qui donne son *look and feel* au contenu, c'est l'uniformité de sa présentation. Ce qui ne veut pas dire qu'on doive toujours adopter la police Times classique. Il existe d'autres polices, plus ou moins fantaisistes, et qui conviennent très bien pour des pages personnelles.

Malheureusement, si votre lecteur utilise un navigateur qui ne reconnaît pas la commande HTML de choix d'une police ou dont le système d'exploitation ne possède pas la police spécifiée, il verra tout autre chose que ce que vous, l'auteur, aviez prévu. Aussi, sous Windows, si vous voulez minimiser les risques, choisissez l'une des polices standards comme Times New Roman, Arial ou Courier, dont il existe des équivalents très semblables sur presque tous les systèmes d'exploitation. Quoi qu'il en soit, n'utilisez pas plus de deux polices dans votre présentation, sauf dans des cas très particuliers, si vous recherchez des effets spéciaux. Et, dans ce cas, prévenez votre lecteur que, pour voir votre présentation dans de bonnes conditions, il doit avoir installé les polices dont vous donnez la liste. Ainsi, s'il lui en manque certaines, il ne sera pas trop déçu et, si le sujet que vous traitez (et surtout la façon dont vous le traitez) l'intéresse réellement, il pourra se procurer les polices qui lui manquent et revenir plus tard à votre page.

Attention

Ne lui proposez pas de télécharger les polices nécessaires à moins que vous soyez certain qu'elles sont bien dans le domaine public, ce qui n'est pas toujours le cas.

Chapitre 3

Les bases de HTML

HTML, c'est la langue du Web. Il ne s'agit pas d'un langage au sens de la programmation, mais plutôt d'un idiome ou même d'un dialecte. On parle HTML pour être compris par un navigateur comme on parle anglais pour être compris d'un citoyen de la (perfide) Albion. Comme tout langage, HTML possède sa syntaxe et son orthographe. Que le lecteur se rassure, nous n'allons pas faire ici un docte exposé de ces règles mais, après avoir énoncé quelques principes généraux, voir pour chacune des commandes HTML les plus courantes la façon dont il faut l'employer.

Dico

HTML signifie *HyperText Markup Language*, c'est-à-dire langage hyper-texte à balises.

Les plus récents éditeurs HTML prétendent vous permettre de composer des pages Web sophistiquées sans que vous ayez besoin de connaître le moindre élément du langage. Par analogie avec le traitement de texte, on les appelle "éditeurs WYSIWYG". L'un des plus utilisés sous Windows 95/98 est FrontPage[1], de Microsoft. Dans certains cas, toute exagé-ration publicitaire mise à part, c'est peut-être vrai, mais nous croyons qu'il n'est pas inutile de connaître la structure interne des documents générés, c'est-à-dire d'apprendre quelques commandes HTML. Plusieurs raisons justifient cette opinion, parmi lesquelles :

- Dans certains cas, vous voulez ajuster plus précisément ce que l'éditeur vous montre et vous ne savez pas comment vous faire comprendre de cet *%?$£!! d'éditeur (ou bien il n'est pas capable de faire ce que vous voudriez). Le seul remède consiste alors à mettre les mains dans le cambouis.

---

1. Il en existe une version "décaféinée", FrontPage Express, qui fera l'objet de la Partie II de ce livre.

- HTML évolue plus vite que les éditeurs. Si vous voulez utiliser de nouvelles commandes HTML ignorées de votre éditeur favori, la solution consiste à les incorporer directement dans vos pages au moyen d'un banal éditeur de texte. Nous verrons que c'est assez souvent le cas avec FrontPage Express. Certains éditeurs vous permettent, toutefois, d'enrichir leur répertoire. Pour des raisons de complexité, ce n'est presque jamais le cas des éditeurs WYSIWYG.

- Les plus valeureux des éditeurs HTML ne sont pas à l'abri d'un bogue. Rectifier le (mauvais) code généré est alors très facile pour peu que vous connaissiez un minimum de commandes HTML.

Dico

WYSIWYG signifie littéralement *What You See Is What You Get* ("ce que vous voyez est ce que vous obtiendrez"), qu'on raccourcit parfois, en français, en : "tel écran, tel écrit".

A la recherche du standard perdu

A sa naissance, HTML comportait peu de commandes, car il avait été conçu principalement pour manipuler du texte et décrire des documents de structure relativement simple. Devant le succès remporté par le Web, les éditeurs de navigateurs et principalement Netscape se mirent à l'enrichir de nouvelles commandes afin de lui donner davantage de souplesse et de puissance.

Info

On ne doit pas parler de *norme HTML*, mais de *spécification HTML*, car ce "langage" n'est pas normalisé au même sens que le C, par exemple.

HTML 2.0

Sous la pression des utilisateurs et des éditeurs de logiciels, le comité officiel en charge de la normalisation de HTML, le W3C, finit par reconnaître la plupart des nouveaux marqueurs et ce fut la version 2. Mais cela n'empêcha pas Netscape de continuer à innover et, comme de son côté, Microsoft venait de se réveiller et de découvrir l'Internet et le Web, ce fut à qui proposerait les commandes les plus variées, voire les moins utiles.

> **Dico**
>
> On appelle *marqueur* une balise HTML qui ne porte pas sur un objet HTML quelconque.
 ou <HR>, que nous allons bientôt rencontrer, sont des marqueurs.

HTML 3.x

Ces extensions furent soumises au W3C en compagnie d'autres propositions en vue de constituer une version 3, fort ambitieuse et dans laquelle on avait même prévu d'incorporer des symboles et des formules mathématiques. Mais le temps passait sans qu'aucune conclusion n'apparaisse. Sans doute à cause de l'ampleur des extensions proposées et de la difficulté de parvenir à un accord entre de nombreuses approches possibles. En désespoir de cause, en mai 1996 fut annoncée la version 3.2, qui excluait les raffinements les plus lourds et les moins universels, mais entérinait presque toutes les modifications proposées par Netscape et Microsoft.

HTML 4.0, CSS1 et la suite

Mais on n'arrête pas le progrès et, en même temps que la version 4.0, annoncée un an après, apparaissait CSS1 (*Cascading Style Sheet, version 1*), qui jetait les bases d'une implémentation bien formulée, assez complète et relativement simple à comprendre et à apprendre, des feuilles de styles. Hélas, cette simplicité était sans doute trop réelle : un an après sortait CSS2 qui, avant même que l'implémentation de CSS1 n'ait été complètement réalisée par Netscape Navigator et Internet Explorer dans leurs versions respectives 4.x, d'abord, 4.7 et 5.0 ensuite, venait tout embrouiller. Dans ses plus récentes pages, le W3C propose même de définir ce que sera CSS3.

En dehors de quelques commandes accessoires (touchant principalement au multimédia) et d'attributs dont l'intérêt reste à démontrer, Netscape Navigator et Internet Explorer (qui représentent plus de 80 % des navigateurs utilisés dans le monde entier) reconnaissent pratiquement toutes les spécifications de HTML 3.2. Mais, en ce qui concerne HTML 4.0, c'est une autre histoire. Plus d'un an après l'officialisation de cette version, seule une petite partie des nouveautés qu'elle apporte est actuellement implémentée. Et, depuis, infatigable et imperturbable, le W3C a annoncé la spécification HTML 4.01 qui — heureusement — n'apporte que des modifications mineures (*cosmetic*, comme disent les Américains) à la version 4.0.

> **Info**
>
> Pour remettre un peu d'ordre dans la boutique, le W3C a décidé de quali-
> fier de *deprecated* un certain nombre de balises. Cela ne veut pas dire que
> les balises en questions soient *dépréciées*, mais que leur utilisation est
> déconseillée. Pour beaucoup d'entre elles, il faut bien les remplacer par
> quelque chose. Avec les feuilles de styles, c'est presque toujours possible.
> L'ennui, c'est que l'implémentation de CSS1 (sans même parler de celle de
> CSS2 ou de CSS3) est encore loin d'être complète, comme nous venons de
> le signaler. C'est la raison pour laquelle nous ignorerons ce qualificatif et
> continuerons d'utiliser ces balises comme si de rien n'était. Ce qui compte,
> pour nous, ce n'est pas d'écrire des pages HTML à la dernière mode, mais
> de réaliser des présentations Web susceptibles d'être correctement tradui-
> tes par le plus grand nombre de navigateurs. Alors, tant pis pour la pureté
> du style d'écriture !

Il faut dire à la décharge des éditeurs de navigateurs qu'une fois encore, le
W3C, ne tirant aucune leçon de l'échec de HTML 3.0, a fait très fort. Pour
ne citer qu'un exemple, il est prévu la possibilité d'afficher une présentation Web avec un traducteur braille ou de la raconter au moyen d'un
synthétiseur de parole. Quand on voit ce que peut contenir un tableau, on
comprend la difficulté qu'il peut y avoir à "dire" son contenu. Inutile de
dire que tout cela est, jusqu'à présent, resté lettre morte.

Dynamic HTML, XML, MathML et consorts

Dans sa fuite en avant, le W3C a suivi des propositions émanant particulièrement de Microsoft, de Netscape, d'éditeurs de logiciels de PAO et
d'universitaires qui considéraient (sans doute à juste titre) que HTML
était maintenant dépassé par son succès et ne pouvait plus satisfaire la
richesse de l'inspiration des auteurs Web. Rappelons qu'à l'origine, HTML
n'était pas destiné à réaliser des présentations clinquantes sur les plans
visuel et sonore, mais à reproduire des textes scientifiques bien plus austè-
res, où ce qu'il fallait représenter n'était pas une mise en page fidèle, mais
une mise en valeur exacte des différentes parties d'un texte en fonction de
leur importance logique dans la présentation.

Le comble du ridicule a été sans doute atteint par Dynamic HTML, où
Microsoft et Netscape ont, chacun de leur côté, choisi une approche différente, bien entendu incompatible. Comme ce livre n'est pas un traité
exhaustif de HTML et de ses dérivés, on comprendra que nous ne souhaitions pas nous attarder sur ce sujet. Nous donnerons un aperçu de ce qu'est
actuellement DHTML au Chapitre 11.

Quelle leçon en tirer ?

On doit tenir compte des retards d'implémentation de HTML et du fait que tous les utilisateurs ne vont pas se précipiter sur le dernier navigateur sorti. On est ici comme dans la situation du cinéma d'avant-garde dont les films sont acclamés par les aficionados du genre dans des salles dites "d'art et d'essai", mais qui ne font pas recette, boudés par le grand public qui a toujours préféré *Le Gendarme de Saint-Tropez* à *L'Année dernière à Marienbad*. Il ne nous appartient pas de porter un jugement de valeur sur cette attitude : nous nous bornons à la constater.

Lorsqu'on écrit une page Web et qu'on veut que le plus de gens possible puissent la voir dans de bonnes conditions, il faut tenir compte de ce retard à la pénétration des techniques nouvelles. N'oublions pas que, si le marché de l'ordinateur personnel flambe (depuis la rentrée 1998, les grandes surfaces proposent presque toutes des configurations très correctes à partir de 3 990 francs), bien peu ce ceux qui s'équipent de ces appareils ont les connaissances suffisantes pour installer un nouveau logiciel. On leur a livré une machine toute configurée, ils ont déjà du mal à maîtriser les commandes élémentaires du système d'exploitation et craignent raisonnablement, s'ils y touchent, que tout ce fragile édifice ne s'effondre.

Lorsqu'on achète une voiture de série, on ne se précipite généralement pas pour y ajouter un compresseur, un spoiler ou un arceau de protection. Bien sûr, le coût de ces accessoires est souvent dissuasif, alors que les navigateurs de Microsoft et de Netscape sont distribués gratuitement. Mais l'automobile est maintenant un objet banalisé, alors que l'ordinateur est *en train de* le devenir.

Une particularité nationale

HTML ne connaît que les 128 caractères de l'alphabet ordinaire non accentués, c'est-à-dire ceux de l'alphabet ASCII ce qui explique que les caractères é, è, ë, ê... doivent être codifiés selon une convention qui n'est pas la même selon les plates-formes utilisées, ne soit pas directement possible. Heureusement, il existe une astuce pour représenter nos caractères nationaux ainsi que ceux d'autres nations européennes : les *entités de caractères*.

Dico

Les entités de caractères consistent en une suite de caractères dont le premier est un & (*et* commercial) et le dernier un ; (point-virgule), entre lesquels on trouve une désignation abrégée du caractère à représenter ne comportant aucun espace. L'Annexe A en donne la liste détaillée dans laquelle figure même l'euro.

Voici quelques-unes des entités usuelles pour notre langue :

é	é
è	è
ê	ê
ë	ë
à	à
ç	ç

Ainsi, la phrase :

```
Les singulières amours de l'épinoche commune
```

s'écrira, avec des entités de caractères :

```
Les singuli&egrave;res amours de l'&eacute;pinoche commune.
```

Info

Les entités de caractères peuvent aussi se noter sous la forme &#xxx; où xxx représente, en décimal, le code ASCII du caractère à traduire. C'est le cas, en particulier, pour l'euro : €.

La traduction automatique d'une frappe au clavier en une entité de caractère correspondante n'est pas effectuée par tous les éditeurs HTML. L'exemple le plus frappant est sans doute celui de FrontPage, l'éditeur de Microsoft, qui semble ignorer complètement leur existence.

> **Info**
>
> Certains caractères spéciaux comme <, > ou &, qui jouent un rôle particulier dans la syntaxe HTML doivent toujours être écrits avec une entité lorsqu'ils apparaissent dans un texte : <, > ou & dans les trois cas cités. Faute de cette précaution, le navigateur risquerait de les confondre avec des parties de balise.

On se jette à l'eau

Pour l'instant, nous allons utiliser le banal éditeur de texte Bloc-notes (notepad.exe) qui accompagne toujours Windows pour faire nos premiers essais. Une fois que nous connaîtrons suffisamment bien HTML, nous pourrons aborder l'étude des éditeurs HTML spécialisés (Chapitre 14). Pour montrer comment on écrit une page Web, le mieux n'est-il pas d'en présenter une, que nous choisirons à dessein simple ? Alors, regardez la Figure 3.1, qui est une copie de l'écran affiché par un navigateur auquel on a soumis le fichier suivant :

> **Astuce**
>
> Dans ce texte, comme dans tout le reste du livre, les indentations et les lignes vierges servent uniquement à faciliter la relecture du document HTML. Elles n'ont aucune influence sur l'affichage par un navigateur, comme nous l'expliquerons un peu plus bas.

```
<HTML>

<HEAD>
  <TITLE>Votre premi&egrave;re page HTML</TITLE>
</HEAD>

<BODY>

<DIV ALIGN=CENTER>
<H1><IMG SRC="aladin.gif">
    Ma petite gazette
    <IMG SRC="aladin.gif">
</H1>
</DIV>

Comme vous le savez, j'ai l'habitude de choisir
<I>&agrave; ma fantaisie</I> les sujets que je souhaite
traiter dans mes pages. Aussi, ne vous attendez pas
```

```
&agrave; trouver des liens logiques dans les rubriques
que je vous propose. Leur seul point commun est peut-
&ecirc;tre de me tenir r&eacute;solument &agrave;
l'&eacute;cart de l'actualit&eacute; dont les
m&eacute;dias traditionnels vous assomment.
<BR>
<IMG SRC="cybds.gif">
<CENTER>
   <H4>Aujourd'hui, je vais vous proposer les sujets
suivants :
   </H4>
</CENTER>
<UL>
  <LI>La floraison des astilbes.
  <LI>Pourquoi <B>Hitchcock </B>n'a jamais fait de film sur
     <B>Sherlock Holmes</B>.
  <LI>Les &eacute;tranges amours de l'&eacute;pinoche
commune.
</UL>
<HR>
<ADDRESS>
  Vos commentaires seront les bienvenus &agrave;
  <A HREF=mailto:jdupont@monmail.fr> jdupont@monmail.fr</A>.
  <P>
  Cette page a &eacute;t&eacute; &eacute;crite le 13
octobre 1998
  <HR>
</ADDRESS>
</BODY>
</HTML>
```

Astuce
Pour voir un fichier HTML local avec Netscape ou Internet Explorer, tapez <Ctrl>-<O> puis saisissez son chemin d'accès suivi de son nom dans la boîte de saisie Ouvrir ou cliquez sur Parcourir et choisissez-le dans la boîte de sélection de fichier qui apparaît alors. Terminez en cliquant sur OK.

Nous allons entreprendre la dissection de ce court fragment.

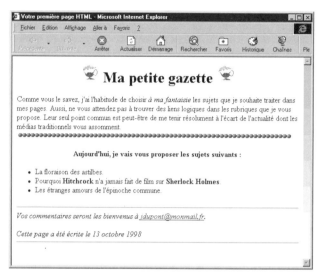

Figure 3.1 : Votre première page Web.

Les balises

> **Dico**
>
> Une *balise* est constituée d'un mot clé ne contenant aucun espace et placé entre deux chevrons. On choisit généralement d'écrire les balises en majuscules. C'est la convention que nous avons adoptée ici.

Les commandes HTML sont représentées par des balises : `<HTML>`, `<TITLE>`, `<BODY>`... Certaines de ces balises sont uniques, comme celle qui arrête l'affichage sur une ligne et le fait continuer à la ligne suivante : `<BR>`. On les appelle généralement des *marqueurs*. La plupart vont par paires entre lesquelles on place une suite de caractères. La balise terminale est identique à la balise initiale à un détail près : son nom est précédé d'une barre oblique (un *slash*). On parle alors de *conteneur*. L'effet de la commande se fait sentir sur le texte compris entre la balise initiale et la balise terminale. Ainsi, la phrase suivante :

```
Comme le soir tombait, <B>l'homme sombre</B> arriva
```

sera affichée ainsi :

Comme le soir tombait, **l'homme sombre** arriva

(La balise `<B>` indique que le texte inclus doit être affiché en gras — *bold*, en anglais).

> **Info**
>
> Le mot clé qui apparaît entre les chevrons de la balise n'est pas un mot réservé. Il peut apparaître n'importe où dans un document HTML.

A l'exception des commentaires, tout ce qui n'est pas balise est du texte ordinaire et sera donc affiché tel quel. La plupart du temps, il est possible d'imbriquer des conteneurs à condition que le conteneur le plus intérieur soit tout entier compris dans celui de niveau supérieur, et ainsi de suite jusqu'au plus extérieur. Dans le précédent exemple, on aurait pu obtenir un affichage en italique gras en écrivant :

```
Comme le soir tombait, <B><I>l'homme sombre</I></B> arriva
```

ou :

```
Comme le soir tombait, <I><B>l'homme sombre</B></I> arriva
```

Ce qui se serait affiché ainsi :

```
Comme le soir tombait, l'homme sombre arriva
```

> **Dico**
>
> Un *conteneur* est formé de la succession d'une balise initiale, d'un objet HTML — texte, image... — et d'une balise terminale.

Dans le cours du texte, si on veut utiliser certains des caractères ayant une signification particulière, il est nécessaire, comme nous l'avons vu, d'utiliser des entités pour qu'ils ne soient pas interprétés comme des indicateurs de balise. Par exemple, pour afficher le texte suivant :

```
Le conteneur <B> spécifie une mise en gras.
```

on devra écrire dans le document HTML :

```
Le conteneur &lt;B&gt; sp&eacute;cifie une mise en gras.
```

Les attributs

Une balise comporte généralement des attributs, certains obligatoires, d'autres optionnels, qui viennent compléter la signification de la commande. Ainsi, dans la commande <IMG> qui permet d'insérer une image, l'attribut SRC= (qui indique le nom du fichier image à insérer) est obligatoire. Par contre, l'attribut `ALIGN=` de cette même commande est entièrement facultatif. Ce qui suit le signe égal doit être placé entre guillemets comme dans :

```
<IMG SRC="monimage.gif">
```

Astuce

Les navigateurs font preuve d'une grande indulgence vis-à-vis de cette exigence syntaxique. Mais, en la respectant, vous êtes certain que l'utilisateur qui se sert d'un navigateur très ancien ou un peu capricieux n'aura pas de problème pour voir votre page correctement.

Les séparateurs

En dehors des signes de ponctuation qui conservent leur signification usuelle (exception faite du point-virgule terminal des entités de caractères), les séparateurs usuels : espace, tabulation et retour chariot sont interprétés comme un seul et unique espace, qu'ils soient uniques ou répétés. Ainsi, le texte HTML suivant :

```
Il     faut, autant
qu'on
      peut,
obliger

tout le monde.
```

sera affiché ainsi :

```
Il faut, autant qu'on peut, obliger tout le monde.
```

Dico

On appelle *espace insécable* l'entité de caractère . La succession de plusieurs espaces insécables (, par exemple) se traduira par un espace élargi (ayant ici la valeur de trois espaces).

Nous verrons, vers la fin de ce chapitre, qu'il existe un moyen de redonner aux séparateurs leur véritable valeur et donc de les "afficher".

Les deux divisions d'un fichier HTML

Tout fichier HTML est entièrement situé dans un conteneur <HTML> à l'intérieur duquel on trouve deux parties : l'en-tête et le corps. En réalité, cette règle n'est pas absolument exacte, car il existe une commande particulière, facultative, DOCTYPE, qui, lorsqu'elle est utilisée, doit toujours être placée en tête du document HTML, avant même la balise <HTML>. Son rôle est de préciser quelle spécification HTML a été utilisée pour écrire le document et elle est presque uniquement exploitée par les outils logiciels de vérification syntaxique. En voici un exemple :

```
<!DOCTYPE HTML PUBLIC "-//W3C//DTD HTML 3.2//EN">
```

Il n'y a guère que les éditeurs HTML qui génèrent cette commande, les auteurs Web utilisant des éditeurs ordinaires ne s'en souciant générale-ment pas du tout. La forme en est figée, tout ce qui y figure étant rigou-reusement codifié.

L'en-tête

L'en-tête est placé dans un conteneur <HEAD>. On n'y trouve le plus souvent qu'une seule commande : <TITLE> qui spécifie un titre général pour la présentation. C'est ce titre qui sera affiché dans la barre de titre du navigateur. Aucune autre partie de l'en-tête n'est affichée sur l'écran. Dans notre exemple, on a :

```
<HEAD>
<TITLE>Votre premi&egrave;re page HTML</TITLE>
</HEAD>
```

On peut également y trouver une commande <META> qui est principale-ment utilisée par les robots d'exploration des moteurs de recherche pour le référencement automatique d'une présentation. Nous la retrouverons au Chapitre 15. Il existe d'autres balises, dont la plus utile est sans doute <BASEFONT> qui permet de définir les caractéristiques de la police de caractères à utiliser dans la page que nous retrouverons un peu plus loin, dans ce même chapitre.

Le corps

Tout le reste du document HTML se trouve dans le conteneur <BODY> dans lequel vont se placer les éléments (texte, images...) qui seront affichés. Dans notre exemple, nous trouvons les commandes suivantes qui seront étudiées plus loin :

- <DIV> qui indique une subdivision du corps sur laquelle on veut appli-quer une mise en forme particulière, un alignement, par exemple (ici, centrage).

- `<H1>` qui indique un titre du niveau le plus élevé (il y en a 6).

- `<IMG>` qui spécifie l'inclusion d'une image.

- `<BR>` qui est l'équivalent d'un retour chariot (on continue à la ligne suivante).

- `<P>` qui est identique à `<BR>`, mais intercale en plus une ligne vierge.

- `<UL>` et `<LI>` qui permettent de composer une *liste à puces*.

- `<ADDRESS>` qui contient généralement des indications d'identité relatives au texte et à son auteur. C'est l'équivalent de ce qu'on appelle l'ours en matière d'édition de périodiques.

- `<A>` qui spécifie un appel de lien (ici vers l'envoi d'un message électronique à l'auteur).

- `<HR>` qui insère un trait horizontal (un *filet*) dans le texte.

Le conteneur `<BODY>` ... `</BODY>` lui-même accepte cinq attributs, dont trois sont particulièrement utiles :

- `BACKGROUND=` nom de fichier image qui permet d'afficher un papier peint en arrière-plan. Cet arrière-plan sera composé d'une petite image reproduite par effet de mosaïque sur l'ensemble de l'écran. La Figure 3.2 montre le résultat obtenu avec une image de format 160×100 pixels.

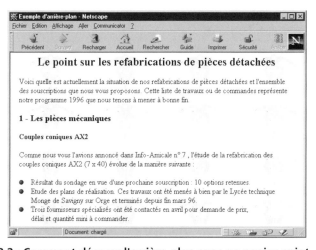

Figure 3.2 : Comment décorer l'arrière-plan avec un papier peint.

- BGCOLOR= nom de couleur qui permet de peindre l'arrière-plan d'une couleur uniforme.
- TEXT= nom de couleur qui définit la couleur du texte pour l'ensemble du document.

Nous les étudierons à la fin de ce chapitre.

Le cas des commandes inconnues

Si vous vous trompez dans l'écriture d'une commande HTML (en écrivant <BODI> au lieu de <BODY>, par exemple), le navigateur ne vous donnera aucun diagnostic. "The show must go on !" (la représentation doit se poursuivre !). Il ignorera tout simplement la commande et essaiera de se raccrocher à la prochaine qu'il pourra reconnaître. Cela peut parfois donner lieu à des surprises : mauvaise interprétation de certaines commandes ou disparition d'une partie du texte, par exemple. Il existe des éditeurs HTML qui composent automatiquement les commandes en fonction des indications de mise en page que vous leur fournissez et évitent ainsi ce genre d'erreur. D'autres éditeurs proposent un vérificateur de syntaxe incorporé. C'est le cas, par exemple, de Web Construction Kit — que nous retrouverons au Chapitre 14 —, dont le vérificateur est particulièrement habile à détecter les balises non refermées. Enfin, il existe des logiciels de vérification HTML, un peu comme il existe des logiciels de vérification orthographique (voire syntaxique) pour le traitement de texte. Nous en reparlerons au Chapitre 14.

La place des commandes

On peut placer plusieurs balises sur la même ligne, car il n'est pas indispensable de placer les commandes HTML (ou tout au moins le marqueur initial d'un conteneur) au début d'une ligne. Néanmoins, il faut penser à la relecture et aux modifications ultérieures. Plus un document sera présenté de façon lisible, moins il y subsistera d'erreurs et plus aisés seront les corrections et changements. Le texte suivant, qui reproduit le début de notre exemple précédent et dans lequel nous avons tout mis à la queue leu leu, produirait exactement le même écran :

```
<HTML><HEAD><TITLE>Votre premi&egrave;re page
HTML</TITLE></HEAD><BODY><DIV ALIGN=CENTER><H1><IMG
SRC="aladin.gif">Ma petite gazette <IMG
SRC="aladin.gif"></H1></DIV>Comme vous le
savez, j'ai l'habitude de choisir <I>&agrave; ma
```

Le commentaire

Dans un document HTML, un commentaire permet d'insérer du texte qui ne sera pas affiché par le navigateur. Il sert à deux fins, la principale étant d'insérer des repères destinés au seul auteur pour jalonner certaines parties de son document afin de s'y retrouver plus facilement lors des mises à jour. L'autre, c'est d'ignorer une commande (au cours de la mise au point d'une présentation, par exemple). Le conteneur du commentaire échappe à la règle générale d'écriture des balises, car sa balise initiale est `<!--` et sa balise terminale : `-->`. Voici un exemple de chaque cas :

```
<!-- Le paragraphe qui suit correspond &agrave;
l'ancienne version du
logiciel qui n'est plus valide aujourd'hui -->
<!--<H2>Ce titre ne sera pas affich&eacute;</H2>-->
```

Certains générateurs automatiques de code HTML s'en servent à d'autres fins : pour marquer certaines parties de ce qu'ils ont généré. C'est le cas, entre autres, de FrontPage (dont nous parlerons au Chapitre 14).

Les commandes relatives au paragraphe

Dans un texte imprimé, un paragraphe est une suite de phrases précédée et suivie d'un retour chariot. Ici, nous venons de voir que le retour chariot était interprété comme un espace ordinaire. Il faut donc utiliser un marqueur particulier pour produire le même effet. Certaines commandes de formatage introduisent automatiquement une rupture de continuité produisant le même effet.

> **Info**
>
> Pour faciliter la relecture des exemples que nous proposerons, à partir d'ici, les caractères accentués n'y seront plus remplacés par des entités de caractères, mais apparaîtront directement, tels quels. Mais c'est simplement un artifice de présentation et, dans le fichier HTML, il est bien entendu qu'ils sont transcodés.

Le marqueur

C'est l'équivalent exact d'un véritable retour chariot. Il ne possède aucun attribut. On peut faire figurer plusieurs de ces marqueurs à la suite les uns des autres pour augmenter l'espacement entre deux paragraphes :

```
<H1>Le marqueur &lt;BR&gt;</H1>
Ligne initiale
<BR>
```

```
Ligne 1
<BR><BR>
Ligne 2
<BR><BR><BR>
Ligne 3
<BR><BR><BR><BR>
Ligne 4
<BR><BR><BR><BR><BR>
Ligne finale
<HR>
```

La Figure 3.3 montre comment Netscape Navigator affiche cet exemple.

Figure 3.3 : Réalisation d'interlignes de hauteur variable.

Astuce

Ici, la présence des entités de caractères dans le titre est nécessaire pour que les chevrons soient affichés correctement. Si on les avait écrits directement sous forme de chevrons, ils auraient défini une rupture de ligne et on aurait obtenu ce que montre la Figure 3.4.

Le marqueur <BR> reconnaît un attribut, `clear`, qui n'est pratiquement utilisé qu'avec les images flottantes (dont nous parlerons au Chapitre 5), qui sont des images habillées par du texte. Nous n'en dirons rien de plus pour l'instant.

Figure 3.4 : Dans un document HTML, les chevrons que l'on veut afficher doivent toujours être codés avec des entités de caractères.

La balise <P>

Cette balise a connu un destin changeant dans les versions successives de HTML. D'abord conteneur, elle est apparue ensuite comme simple marqueur avec HTML 2.0 puis est redevenue un conteneur à partir de la version HTML 3.2. Pour ces raisons, les navigateurs admettent générale-ment les deux types. Elle a le même effet que <BR>, mais rajoute une ligne vierge, comme le montre l'exemple suivant :

```
... cela est la fin d'un paragraphe
<P>
Et cela marque le commencement du suivant.
```

La Figure 3.5 montre comment ces deux lignes sont affichées par Nets-cape Navigator.

La balise <P> reconnaît l'attribut ALIGN= suivi d'une des valeurs left (option par défaut), center, right ou justify, selon que l'on veut appuyer le paragraphe qui suit à gauche (normal), le centrer, l'appuyer à droite ou sur les deux marges à la fois. La Figure 3.6 montre comment s'affiche l'extrait suivant :

```
<HTML>
<HEAD>
<TITLE>Alignement de paragraphes</TITLE>
</HEAD>
<BODY>
```

```
<H2>Sans attribut</H2>
<P>
Deux bœufs tranquilles, à la robe d'un jaune pâle,
véritables patriarches de la plaine, hauts de taille, un
peu maigres, les cornes longues et rabattues, de ces
vieux travailleurs qu'une longue habitude a rendus
frères, et qui, privés l'un de l'autre, se refusent au
travail avec un nouveau compagnon et se laissent mourir
de chagrin.
</P>
<H2>ALIGN="right"</H2>
<P ALIGN="right">
Deux bœufs tranquilles, à la robe d'un jaune pâle,
véritables patriarches de la plaine, hauts de taille, un
peu maigres, les cornes longues et rabattues, de ces
vieux travailleurs qu'une longue habitude a rendus
frères, et qui, privés l'un de l'autre, se refusent au
travail avec un nouveau compagnon et se laissent mourir
de chagrin.
</P>
<H2>ALIGN="center"</H2>
<P ALIGN="center">
Deux bœufs tranquilles, à la robe d'un jaune pâle,
véritables patriarches de la plaine, hauts de taille, un
peu maigres, les cornes longues et rabattues, de ces
vieux travailleurs qu'une longue habitude a rendus
frères, et qui, privés l'un de l'autre, se refusent au
travail avec un nouveau compagnon et se laissent mourir
de chagrin.
</P>
<H2>ALIGN="justify"</H2>
<P ALIGN=justify>
Deux bœufs tranquilles, à la robe d'un jaune pâle,
véritables patriarches de la plaine, hauts de taille, un
peu maigres, les cornes longues et rabattues, de ces
vieux travailleurs qu'une longue habitude a rendus
frères, et qui, privés l'un de l'autre, se refusent au
travail avec un nouveau compagnon et se laissent mourir
de chagrin.
</P>
</BODY>
</HTML>
```

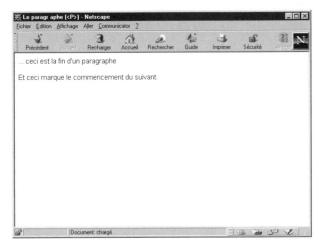

Figure 3.5 : Effet de la balise <P>.

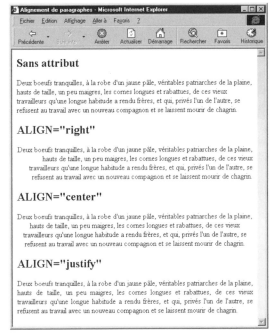

Figure 3.6 : Alignement de paragraphes avec Netscape Navigator.

Info

L'entité de caractère œ traduisant le caractère "e dans l'o" qu'on rencontre, par exemple, dans "bœufs", n'est actuellement reconnue — ainsi que sa sœur, la majuscule correspondante Œ : Œ — que par Internet Explorer 5.0. Netscape Navigator version 4.7 a fait un effort en reconnaissant les représentations numériques de ces deux caractères, respectivement œ et Œ. Opera ignore complètement ces deux formes. Aussi, pour éviter que vos visiteurs n'affichent des incongruités dans leur page, si vous vous intéressez à la race bovine, écrivez donc "boeufs".

Le conteneur <DIV>

Ce conteneur sert à regrouper différents éléments isolés (texte, image...) en une même entité à laquelle on veut faire subir un traitement (générale-ment un alignement) identique. Il reconnaît l'attribut ALIGN= avec les mêmes valeurs que <P> (aligné à gauche ou à droite, centré et justifié). Il est principalement utilisé avec les feuilles de styles.

La balise <HR>

Elle sépare deux paragraphes consécutifs par un trait horizontal centré pourvu généralement d'un ombrage : un *filet*. Elle reconnaît plusieurs attributs :

- WIDTH= suivi d'un nombre indique la longueur du trait exprimée en pixels. Si ce nombre est suivi du caractère %, il représente le pourcen-tage de la largeur de la fenêtre.

- SIZE= suivi d'un nombre indique l'épaisseur du filet.

- NOSHADE (tout seul) supprime l'ombrage.

- ALIGN= indique comment aligner le filet : à gauche (left), à droite (right) ou au centre (center, valeur par défaut).

L'interprétation de ces attributs varie légèrement selon le navigateur utilisé. La Figure 3.7 montre le résultat obtenu avec le texte suivant affi-ché par Netscape Navigator.

```
<HTML>
<HEAD>
<TITLE>Le marqueur &lt;HR&gt;</TITLE>
</HEAD>
<BODY>
    ... cela est la fin d'un paragraphe
```

```
<HR>
Cela est un autre paragraphe..
<HR WIDTH=25%>
Cela est un autre paragraphe..
<HR SIZE=10>
Cela est un autre paragraphe..
<HR NOSHADE>
Cela est un autre paragraphe..
</BODY>
</HTML>
```

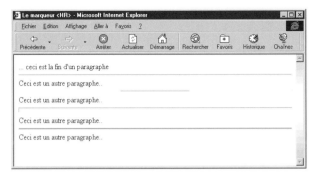

Figure 3.7 : Différentes formes de filets.

Le conteneur <BLOCKQUOTE>

Ce conteneur sert à inclure des longues citations dans un texte. Celles-ci sont présentées avec un léger retrait des deux côtés, comme on peut le voir avec l'extrait ci-dessous sur la Figure 3.8 :

```
<HTML>
<HEAD>
<TITLE>De l'emploi de la balise
&lt;BLOCKQUOTE&gt;</TITLE>
</HEAD>

<BODY>
<H1>Chausse-trap(p)es</H1>
Dans son ouvrage <I>Chausse-trap(p)es</I> paru en 1988
chez Nadeau,
Serge-Jean Major (!) a proposé "vingt-six dictées
amusantes comportant
(presque) toutes les difficultés de la langue française".
De la
dernière, <I>Zoolâtrie</I>, nous extrayons :
<BLOCKQUOTE>De la maîtresse de céans, nulle trace : à sa
place nos
```

```
crocheteurs de serrure découvrirent dans un décor
d'apocalypse, où tout
était sens dessus dessous, un animal femelle dont la
callosité fessière
et la forme de l'occiput, caractéristique des
brachycéphales, ne
laissait aucun doute sur l'identité simiesque.
</BLOCKQUOTE>
L'auteur note, en particulier, que l'on peut écrire ici
"serrure" ou
"serrures", le texte ne permettant pas de lever le doute.
<HR>
</BODY>

</HTML>
```

On peut imbriquer plusieurs <BLOCKQUOTE>, cumulant ainsi les retraits latéraux à gauche et à droite.

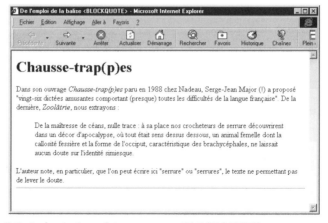

Figure 3.8 : Indentation obtenue avec <BLOCKQUOTE>.

Titres et intertitres

Nous avons vu plus haut qu'il existait une commande <TITLE> qui servait à afficher le titre général de la présentation dans la barre de titre de la fenêtre du navigateur. Dans le corps de la page, on utilise une autre commande pour afficher un titre ou un sous-titre. Il existe six niveaux différents de titres, numérotés de 1 à 6 par ordre d'importance décroissante représentés par le conteneur <Hn> où *n* représente un chiffre compris entre 1 et 6. Un titre est automatiquement précédé et suivi d'un interligne. Dans la pratique, on ne descend généralement pas au-dessous du niveau 4. La Figure 3.9 montre l'effet obtenu en affichant le texte qui suit :

```
<h1>Voici un titre de niveau 1</h1>
<h2>Voici un titre de niveau 2</h2>
<h3>Voici un titre de niveau 3</h3>
<h4>Voici un titre de niveau 4</h4>
<h5>Voici un titre de niveau 5</h5>
<h6>Voici un titre de niveau 6</h6>
```

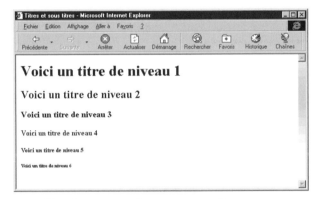

Figure 3.9 : L'effet obtenu avec le conteneur <Hn>.

Le texte et ses enrichissements

De nombreux enrichissements avaient été prévus initialement par les concepteurs de HTML, mais un grand nombre sont tombés en désuétude, soit parce que les navigateurs se sont montrés incapables d'en rendre les subtilités, soit, plus simplement, parce que leur utilité n'était pas justifiée ou qu'ils faisaient double emploi avec d'autres. La tendance actuelle pour ces facilités de mise en page est de faire appel à des feuilles de styles (voir Chapitre 11). Dans cette section, nous ne parlerons que des quelques enrichissements les plus courants.

Styles logiques et styles physiques

Il s'agit ici d'une subtilité de la première version de HTML qui a maintenant perdu beaucoup d'intérêt. Les *styles logiques* décrivent les intentions de l'auteur Web alors que les *styles physiques* s'attachent à la façon concrète de modifier l'apparence du texte. Dans les deux sections suivantes, nous indiquerons d'abord le style logique approprié puis son équivalent physique.

Gras, italique et souligné

Ce type d'enrichissement peut s'appliquer à un texte de longueur quelconque, depuis une simple lettre jusqu'à un ou plusieurs paragraphes. Il suffit de placer le texte à enrichir dans le conteneur approprié, qui est :

- <STRONG> ... </STRONG> ou <B> ... </B> pour le gras.
- <EM> ... </EM> ou <I> ... </I> pour l'italique.
- <U> ... </U> pour le souligné (pas de style logique).

Voici un exemple simple d'utilisation de ces enrichissements dont le résultat est reproduit sur la Figure 3.10.

```
<HTML>
<HEAD>
<TITLE>Du gras, de l'italique et du souligné</TITLE>
</HEAD>
<BODY>
<H2>Exemples d'enrichissements courants</H2>
Beau roi, il convient que vous montiez <B>dans les
branches de
cet arbre</B>. Portez là-haut votre arc et <U>vos
flèches</U>:
ils vous serviront peut-être. Et tenez-vous coi : vous
n'attendrez
pas longuement.
<P ALIGN=RIGHT><I>Le roman de Tristan et Iseut</I>.
<HR>
</BODY>
</HTML>
```

Figure 3.10 : Du gras, de l'italique et du souligné.

Texte préformaté

Il existe un moyen de redonner aux séparateurs courants (espace, tabulation et retour chariot) leur rôle habituel, c'est de placer le texte dans lequel ils figurent dans un conteneur `<PRE>`. Dans ce cas, le navigateur utilise une police à pas fixe du genre Courier. On dit qu'on a affaire à du *texte préformaté*. C'était le moyen utilisé pour afficher des tableaux avant que n'apparaisse le conteneur `<TABLE>` (que nous étudierons au Chapitre 7). En voici un exemple, illustré par la Figure 3.11 :

```
<HTML>
<HEAD>
<TITLE>Texte préformaté</TITLE>
</HEAD>
<BODY>
<DIV ALIGN="center">
<H2>La Lune au cours des mois de juin, juillet et
août</H2>
<PRE>
    Mois  ¦ Nouvelle ¦ Premier ¦ Pleine ¦ Dernier ¦
          ¦ Lune     ¦ quartier¦ Lune   ¦ quartier¦
          ¦          ¦         ¦        ¦         ¦
 _____¦_____¦_____¦_____¦_____¦
    Juin  ¦    5    ¦   13    ¦   20   ¦   27    ¦
 Juillet  ¦    4    ¦   12    ¦   20   ¦   26    ¦
    Août  ¦    3    ¦   11    ¦   18   ¦   25    ¦
</PRE>
<HR WIDTH="300">
</DIV>
</BODY>
</HTML>
```

On voit ici une application du conteneur `<DIV>` pour centrer plusieurs éléments regroupés dans un même ensemble.

> **Astuce**
>
> Lorsqu'on édite à la main un tableau préformaté où doivent figurer des caractères accentués, on commence par le composer avec des lettres ordinaires, sans accents. Une fois le bon alignement vertical obtenu, on remet à leur place chacune des lettres accentuées.

Il existe trois conteneurs permettant d'afficher ce qu'ils renferment avec une police à pas fixe :

- Avec un style logique : `<CODE>` ... `</CODE>`, `<KBD>` ... `</KBD>` et `<SAMP>` ... `</SAMP>`.
- Avec un style physique : `<TT>` ... `</TT>`.

Figure 3.11 : Exemple de texte préformaté utilisé pour composer un tableau.

Dans la pratique, on pourra oublier les trois premiers et n'utiliser que <TT>.

Variations de la taille de la police d'affichage

Il existe plusieurs façons de modifier la taille d'affichage d'un texte. Avec HTML, celle-ci est exprimée par une valeur arbitraire comprise entre 1 et 7 (3 est la valeur par défaut définie par l'utilisateur dans les préférences ou les options du navigateur).

Le plus simple est d'utiliser les conteneurs <BIG> ... </BIG> et <SMALL> ... </SMALL> qui permettent respectivement d'augmenter ou de diminuer d'un point HTML la taille des caractères. Plus souple, le conteneur <FONT> ... </FONT> accepte l'attribut SIZE=n où *n* représente soit une valeur absolue (comprise entre 1 et 7), soit une valeur relative (comprise entre –2 et +4) par rapport à la taille normale (valeur par défaut égale à 3). Il accepte également l'attribut COLOR= suivi d'un nom ou d'une valeur de couleur. La Figure 3.12 illustre les résultats obtenus par l'affichage du texte suivant (à l'exception de l'affichage en rouge puisque ce texte est imprimé en noir et blanc).

```
<HTML>
<HEAD>
<TITLE>Variations de la taille des caractères
affichés</TITLE>
</HEAD>
<BODY>
<H1>Du plus petit au plus grand</H1>
Texte affiché <SMALL>en petits caractères</SMALL> ou bien
<BIG>en gros caractères</BIG>,
ou encore <BIG><BIG><BIG>en bien plus gros
```

```
caractères</BIG></BIG></BIG>.
<HR>
<FONT SIZE=1>FONT SIZE=1</FONT>
<FONT SIZE=2>FONT SIZE=2</FONT>
<FONT SIZE=3 COLOR="red">FONT SIZE=3</FONT>
<FONT SIZE=4>FONT SIZE=4</FONT>
<FONT SIZE=5>FONT SIZE=5</FONT>
<FONT SIZE=6>FONT SIZE=6</FONT>
<FONT SIZE=7>FONT SIZE=7</FONT>
</BODY>
</HTML>
```

Figure 3.12 : Variations sur la taille des caractères affichés.

On peut, au moyen d'une seule commande, appliquer la même couleur à l'ensemble d'une page Web. Pour cela, il faut utiliser le marqueur <BASE-FONT> qui accepte les trois attributs FACE (qui sert à définir le type de la police à utiliser), COLOR (qui indique, selon des conventions que nous étudierons à la fin de ce chapitre, la couleur d'affichage des caractères) et SIZE (qui spécifie la taille des caractères, comptée de 1 à 7).

Attention

La place du marqueur <BASEFONT> est à l'intérieur de la section d'en-tête, ce qui est normal puisque sa portée s'étend à tout le document HTML.

Malheureusement, seul Internet Explorer semble reconnaître cette commande. C'est un excellent exemple du soin qu'il faut apporter à tester ses pages Web avec le plus grand nombre de navigateurs possible avant de les livrer à l'admiration des foules. Le document HTML suivant a été soumis à l'interprétation de Netscape Navigator 4.7, Internet Explorer 5.0 et Opera 3.60. Bien que l'impression soit en noir et blanc, on pourra constater sur la Figure 3.13 que, seul, Internet Explorer traduit correctement la commande `<BASEFONT>`. Toutefois, on ne peut guère le leur reprocher puisque l'emploi de cette balise est déconseillé par la spécification HTML 4.01.

```
<HTML>
<HEAD>
<TITLE>La balise &lt;BASEFONT&gt;</TITLE>
<BASEFONT
FACE="Bauhaus 93, Arial Narrow, Garamond" COLOR="gray"
➡SIZE="5">
</HEAD>

<BODY BGCOLOR="silver">
Il y a certainement des gens heureux de vivre, dont les
jouissances
ne ratent pas et qui se gorgent de bonheur et de succès.
<P ALIGN="right"><I>Emile Zola</I>

</BODY>
</HTML>
```

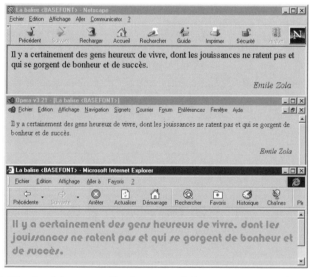

Figure 3.13 : Seul Internet Explorer traduit correctement les attributs spécifiés dans une balise <BASEFONT>.

Autre curiosité : la police par défaut a été définie, pour les trois navigateurs, comme étant une Times New Roman de corps 12. Cependant, Netscape Navigator et Opera, qui ne reconnaissent pas `<BASEFONT>`, ne
l'affichent pas de la même façon. Comprenne qui pourra !

HTML et les couleurs

HTML propose deux façons de coder les couleurs :

- **Par leurs noms.** A cet effet, il existe une liste de couleurs reconnues
  par la plupart des navigateurs. Outre les seize couleurs simples dont
  le Tableau 3.1 donne la liste, il en existe d'autres aux noms aussi
  poétiques que *MistyRose, PaleGoldenrod, LightSeaGreen* et *Peach-
  Puff.*
- **Par un triplet RGB.** Toute couleur peut être décomposée en trois
  couleurs primaires : rouge, vert, bleu (c'est-à-dire, en anglais, Red,
  Green, Blue) d'intensité convenable. Cette intensité est exprimée par
  un nombre hexadécimal compris entre 0x00 et 0xff (0 et 255, en décimal).

Tableau 3.1 : Les seize couleurs simples

Nom de couleur	Triplet RGB	Equivalent français
aqua	"#00FFFF"	Vert d'eau
black	"#000000"	Noir
blue	"#0000FF"	Bleu
fuchsia	"#FF00FF"	Fuchsia
gray	"#808080"	Gris
green	"#008000"	Vert
lime	"#00FF00"	Citron vert
maroon	"#800000"	Marron
navy	"#000080"	Bleu marine
olive	"#808000"	Olive
purple	"#800080"	Pourpre

Tableau 3.1 : Les seize couleurs simples (*suite*)

Nom de couleur	Triplet RGB	Equivalent français
red	"#FF0000"	Rouge
silver	"#C0C0C0"	Argent
teal	"#008080"	Sarcelle
white	"#FFFFFF"	Blanc
yellow	"#FFFF00"	Jaune

Ces couleurs peuvent intervenir dans différents éléments HTML. Pour le moment, nous nous limiterons à ceux que nous avons étudiés : <BODY>, <FONT> et <BASEFONT>. Ainsi, pour que l'arrière-plan de l'écran soit de teinte uniforme *Silver* (argenté) et le texte *RosyBrown* (un rose fané teinté de brun), on pourra écrire, au choix :

```
<BODY BGCOLOR="silver" TEXT="RosyBrown">
```

ou :

```
<BODY BGCOLOR="#C0C0C0" TEXT="#bc8f8f">
```

ou encore un mélange des deux types d'écritures. Ici, pour la couleur du texte, bc représente l'intensité de la composante du rouge (188), et 8f (143), l'intensité des composantes du vert et du bleu.

Attention

Tous les systèmes ne donnent pas rigoureusement la même couleur. D'un PC à un Mac, de Netscape Navigator à Internet Explorer ou d'un contrôleur vidéo à un autre, on pourra observer des différences parfois importantes. D'où le soin qu'il faut apporter à tester sa présentation Web sur le plus grand nombre de systèmes différents avant de l'offrir au public.

Chapitre 4

Les listes

Jusqu'à la version 3.2 incluse, HTML reconnaissait officiellement cinq types de listes, dont seuls trois étaient réellement utilisés. Les listes de menus (balise `<MENU>`) et les listes de répertoires (balise `<DIR>`), qui n'ont jamais réellement eu leur heure de gloire et sont plutôt des héritages de l'environnement ordinateur, ont maintenant été déclarées *deprecated*. Nous ne nous embarrasserons donc pas et consacrerons ce chapitre aux trois listes couramment utilisées que sont les listes numérotées, les listes à puces et les listes de glossaire.

Comme l'indique son nom, une liste sert à présenter des collections d'objets apparentés, d'une façon qui les fasse ressortir par rapport aux paragraphes de texte ordinaire. Les listes ont en commun le fait d'être incluses dans un conteneur de liste à l'intérieur duquel chaque article est précédé d'un marqueur distinct.

> **Info**
>
> Les listes sont souvent utilisées pour constituer des menus de navigation. Nous les retrouverons dans cet emploi au Chapitre 6.

Les listes à puces

On les appelle aussi *listes non numérotées* et elles se présentent sous forme de paragraphes en léger retrait précédés d'une "puce", c'est-à-dire d'un signe typographique généralement représenté par un gros point noir. Elles sont utilisées pour présenter des ensembles d'objets lorsque l'ordre d'énumération n'est pas important. Par exemple, la liste des œuvres d'un écrivain ou le nom des fleurs que vous avez plantées dans votre jardin. Le conteneur de liste à puces est `<UL>` ... `</UL>` (*unordered list*). Chaque article doit être précédé d'un simple marqueur `<LI>` (voir Figure 4.1).

```
<HTML>
<HEAD>
<TITLE>Listes à puces</TITLE>
</HEAD>
<BODY>
<H2>Mon jardin fleuri</H2>
Dans mon jardin, on trouve des fleurs très colorées :
<UL>
<LI>Des dahlias rouges et des dahlias jaunes
<LI>Des iris jaunes et des iris bleus
<LI>Des pensées mauves et des pensées blanches
<LI>Des cosmos de toutes les couleurs
</UL>
Et tous ces coloris se succèdent au fil des saisons.
</BODY>
</HTML>
```

Figure 4.1 : Une simple liste à puces.

Normalement, la balise initiale <LI> suffit à spécifier un élément de la liste, mais il n'est pas interdit de placer une balise terminale </LI> après le dernier caractère de la rubrique. Les deux formes suivantes sont licites et donneront le même résultat :

```
<LI>Des iris jaunes et des iris bleus
<LI>Des iris jaunes et des iris bleus</LI>
```

L'attribut TYPE

L'attribut TYPE= permet de choisir entre trois types de puces :

- **SQUARE.** La puce a la forme d'un petit carré.
- **CIRCLE.** La puce a la forme d'un petit cercle vide.
- **DISC.** La puce a la forme d'un petit cercle plein.

Lorsque cet attribut se trouve dans la balise <UL>, toute la liste bénéficie de la puce qu'il spécifie. Lorsqu'il se trouve dans une des balises <LI>, la spécification HTML 4.0 est très discrète quant à son comportement, ce qui est normal, puisqu'elle conseille de ne plus l'utiliser, mais de lui préférer les feuilles de styles. L'expérience montre que Netscape Navigator et Amaya (un navigateur expérimental du W3C) continuent à utiliser le type de puce spécifié pour tous les éléments qui suivent, alors qu'Internet Explorer et Opera reprennent l'ancien type de puce pour les éléments suivants.

Il existe un autre moyen de varier le type de puce utilisée, c'est d'utiliser une petite image. Nous verrons de quelle façon au chapitre suivant.

Les listes numérotées

Ce type de liste s'utilise pour énumérer une suite d'objets consécutifs (les mois de l'année, par exemple) ou pour décrire des opérations devant s'effectuer dans un ordre précis (comme l'installation d'un logiciel). Leur présentation ressemble à celle des listes à puces, à ce détail près que la puce est remplacée par une numérotation séquentielle croissante. Le conteneur de liste ordonnée est <OL> ... </OL> (*ordered list*). Chaque article doit être précédé d'un simple marqueur <LI> (la balise terminale, </LI>, généralement omise, est, ici aussi, facultative).Voici un exemple de liste numérotée dont le résultat est reproduit sur la Figure 4.2.

```
<HTML>
<HEAD>
<TITLE>Listes numérotées</TITLE>
</HEAD>
<BODY>
<H2>Installation d'un logiciel</H2>
<OL>
<LI>Décompresser le fichier ZIP.
<LI>Exécuter le programme SETUP.EXE.
<LI>Choisir le répertoire d'installation.
<LI>Répondre aux questions posées par les boîtes de
dialogue.
</OL>
</BODY>
</HTML>
```

Figure 4.2 : Exemple de liste numérotée.

L'attribut TYPE

On peut modifier le type de numérotation des articles (chiffres arabes, chiffres romains, lettres...) au moyen de l'attribut TYPE, qui peut prendre les valeurs suivantes :

Type	Résultat
1	chiffres arabes
I	chiffres romains en majuscules
i	chiffres romains en minuscules
A	lettres majuscules
a	lettres minuscules

Comme pour les listes à puces, cet attribut peut se trouver dans la balise `<OL>` ou dans la balise `<LI>`.

L'attribut VALUE

Il permet de modifier la valeur initiale de la liste lorsqu'il figure dans la balise `<OL>` ou celle d'un élément de la liste, s'il figure dans une balise `<LI>`. Dans ce dernier cas, le comportement des navigateurs est plutôt erratique, comme le prouve la Figure 4.3, obtenue avec le document HTML suivant :

```
<HTML>
<HEAD>
<TITLE>Listes numérotées</TITLE>
</HEAD>
<BODY>
```

```
<H2>Installation d'un logiciel</H2>
<OL>
<LI>Décompresser le fichier ZIP.
<LI>Exécuter le programme SETUP.EXE.
<LI>Choisir le répertoire d'installation.
<LI>Répondre aux questions posées par les boîtes de
➥dialogue.
</LI>
</OL>

<HR>

<OL TYPE="A">
<LI>Décompresser le fichier ZIP.
<LI>Exécuter le programme SETUP.EXE.
<LI VALUE=7>Choisir le répertoire d'installation.
<LI>Répondre aux questions posées par les boîtes de
➥dialogue.
</LI>
</OL>

<HR>

<OL TYPE="i">
<LI>Décompresser le fichier ZIP.
<LI>Exécuter le programme SETUP.EXE.
<LI TYPE=1 VALUE=12>Choisir le répertoire d'installation.
<LI>Répondre aux questions posées par les boîtes de
➥dialogue.
</LI>
</OL>
</BODY>
</HTML>
```

Cette figure est intéressante à plus d'un titre. Non seulement elle illustre les différences de comportement de trois navigateurs en ce qui concerne l'attribut VALUE, mais aussi elle montre comment la représentation globale d'un même document peut différer selon le navigateur utilisé. Sur la copie d'écran, nous avons pris la précaution d'aligner horizontalement le titre "Installation d'un logiciel". La même police de caractères a été utilisée dans les trois cas. Si Netscape Navigator et Internet Explorer proposent un écran presque identique (les interlignes sont un peu plus grands avec Internet Explorer), par contre, Opera, le navigateur norvégien, exagère nettement l'espacement des lignes. En outre, il interprète incorrectement les attributs TYPE et VALUE dans le dernier <LI>. Enfin, le filet <HR> est réduit à une simple ligne dépourvue d'ombrage avec Internet Explorer et Opera.

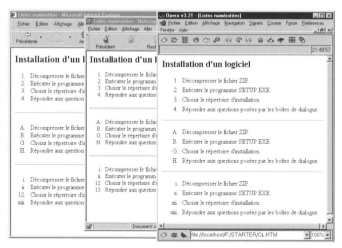

Figure 4.3 : Internet Explorer, Netscape Navigator et Opera ont chacun une interprétation personnelle des attributs d'une liste numérotée.

Les listes de glossaire

Egalement appelé *liste de définitions,* ce type de liste s'utilise lorsqu'on veut énumérer des objets couplés — un terme et sa définition, un chapitre et son titre — ou tout simplement construire un glossaire. La construction de ces listes est un peu différente de celle des deux listes précédentes. Le conteneur de liste s'appelle ici <DL> ... </DL> (*definition list*). Chaque terme est précédé du marqueur <DT> et chaque définition du marqueur <DD>. Ici, la balise <LI> n'est pas utilisée, remplacée par <DD>. La Figure 4.4 montre comment est affiché l'exemple suivant :

```
<HTML>
<HEAD>
<TITLE>Listes de glossaire</TITLE>
</HEAD>
<BODY>
<H2>Quelques citations</H2>
<DL>
<DT><B>Fleurs</B>
   <DD>Il est d'étranges soirs où les fleurs ont une âme.
<I>(Albert Samain)</I>
<DT><B>Justice</B>
   <DD>Ne pouvant fortifier la justice, on a justifié la
force. <I>(Blaise Pascal)</I>
<DT><B>Miroirs</B>
   <DD>Les miroirs feraient bien de réfléchir avant de
```

```
renvoyer les images. <I>(Jean Cocteau)</I>
<DT>Naturel
  <DD>Chassez le naturel, il revient au galop. <I>
(Destouches)
      </I>
<DT><I>Travail</I>
  <DD>J'adore le travail, il me fascine et je peux rester
assis des heures à le considérer. <I>(Jerome K.
Jerome)</I>
</BODY>
</HTML>
```

Comme on le voit, il est possible d'utiliser des balises d'enrichissement (gras ou italique), ce qui peut contribuer à améliorer la présentation.

Info

Les listes de glossaire n'admettent aucun attribut.

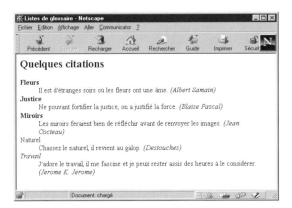

Figure 4.4 : Exemple de liste de glossaire.

Imbrication de listes

La plupart des conteneurs HTML peuvent être imbriqués les uns dans les autres. Les conteneurs listes n'échappent pas à la règle. En mélangeant les styles de listes à puces et de listes numérotées, on peut obtenir une présentation attrayante comme l'illustre l'exemple suivant dont l'affichage est reproduit sur la Figure 4.5 :

```
<HTML>
<HEAD>
<TITLE>Listes imbriquées</TITLE>
```

```
</HEAD>
<BODY>
<H2>Calendrier des activités du premier trimestre</H2>
<OL>
  <LI>Janvier
  <UL>
    <LI>Visite du Louvre.
    <LI>Concert au musée d'Orsay (Debussy et Chausson).
  </UL>
  <LI>Février
  <UL>
    <LI>Sortie à Chambord.
    <LI><I>Holiday on Ice</I> à Paris.
    <LI>Visite du Muséum d'histoire naturelle.
  </UL>
  <LI>Mars
  <UL>
    <LI>Visite des égouts de Paris.
    <LI>Visite du musée des Transports.
    <LI>Concert au Théâtre des Champs-Elysées (Mozart et
Bach).
  </UL>
</OL>
Les réservations devront être effectuées dans les
➥conditions habituelles.
</BODY>
</HTML>
```

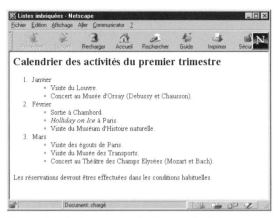

Figure 4.5 : On peut imbriquer tous les types de listes.

Chapitre 5

Les images

Il existe des quotidiens (et non des moindres) qui usent avec parcimonie des images. Mais si le Web avait dû se limiter à une telle austérité, il n'aurait certainement pas acquis la popularité qui est aujourd'hui la sienne.

Au cours de ce chapitre, nous allons examiner les moyens que propose HTML pour insérer des images dans le texte.

Les formats reconnus

Parmi les nombreux formats d'image qui existent, HTML en reconnaît actuellement deux : GIF et JPEG. On parle depuis quelques années d'un troisième, PNG, qui devrait peu à peu supplanter le format GIF pour des raisons liées à une sombre histoire de copyright. Mais force est de constater que son implémentation n'est encore que partiellement réalisée, tant dans les navigateurs que dans les éditeurs ou convertisseurs d'images. Internet Explorer, Netscape Explorer et Opera (à partir de la version 3.60) le reconnaissent sans difficulté. Tous ces formats ont en commun le fait d'offrir un taux de compression appréciable, mais au prix d'une certaine perte d'informations (donc d'une dégradation de la qualité) pour le format JPEG. Quant au format GIF, on lui reproche d'être limité à 256 couleurs, ce qui est vrai, mais nous paraît tout à fait secondaire, car cela correspond au nombre de couleurs le plus utilisé sur le Web.

Info

Dans un article daté du 3 novembre 1999 et intitulé "Webmestres de tous les pays, brûlez vos images GIF", le site Web du Journal du Net (**http://www.actualinfo.com**) expliquait qu'Unisys, détenteur depuis 1985 du brevet de l'algorithme de compression utilisé pour le codage des images GIF, avait l'intention de réclamer avec plus d'insistance que par le passé des royalties à tous les utilisateurs d'images GIF, y compris aux auteurs de sites Web. Il est trop tôt pour dire quelle sera la réaction du monde du Web à ces prétentions, mais la prudence conseille de se limiter aux images JPEG et PNG. Toutefois, ces dernières ne sont reconnues que par les navigateurs les plus récents. Les images GIF converties en PNG ont pratiquement la même taille. Parmi les utilitaires de conversion, citons Image Converter dont on peut se procurer une version de démonstration à l'URL **http://www.fcoder.com**.

D'une façon générale, et sans entrer dans des justifications détaillées qui n'ont pas leur place ici, disons qu'il faut utiliser le format JPEG pour les images photographiques comportant de nombreux détails et réserver le GIF ou le PNG pour des dessins ou schémas comportant de grands à-plats de couleurs, généralement réalisés avec un éditeur graphique.

Où trouver des images ?

Il existe plusieurs moyens de se procurer des images :

- Les créer avec un logiciel de dessin (Photoshop, Paint Shop Pro, PaintBrush...). Solution facile pour peu qu'on sache dessiner avec ce type d'outil.

- Les pêcher sur des sites Web ou FTP, dont certains se sont spécialisés dans ce type de collection. Attention, toutefois, à un éventuel copyright !

- Acheter des collections d'images sur CD-ROM. Corel et ULead proposent pour moins de 100 dollars des images, pour la plupart, libres de tout droit, réparties sur plusieurs CD-ROM. On peut en trouver en France, en particulier à la grande surface informatique Surcouf, 139 avenue Daumesnil, 75012 Paris.

- A l'aide d'un scanner, convertir en fichiers informatiques des dessins ou des photos sur papier. On trouve des scanners de qualité correcte pour un millier de francs.

- Utiliser un appareil de photo numérique qui fournit des images toutes prêtes à être insérées dans une page. Pour un prix de 2 à 3 000 francs, on trouve couramment des modèles de qualité suffisante (images de dimensions 640 × 480) convenant très bien à l'illustration d'un document HTML, telles quelles ou après une édition (découpage et corrections de lumière, contraste ou équilibre de couleurs) au moyen d'un logiciel graphique.

Astuce

Vous trouverez à l'Annexe A une liste de sites Web à partir desquels vous pourrez télécharger des images.

Le conteneur <IMG>

Pour insérer une image, on utilise le conteneur <IMG> ... </IMG> qui comporte l'attribut indispensable SRC= pointant sur le nom de l'image éventuellement précédé de son chemin d'accès. Voici un exemple simple d'utilisation d'une image. Le résultat en est affiché à la Figure 5.1.

```
<HTML>
<HEAD>
<TITLE>Une simple image</TITLE>
</HEAD>
<BODY>
<DIV ALIGN=CENTER>
<IMG SRC="knight.gif">
<H2>Au temps des croisades</H2>
</DIV>
Seigneurs, il sied au conteur qui veut plaire d'éviter
de trop longs récits. La matière de ce conte est
si belle et si diverse : que servirait de l'allonger ? Je
dirai
donc brièvement comment, après avoir longtemps
erré par les mers et les pays, Rohalt le Foi-Tenant
aborda en Cornouailles.
<HR WIDTH=60%>
</BODY>
</HTML>
```

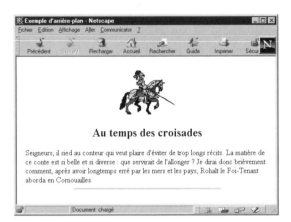

Figure 5.1 : Exemple d'utilisation simple d'une image.

L'attribut ALIGN

Le conteneur <IMG> peut comporter un autre attribut, ALIGN= qui peut prendre les valeurs left ou right et permet d'obtenir un effet d'habillage de l'image par du texte, comme le montre la Figure 5.2, obtenue à partir du document HTML suivant :

```
<HTML>
<HEAD>
<TITLE>La moto ABC (1924)</TITLE>
</HEAD>
<BODY>
<H2 ALIGN=CENTER>La moto ABC (1924)</H2>
<IMG SRC="abcd.gif" ALIGN=right>
<P ALIGN="justify">Basée sur le moteur de 398 cc de
➡l'<I>All British
(Engine) Company</I>, cette moto présentait un
grand nombre d'innovations techniques. Elle avait des
soupapes en tête, une boîte de vitesses à
quatre rapports. <!- *** ->
La transmission se faisait par chaîne et le cadre était
suspendu.
La disposition des deux cylindres à plat était très rare
pour
l'époque. Il ne semble pas que cette recherche
d'originalité ait
été payante. Par la suite, on sait avec quel
succès BMW reprendra cette disposition qui continue
toujours d'être commercialisée en 1997.</P>
<HR>
</BODY>
</HTML>
```

Figure 5.2 : Effet d'habillage d'une image avec du texte.

On peut faire cesser cet habillage de l'image par le texte en insérant une balise `<BR>` pourvue de l'attribut `clear` à l'endroit de la rupture. Trois valeurs sont possibles : `left`, `right` et `all`, qui conditionnent l'action de `<BR>`. La rupture de ligne aura alors lieu lorsque la marge de gauche, celle de droite ou les deux seront libres.

La Figure 5.3 montre l'effet obtenu en insérant `<BR clear="all">` à l'endroit marqué `<!- *** ->` dans le texte ci-dessus.

Figure 5.3 : L'habillage de l'image peut être interrompu à volonté.

L'attribut `ALIGN=` peut prendre sept autres valeurs permettant d'aligner l'image verticalement avec le texte qui l'environne :

- `top`. Le haut de l'image est aligné sur la partie supérieure de la ligne où elle se trouve. C'est la valeur par défaut.
- `middle`. Le milieu de l'image (dans le sens vertical) est aligné sur le milieu de la ligne où elle se trouve.
- `bottom`. Le bas de l'image est aligné sur le bas de la ligne où elle se trouve. C'est la valeur qui est prise par défaut si l'attribut `ALIGN` est absent.
- `absmiddle`. Le milieu (dans le sens vertical) de l'image est aligné avec le milieu de l'objet HTML le plus haut de la ligne.
- `absbottom`. Le bas de l'image est aligné avec le bas de l'objet HTML le plus bas de la ligne.
- `baseline`. Le bas de l'image est aligné avec la ligne de base du texte de la même ligne.
- `texttop`. Le haut de l'image est aligné avec la partie la plus haute du texte.

Si Netscape Navigator respecte ces spécifications, Internet Explorer ne le fait que partiellement. Plutôt qu'un long discours, les Figures 5.4 à 5.6 montrent les différentes interprétations que donnent respectivement Internet Explorer, Netscape Navigator et Opera, de la séquence de commandes ci-dessous :

```
<HTML>
<HEAD>
<TITLE>Alignement vertical d'une image</TITLE>
<BASEFONT SIZE=4 FACE="arial">
</HEAD>
<BODY>
TOP><IMG SRC="echelle.gif" ALIGN="top" BORDER=1>
BOTTOM><IMG SRC="echelle.gif" ALIGN="bottom" BORDER=1>
MIDDLE><IMG SRC="echelle.gif" ALIGN="middle" BORDER=1>
BASELINE><IMG SRC="echelle.gif" ALIGN="baseline"
BORDER=1>
TEXTTOP><IMG SRC="echelle.gif" ALIGN="texttop" BORDER=1>
ABSMIDDLE><IMG SRC="echelle.gif" ALIGN="absmiddle"
BORDER=1>
</BODY>
</HTML>
```

Pour plus de clarté, il a été fait usage de l'attribut `BORDER` dont nous allons tout de suite dire deux mots.

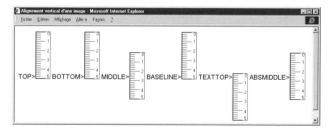

Figure 5.4 : L'alignement vertical d'une image avec Internet Explorer.

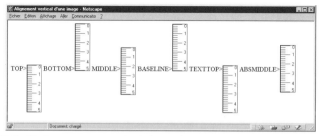

Figure 5.5 : L'alignement vertical d'une image avec Netscape Navigator.

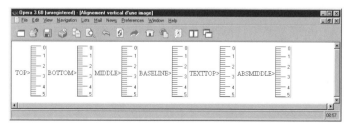

Figure 5.6 : L'alignement vertical d'une image avec Opera 3.60 (hélas !).

L'attribut BORDER

Cet attribut permet de définir l'épaisseur du cadre entourant l'image. Par défaut, sa valeur est zéro, sauf lorsque l'image sert d'appel de lien (nous étudierons les liens dans le Chapitre 6).

Les attributs HEIGHT et WIDTH

Ces attributs définissent la largeur d'affichage de l'image. Le premier concerne sa hauteur ; l'autre, sa largeur. S'ils sont omis, l'image sera affichée avec ses véritables dimensions. Si un seul des deux est spécifié, l'image subira un rétrécissement ou un agrandissement, mais ses proportions seront conservées. Si les deux sont spécifiés et qu'ils ne soient pas dans le même rapport par rapport aux dimensions réelles de l'image, celle-ci sera anamorphosée. La Figure 5.7 montre trois exemples.

Figure 5.7 : Exemples d'utilisation des attributs HEIGHT et WIDTH.

Astuce

Il est déconseillé d'utiliser cette méthode pour agrandir une image, sous peine de faire apparaître un désagréable effet d'escalier.

L'attribut ALT

Le chargement d'une image peut demander un temps appréciable. C'est la raison pour laquelle certains internautes désactivent le chargement des images. Afin de ne pas les laisser totalement dépourvus d'informations, HTML propose l'attribut ALT= qui permet de substituer à l'image absente le texte choisi par l'auteur. Il existe un navigateur ne travaillant qu'en mode texte, Lynx, pour lequel cet attribut est indispensable. Cependant, qu'on se rassure, son usage est actuellement très marginal.

Dans l'un des exemples précédents, si on remplace :

```
<IMG SRC="abc.gif" ALIGN=right>
```

par :

```
<IMG SRC="abc.gif" ALIGN=right ALT="Photo de la moto ABC">
```

et qu'on charge le document dans un navigateur où le chargement des images a été désactivé, on obtiendra ce qui est reproduit sur la Figure 5.8.

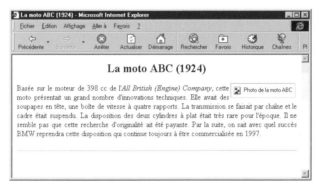

Figure 5.8 : Avec l'attribut ALT, on retrouve une partie des informations apportées par une image non affichée.

Les attributs HSPACE et VSPACE

Ils définissent respectivement l'espace vierge qui entourera horizontalement et celui qui entourera verticalement une image. Ils doivent être exprimés en nombre de pixels. La Figure 5.9 montre leur interprétation par Internet Explorer.

Les images transparentes

Sur la Figure 5.1, notre chevalier des croisades se détachait parfaitement sur le fond blanc de l'écran parce qu'il avait été dessiné sur un fond de cette couleur. Mais, supposons que nous ayons choisi d'appliquer un papier peint sur l'arrière-plan de notre image au moyen de la commande :

```
<BODY BACKGROUND="fond.gif">
```

La Figure 5.10 montre ce que nous aurions obtenu.

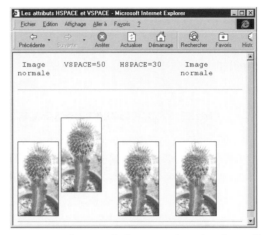

Figure 5.9 : Comment ménager de l'espace dans les deux directions entre les images et les objets HTML qui les entourent.

Figure 5.10 : Sur un fond coloré, l'arrière-plan de l'image apparaît nettement.

Les images GIF de type 89a possèdent une intéressante propriété : celle de la transparence. On choisit une couleur (celle du fond de l'image) et, à l'aide d'un éditeur d'images (l'excellent LViewPro, par exemple), on choisit la couleur de fond qui doit devenir transparente et on sauvegarde l'image. La Figure 5.11 montre le résultat obtenu avec notre exemple précédent.

Attention

Pour éviter de donner l'impression d'une image "mangée aux mites", il est important que le fond de celle-ci soit de teinte uniforme.

Figure 5.11 : Avec un fond transparent, l'image est correctement affichée.

Le cas des grandes images

Dans deux des exemples précédents (les croisades et la moto ABC), les tailles des images étaient respectivement de 3 493 et 28 851 octets, ce qui représente un temps de chargement moyen, à 33,6 Kbps, de deux secondes pour l'une et de dix secondes pour l'autre. C'est raisonnable et ça ne risque pas de lasser la patience du visiteur. Mais, si vous voulez utiliser une grande image occupant presque toute la surface de l'écran, ça risque de demander plus d'une minute. L'exemple ci-dessous (voir Figure 5.12) propose, en cliquant sur une petite image (une *vignette*) de 99×75 pixels (8 575 octets), de charger l'image agrandie qui fait 413×314 pixels (119 138 octets). Pour cela on fait appel au conteneur d'appel de liens `<A>` ... `</A>`, que nous étudierons tout à loisir au cours du Chapitre 6.

Dico

Une *vignette* est une réduction d'une image servant à proposer à l'utilisateur le chargement de la même image en vraie grandeur.

Astuce

N'oubliez pas d'annoncer au visiteur la taille du fichier image à charger afin qu'il prenne sa décision en connaissance de cause.

```
<HTML>
<HEAD>
<TITLE>Utilisation d'une vignette pour charger une grande
image</TITLE>
</HEAD>
<BODY>
<H2>L'atelier de fabrication des R4 Gnome &amp;
Rhône</H2>
<A HREF="atelier2.gif"><IMG SRC="atelier1.gif"
ALIGN=LEFT></A>
Ces machines étaient fabriquées à la SNECMA (Société
nationale
d'étude et de construction des moteurs d'avions) qui
avait
hérité à la Libération des usines Gnome &amp; Rhône mises
sous
séquestre pour avoir "un peu" collaboré avec les
Allemands. En
cliquant sur cette image, on aura une vue agrandie
(occupant
119 138 octets) de ces excellentes petites motos 125 cc.
2 temps, sortant de la chaîne de fabrication et
prêtes à partir pour être livrées en clientèle.
<HR WIDTH=75% SIZE=3>
</BODY>
</HTML>
```

La Figure 5.13 montre l'image agrandie qui, à 33,6 Kbps, demandera près de quarante secondes pour être chargée. Pour revenir à la page précédente, le visiteur doit cliquer sur la commande "page précédente" de son navigateur.

Certains sites, qui vous offrent de télécharger des images (la plupart du temps libres de droits, mais mieux vaut le vérifier), vous proposent un catalogue analogue à celui que vous présente la Figure 5.14 en vous expliquant que si vous cliquez sur la vignette, vous ouvrirez une nouvelle fenêtre dans laquelle l'image sera affichée en vraie grandeur afin de faciliter votre choix.

Figure 5.12 : Utilisation d'une vignette pour proposer le chargement d'une grande image.

Figure 5.13 : L'image en vraie grandeur.

Astuce

L'utilisation d'une grande image ou de nombreuses images de taille moyenne dans une page Web, pour peu qu'elle soit faite avec goût, peut conduire à des effets très attrayants. Au prix, malheureusement, d'un temps de chargement qui peut devenir prohibitif. Si vous êtes un artiste, rien à dire. Si vous voulez faire passer un message, refrénez vos ardeurs picturales et concentrez-vous plutôt sur votre texte !

Figure 5.14 : Un catalogue d'images à télécharger présentées sous forme de vignettes.

Emploi d'images dans une liste

Pour afficher des listes à puces plus attrayantes, on peut utiliser des images en guise de puces. Mais on ne peut plus utiliser le conteneur <UL> ... </UL>. L'astuce consiste alors, pour obtenir le retrait d'affichage habituel, à utiliser une liste de glossaire à l'intérieur de laquelle on n'utilisera que le marqueur <DD>. En voici un exemple, illustré par la Figure 5.15 :

```
<HTML>
<HEAD>
<TITLE>Des listes plus attrayantes</TITLE>
</HEAD>
<H1>Promotions du Grand Bazar</H1>
Cette semaine, nous vous proposons tout particulièrement
les articles suivants :
<DL>
<DD><IMG SRC="cle.gif"> Clé de sûreté
universelle.
<DD><IMG SRC="mae.gif"> Machine à écrire
à vapeur.
<DD><IMG SRC="pendule.gif"> Pendule à moteur Diesel.
<DD><IMG SRC="telefone.gif"> Téléphone
à gaz.
</DL>
<HR NOSHADE>
</BODY>
</HTML>
```

On peut aussi, de façon plus simple, utiliser des images colorées identiques, en forme de petite figure géométrique (boule, cercle, carré...) pour remplacer la puce dans ce type de liste.

Figure 5.15 : Une liste présentée de façon attrayante.

Les GIF animées

On peut réaliser facilement une animation lorsqu'on accepte de se contenter de quelques mouvements rudimentaires. Cette technique appelée "GIF animées" relève directement de celle des dessins animés. On prépare une suite de dessins (de 5 à 10 ou plus, selon la complexité du mouvement à reproduire — voir Figure 5.16) et on les charge dans un éditeur d'images spécial (GIFANIM ou GIF GIF GIF, par exemple) qui les assemble. On définit également le temps de présence de chaque image et le nombre de répétitions. Une fois que ce fichier (qui a l'extension GIF comme un fichier d'image fixe) est entièrement chargé, le navigateur charge successivement et rapidement les images à la suite les unes des autres, donnant ainsi l'illusion du mouvement. Cette technique qui ne fait appel qu'à des fichiers de taille raisonnable est très employée, particulièrement pour les bandeaux publicitaires de sponsorisation qui fleurissent de plus en plus sur les pages Web commerciales (et aussi sur quelques pages privées). Sa mise en œuvre est simple et pratiquement tous les navigateurs sont capables d'afficher des images GIF animées, ce qui est loin d'être le cas pour les autres formes d'animation comme les vidéos (images QuickTime ou AVI) ou les applications Java.

Figure 5.16 : Suite d'images affichant progressivement les lettres du nom de l'homme au fouet.

Chapitre 6

L'essence même du Web : les liens

Jusqu'ici nous nous sommes promenés dans une seule et unique page et, si nous avons parlé de liens, c'est de loin et sans préciser comment ils permettaient d'aller d'une page à l'autre, d'un type de fichier à l'autre. Nous en savons maintenant suffisamment sur HTML pour nous en préoccuper. Ce sera l'objet de ce chapitre.

Principe des liens

On compare souvent le Web à une immense bibliothèque riche de tous les ouvrages publiés dans le monde entier. Bien sûr, une telle bibliothèque physique serait matériellement irréalisable. Mais, virtuellement, c'est possible[1], pour peu que nous soit donnée la possibilité, sans bouger de chez nous, de consulter n'importe quel ouvrage, quel que soit l'endroit où il est entreposé. C'est exactement cela le principe du Web.

A partir d'une page quelconque d'une présentation, on peut trouver des *liens* qui sont en réalité des pointeurs vers d'autres pages de la même présentation ou d'autres présentations, quelle que soit leur localisation. Concrètement, ces liens sont constitués par des *adresses* qui portent le nom d'URL. Ce qui intéresse le lecteur, ce n'est pas l'adresse en soi, mais ce qu'il peut y trouver. En général, l'adresse n'est donc pas affichée et ce qui est mis en valeur dans le texte (en le soulignant et en l'affichant d'une autre couleur, en bleu, généralement), c'est ce qu'on va pouvoir y trouver. Voici les trois formes habituelles d'un *appel de lien* illustrées par la Figure 6.1.

---

1. Voir, à la fin du Chapitre 1, l'allusion au projet de l'université Carnegie Melon d'une bibliothèque mondiale des connaissances universelles.

Dico

Une *URL* (*Uniform Resource Locator* : adresse de ressource uniformisée) représente l'adresse d'une ressource de l'Internet (pas nécessairement relative au Web). Par convention, une URL est du féminin.

```
<TITLE>Appel de lien simple</TITLE>
</HEAD>
<BODY>
<H1>Les dernières œuvres de Mozart <A HREF="biogra.htm">
  <IMG SRC="mozart.gif" WITDH=89 HEIGHT=90
    ALT="Portrait de Mozart" ALIGN="middle"></A>
</H1>
Les trois dernières années de la vie de Mozart
vont être les plus créatrices. <A HREF="cosi.htm">
Cosi fan tutte</A> est créé à Vienne en
1790. <A
HREF="http://www.mozarteum.de/zauberflote.html">La
Flûte enchantée</A> est présentée
en septembre 1791. Le <A HREF="#Requiem">Requiem</A> sera
la
dernière œuvre de Mozart, qui meurt le 5 décembre
1791.
<HR>
</BODY>
</HTML>
```

Info

Rappelons que le caractère "e dans l'o" qui figure dans le mot "œuvre" n'est pas représentable en HTML.

Dans ce fragment, nous avons quatre appels de lien. Le premier est constitué par une image (le portrait de Mozart) ; les trois autres, par du texte. On repère les liens parce qu'ils sont affichés et soulignés en bleu s'il s'agit de texte ou encadrés d'une bordure de même couleur pour les images (cette couleur peut être modifiée par l'utilisateur grâce à une option du navigateur). Lorsque, par exemple, le visiteur clique sur l'un des mots du groupe souligné "La Flûte enchantée", le navigateur va charger le fichier **zauberflote.html** qui se trouve sur le serveur Web **http://www.mozarteum.de**[1]. Le contenu de ce document HTML viendra remplacer ce qui se trouve actuellement sur l'écran.

---

1. N'essayez pas de vous connecter à ce serveur : il est imaginaire !

Figure 6.1 : Comment se présentent des appels de liens.

Attention

Evitez d'utiliser des caractères accentués ou des caractères ayant un sens particulier (deux points, espace, dollar, par exemple) dans une URL, car il faudrait les coder au moyen de séquences d'échappement différentes des entités de caractères (un caractère "%" suivi de la valeur hexadécimale du code ASCII du caractère à représenter).

Les trois formes de liens

Dans notre exemple, nous avons vu quatre appels de liens de nature différente. Toutefois, ils partagent la même structure générale :

```
<A HREF="nom_de_ressource">Texte ou image de l'appel du
➥lien</A>
```

Un appel de lien se place dans un conteneur `<A>` ... `</A>`. Il peut comporter plusieurs attributs dont l'un, HREF (qui signifie *Hypertext Reference*) est obligatoire, car c'est lui qui indique l'emplacement de la page à charger. Pour cela, cet attribut est généralement suivi de l'URL du fichier à charger correspondant à la ressource (serveur Web, serveur FTP, serveur de courrier... ou simplement document local), quel qu'il soit, pour peu qu'on dispose du plug-in nécessaire. On peut aussi trouver un pointeur désignant une autre section du même fichier si on veut simplement amener sur l'écran une autre partie du fichier HTML couramment chargé.

Liens vers l'extérieur

L'URL commence par un nom de protocole. Pour un fichier Web, c'est **http://**, mais la plupart des navigateurs permettent de ne pas l'indiquer, considérant qu'il s'agit là, pour eux, d'une valeur par défaut. Pour un serveur FTP, ce serait **ftp://**. Nous reviendrons plus loin sur ce point ; pour l'instant, restons-en aux fichiers Web. Dans le cas où on veut charger une page située sur un autre serveur, la partie "adresse" de l'URL commence par le nom de ce serveur (**www.microsoft.com**, par exemple). Si on veut atteindre une autre page que la page d'accueil, ce nom de serveur sera suivi du nom du fichier à charger éventuellement précédé de son chemin d'accès.

> **Info**
>
> Lorsque aucun nom de fichier ne suit le nom du serveur, un fichier HTML par défaut est chargé. Son nom est généralement index.htm, index.html, default.htm ou default.html.

Le fichier qu'on veut charger est un fichier Web banal. Pour que tout se passe bien, il suffit que le serveur et le fichier existent aux emplacements annoncés. Et, bien entendu, que la liaison par l'Internet fonctionne. C'est ici la forme la plus générale (et la plus répandue) d'un *lien externe*. C'est ainsi qu'on référence d'autres sites et c'est ce qui permet de parler d'une toile d'araignée mondiale. Dans notre exemple, cette catégorie est représentée par :

```
<A HREF="http://www.mozarteum.de/zauberflote.html">
La Flûte enchantée</A>
```

Ici, la question des *liens relatifs* et des *liens absolus*, que nous aborderons un peu plus loin, ne se pose pas : les références sont nécessairement absolues. (Il n'en est pas de même pour le premier lien proposé avec le portrait de Mozart.)

Liens vers l'intérieur

Ces *liens internes* sont des appels de pages situées sur la même machine que celle du serveur. Attention, il ne s'agit pas de votre disque dur personnel, mais de celui du fournisseur d'accès chez qui vous avez installé votre présentation. Ces pages peuvent ou non être dans le même répertoire et cela pose précisément le problème des liens relatifs et absolus. C'est de cette façon qu'on enchaîne les fichiers successifs d'une même présentation. Dans notre exemple, cette catégorie est représentée par :

```
<A HREF="cosi.htm">Cosi fan tutte</A>
<A HREF="biogra.htm"><IMG SRC="mozart.gif"
WITDH=89 HEIGHT=90 ALT="Portrait de Mozart"
ALIGN="middle"></A>
```

Dico

Un *répertoire* est une des composantes de l'arborescence d'un disque dur. On emploie également le mot *dossier* (particulièrement sur les Macintosh).

Déplacement dans un même fichier

Si votre page est longue et qu'il ne vous semble pas logique de la subdiviser en pages courtes de moins de cinq écrans (l'analyse de *La Flûte enchantée* et de ses implications maçonniques, par exemple), il va falloir aider votre lecteur à y naviguer. Pour cela, reprenant cet exemple, vous pourriez subdiviser cette analyse en plusieurs sections, toutes situées dans le même document HTML :

- "Circonstances de la composition" ;
- "Mozart et la franc-maçonnerie" ;
- "Analyse thématique de l'œuvre" ;
- "Analyse philosophique de l'œuvre" ;
- "Circonstances de la première représentation" ;
- "Accueil du public", etc.

Votre lecteur ne va pas forcément lire tout ça de bout en bout. Il préférera peut-être lire les rubriques dans un ordre qui n'est pas celui que vous aviez prévu. Pour l'y aider, vous allez placer des jalons devant chacune de ces rubriques (lesquelles, naturellement, seront précédées d'un sous-titre — de niveau 2 ou 3, par exemple — pour aérer le document). Ces jalons s'appellent des *ancrages* (en anglais : *anchors*) et leur syntaxe est de la forme :

```
<A NAME="référence">
```

Cette forme correspond à l'appel de lien :

```
<A HREF="#Requiem">Requiem</A>
```

> **Attention**
>
> Le caractère dièse (#) ne doit apparaître *que dans l'appel de lien*. C'est une faute très courante de le répéter dans la désignation de l'ancrage et, bien entendu, dans ce cas, le lien ne s'effectue pas.
>
> Autre point important : ici majuscules et minuscules sont différentes. `<A NAME="requiem">` ne permettra pas d'établir le lien. Il faut écrire `<A NAME="Requiem">`.

Encore plus sur les liens

Vu leur importance, nous allons insister sur quelques particularités d'emploi des liens. Rappelons, néanmoins, que ce livre n'est pas un cours exhaustif sur HTML et que vous trouverez à l'Annexe A une liste de références bibliographiques et autres vous permettant, si le sujet vous intéresse, d'en savoir davantage sur certains points qui n'ont pas été développés ici.

Liens relatifs, liens absolus

Pour diverses raisons, vous pouvez être amené à changer de fournisseur d'accès ou tout simplement de site d'hébergement (ce n'est pas nécessairement le même, comme nous le verrons au Chapitre 15). Il va donc vous falloir transporter l'ensemble de votre présentation sur le nouvel hôte.

Astuce

N'oubliez pas de conserver chez vous une sauvegarde fidèle et intégrale de l'ensemble de votre présentation. Sur votre disque dur, bien sûr **et** sur un autre support (disquettes, cassette, disque dur amovible...). Ce serait trop bête de perdre un tel chef-d'œuvre par insouciance. En général, sauf pour des présentations professionnelles (et si c'est clairement précisé dans le contrat que vous avez signé), l'administrateur du serveur qui vous héberge n'effectue aucune sauvegarde de sa propre initiative.

Supposons que vous soyez un homme d'ordre (voire un maniaque) et que vous ayez décidé de créer l'arborescence reproduite sur la Figure 6.2. Votre page d'accueil (voir Figure 6.3) pourrait se présenter ainsi :

```
<HTML>
<HEAD>
<TITLE>Des listes plus attrayantes</TITLE>
</HEAD>
<H1>Promotions du Grand Bazar</H1>
```

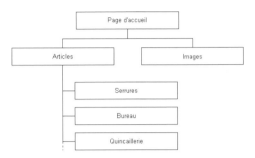

Figure 6.2 : Pour que tout soit net, vous avez créé une arborescence précise.

```
Cette semaine, nous vous proposons tout particulièrement
les articles suivants :
<DL>
<DD><IMG SRC="images/cle.gif">
   <A
HREF="http://www.monserveur.fr/dupont/bazar/articles/
   serrures/cle.html"> Clé de sûreté universelle.
   </A>
<DD><IMG SRC="images/mae.gif">
   <A
HREF="http://www.monserveur.fr/dupont/bazar/articles/
   bureau/mae.htm">Machine à écrire à
   vapeur.
   </A>
<DD><IMG SRC="images/pendule.gif">
   <A
HREF="http://www.monserveur.fr/dupont/bazar/articles/
      bureau/pendule.htm"> Pendule à moteur Diesel.
   </A>
<DD><IMG SRC="images/telefone.gif">
   <A HREF="http://www.monserveur.fr/dupont/bazar/bureau/
      bureau/phone.htm"> Téléphone à gaz.
   </A>
</DL>
<P>
D'un clic sur l'article qui vous intéresse, vous pouvez
en apprendre davantage à son sujet (description, prix..)
</P>
<HR NOSHADE>
</BODY>
</HTML>
```

Figure 6.3 : Quatre liens dans votre présentation.

Ici, vous avez des références relatives pour les images et absolues pour les documents. Ce n'est pas défendu, mais cette façon de faire est maladroite car, si vous changez de site d'hébergement ou si votre hôte, sous couleur de réorganisation, vous attribue un autre répertoire pourvu d'un autre nom (sans vous demander votre avis), vous allez devoir modifier toutes les références internes éparpillées dans l'ensemble de votre présentation. Il aurait été plus simple de vous contenter de références internes et d'écrire, par exemple :

```
<DD><IMG SRC="images/pendule.gif">
   <A HREF="articles/bureau/pendule.htm">
      Pendule à moteur Diesel.
   </A>
```

Par défaut, nous avons vu que c'est le protocole **http://** qui est pris en compte et le fichier sera recherché par rapport au répertoire courant qui est celui de la page d'accueil. Cette forme de lien interne est donc une référence *relative*. Si votre répertoire principal (celui de la page d'accueil) vient à être modifié, il vous suffira de recréer la même arborescence et vous n'aurez absolument rien à changer à l'intérieur de vos documents.

> **Info**
>
> Il existe un marqueur, `<BASE>`, qui permet de spécifier un autre répertoire de référence que celui de la page d'accueil. Son emploi est plutôt réservé à des cas particuliers.

Appels de liens par des images

Lorsque l'appel de lien s'effectue avec une image, il faut en choisir une de petite taille, toujours pour raccourcir autant que faire se peut le chargement de la page. Dans notre exemple, l'image occupe environ 8 Ko, ce qui est raisonnable. L'emploi d'une image, de préférence à du texte, est souvent beaucoup plus explicite. Dans l'exemple précédent, il suffirait de modifier les appels de liens pour que les images correspondantes soient entourées d'une bordure bleue, comme on peut le voir sur la Figure 6.4.

```
<DD>
   <A HREF="/bazar/articles/serrures/cle.html">
     <IMG SRC="images/cle.gif">
   </A>
   Clé de sûreté universelle.

...etc.
```

Figure 6.4 : Appels de liens au moyen d'images.

Si vous avez un doute sur la façon dont vos visiteurs peuvent interpréter cet appel de lien, rien ne vous empêche d'unir texte et image dans l'appel de lien, comme cela :

```
<DD>
  <A HREF="/bazar/articles/serrures/cle.html">
    <IMG SRC="images/cle.gif">
    Clé de sûreté universelle.
  </A>

...etc.
```

Vous cumulerez de cette façon les deux types d'affichage des Figures 6.3 et 6.4.

Il y a des cas où l'image se suffit à elle-même, comme dans l'exemple suivant, à l'intention des musiciens, qui leur propose un sujet sur "Les 3 B" (Bach, Beethoven et Brahms). Les portraits de ces musiciens sont si aisément reconnaissables que tout texte serait superflu.

```
<HTML>
<HEAD>
<TITLE>Les 3 B</TITLE>
</HEAD>
<BODY>
<DIV ALIGN=Center>
<A HREF="bach.htm">    <IMG SRC="bach.gif"
    ALT="Jean-Sébastien Bach"></A>
<A HREF="bethoven.htm"><IMG SRC="bethoven.gif"
    ALT="Ludwig van Beethoven"></A>
<A HREF="brahms.htm">  <IMG SRC="brahms.gif"
    Johannes Brahms"></A>
<FONT FACE="Elfring-elite" SIZE="7">
<H1>Les 3 B</H1>
<P>
  <HR>
<P>
</BODY>
</HTML>
```

Astuce

Remarquez l'emploi judicieux de l'attribut ALT pour que les utilisateurs ayant décidé de ne pas charger les images puissent quand même profiter de cette page Web.

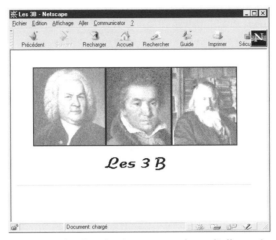

Figure 6.5 : Pour un tel sujet, les images parlent d'elles-mêmes et aucun texte n'est nécessaire.

Liens vers d'autres objets

Nous avons précédemment rencontré deux sortes d'objets : les liens vers des images (à partir d'une vignette) et les liens vers un fichier audio. Mais on peut en trouver bien d'autres, en particulier, vers d'autres ressources de l'Internet : serveurs de fichiers (FTP) ou serveurs de news, par exemple. Un cas particulier est celui qu'on trouve presque toujours à la fin de la présentation, lorsque l'auteur invite le visiteur à donner son avis. Il existe un conteneur, `<ADDRESS>`, en principe conçu pour indiquer ses coordonnées et son adresse e-mail. Mais c'est plutôt une survivance du passé car, pratiquement, il se borne à afficher le texte qu'il contient en italique.

Astuce

Certains moteurs de recherche sont capables d'exploiter ce conteneur pour en extraire les coordonnées de l'auteur lors d'une exploration automatique pour référencement (voir Chapitre 15).

Voici comment on peut terminer sa présentation Web :

```
[...]
<BR>
<HR>
Cette page a été rédigée par Arthur
Dupond que vous pouvez contacter à <A HREF="mailto:
```

```
arthur.dupond@monserveur.fr">arthur.dupond@monserveur
➥.fr</A>.
<P>
<IMG SRC="boules.gif">
</BODY>
</HTML>
```

La Figure 6.6 montre ce qui est affiché. On notera la forme particulière du protocole **mailto:** qui ne comporte pas de slash. La répétition de l'adresse électronique se justifie pour indiquer au visiteur que, s'il clique sur cette adresse, il va lancer une application d'envoi de message (Netscape Navigator et Internet Explorer, entre autres, permettent cette facilité).

Figure 6.6 : Une façon classique de terminer une présentation Web.

Astuce

Plutôt que le classique filet, on peut utiliser des barres de séparation graphiques, généralement colorées et parfois pourvues d'un dessin à une extrémité (un nœud, une paire de ciseaux, un poisson, un hibou...). Un peu de fantaisie ne peut pas nuire, tant qu'elle reste de bon goût.

Les images réactives

Il existe une autre façon d'utiliser les images en guise d'appel de lien, c'est ce qu'on appelle les *images réactives* (en anglais : *imagemaps* ou *clickable imagemaps*). Cela consiste à prendre une image qu'on divise fictivement en parties aisément identifiables. Ensuite, on attache un lien différent à chacune des parties. Cela revient à avoir un menu d'icônes, mais avec beaucoup plus de souplesse et d'élégance.

Le choix de l'image

Toutes les images ne conviennent pas pour réaliser une image réactive : il faut pour cela qu'elles puissent se décomposer naturellement en zones aisément repérables et de forme géométrique : rectangle, cercle ou polygone.

Un mauvais choix

Par exemple, l'image reproduite sur la Figure 6.7, bien qu'intéressante sur le plan artistique, ne convient absolument pas : rien de bien net ne s'en détache.

Figure 6.7 : Cette image ne convient absolument pas pour réaliser une image réactive.

Un choix moins mauvais

Par contre, la Figure 6.8 conviendrait très bien à une présentation sur la culture et la consommation des salades. Elle est simple à réaliser et ne demande pas de talents de dessinateur particuliers (mais si vous en avez, vous pourriez certainement faire quelque chose de mieux présenté !). La police utilisée est une Stymie Light, suffisamment originale tout en restant lisible (critère essentiel pour un menu de liens). Le titre général — "A la bonne salade, mesdames !" — est réalisé avec une police Comic sans serif. On peut remarquer que le pointeur "Récolte" est placé au centre et affiché avec une police de corps supérieur pour attirer le regard. Les zones individuelles sont diversement colorées.

Figure 6.8 : Cette image, quelconque sur le plan artistique, convient mieux pour réaliser un menu de liens.

Un meilleur choix

Mais on voit mal quel est l'intérêt de cette présentation par rapport au menu des promotions du Grand Bazar que nous avons vu plus haut, composé d'une juxtaposition de petites images rectangulaires. Mieux vaudrait estomper les encadrements et disposer les inscriptions directement sur un fond de même couleur. On aboutit alors à ce que montre la Figure 6.9.

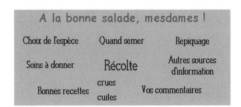

Figure 6.9 : Amélioration de notre image réactive.

Astuce

Comment l'utilisateur se doutera-t-il qu'il peut cliquer quelque part ? Tout simplement parce qu'en promenant sa souris sur l'image, il verra le pointeur se changer en une main. En délimitant chaque partie de l'image en zones rectangulaires non jointives, cet effet sera accru. En outre, dans la plupart des navigateurs, l'URL de la page Web ainsi pointée s'affiche en bas, sur la ligne d'état.

On pourrait encore améliorer cette dernière disposition en répartissant les rubriques un peu au hasard et en inclinant les textes. En outre, rien n'interdit de décrire les zones correspondantes comme des cercles, des rectangles ou des polygones, selon leur rapprochement et leur forme.

Une très bonne image

Si vous avez décidé de donner au monde des gastronomes quelques connaissances précises sur l'emplacement des meilleures pièces de bœuf (et des moins bonnes), la Figure 6.10 est absolument ce qu'il vous faut. Vous pourrez colorer en rouge les meilleurs morceaux, en rose, ceux de qualité immédiatement inférieure et en bleu ceux qu'il convient d'éviter à cause de leur mauvaise qualité gustative. Ici, l'image vient exactement à l'appui du propos, ce qui fait que l'image réactive est parfaitement en situation. Par contre, le découpage des zones sera plus délicat, car, presque partout, vous devrez utiliser des polygones, c'est-à-dire définir beaucoup de points. Mais la qualité d'une présentation est à ce prix !

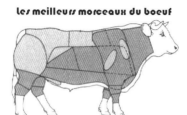

Figure 6.10 : Une excellente image réactive.

Trois implémentations possibles

Les images réactives sont une création HTML déjà ancienne et deux des plus importants partenaires ("adversaires" serait sans doute plus juste) dans ce domaine, le CERN (*Centre européen pour la recherche nucléaire*) et le NCSA (*National Center for Supercomputing Applications*), ont chacun proposé leur standard, bien entendu incompatible avec celui du voisin. Curieusement, ces deux méthodologies sont aussi inutilement compliquées l'une que l'autre et font appel à un dialogue client-serveur dont nous allons donner les grandes lignes :

1. L'utilisateur clique dans une image réactive.

2. Les coordonnées du point sont envoyées au serveur accompagnées du nom du fichier attaché à l'image réactive par le navigateur.

3. Le serveur lance alors un programme particulier, généralement `imagemap`.

4. Ce programme recherche dans le fichier indiqué — qui est une table de correspondances — l'URL du lien à activer.

5. Si le point est bien dans l'une des zones définies, la page située à l'URL correspondante est renvoyée au navigateur. Sinon, c'est un message d'erreur qui est renvoyé.

6. Si tout s'est bien passé, la page correcte est affichée.

Attention

Non seulement ces méthodes sont incompatibles, mais il faut savoir, avant de faire son choix, quelle est celle en usage sur le serveur qu'on utilise. Si, plus tard, on déménage sa présentation sur un autre serveur, on risque d'avoir à modifier ses documents HTML pour respecter le "standard" accepté par le nouveau serveur.

Il a fallu un temps certain pour que de bons esprits, chez Netscape, s'aperçoivent que tout ce travail pouvait être réalisé sans aucun problème chez le *client*, sans faire appel au *serveur*. D'où le nom de *client side* qui fut donné à cette nouvelle méthode, alors que l'ancienne était appelée *server side*.

Au début, on a continué d'employer l'une des deux anciennes méthodes parce que les navigateurs utilisés n'étaient pas tous capables d'interpréter la nouvelle méthode. Mais, maintenant, rechercher une telle complication ne se justifie plus guère et c'est pourquoi notre exposé les laissera de côté au profit de la seule méthode *client side*, qui ne nécessite plus tout ce dialogue client-serveur, générateur de charge inutile de l'Internet et de temps perdu pour le visiteur.

Astuce

N'oublions pas que l'exploitation correcte des images réactives *server side* impose la présence du fichier de correspondance sur le serveur, ce qui entraîne d'autres complications.

Décomposition d'une image réactive

A l'intérieur d'une image réactive, on trouve des *zones sensibles* (en anglais : *hot spots*) qui peuvent revêtir trois formes géométriques : le rectangle, le cercle et le polygone. Il existe également une quatrième zone, la zone *par défaut* qui a la particularité... de ne pas exister. Plus exactement, elle va permettre de charger une page située à une URL particulière lorsque le visiteur cliquera *en dehors* d'une zone réellement définie. Le contenu de cette page lui explique généralement qu'il a fait une erreur de pointage. Pour éviter d'effacer la page présente et de devoir la recharger, le mieux est alors de faire appel à un script JavaScript.

> **Info**
>
> Dans certains ouvrages anciens sur HTML, on trouve aussi mention d'une zone *point*, absolument illogique. Comment diable voulez-vous cliquer sur un point particulier d'un écran 1 024 × 768 ? A oublier...

Définition d'une image réactive

Il existe des programmes spécialisés dans la création d'images réactives. MapEdit et LiveImage, pour les amateurs de PC, et le freeware WebMap (**mailto:rowland@city.net**), pour ceux qui ne jurent que par le Mac, sont sans doute parmi les plus connus et les plus utilisés. Mais leur emploi n'est pas indispensable[1]. Pour bien comprendre le mécanisme de création, nous allons expliquer comment on peut écrire les commandes nécessaires, à la main, avec un éditeur de texte ordinaire.

La première des choses à faire, naturellement, c'est de dessiner l'image, puis de repérer soigneusement les coordonnées des zones sensibles, exprimées en pixels. Chaque zone sera définie dans un marqueur <AREA> et l'ensemble de ces marqueurs sera placé dans un conteneur <MAP> ... </MAP>. Ce dernier est presque toujours placé dans la page HTML même où est chargée l'image réactive (bien que techniquement et syntaxiquement cela ne soit pas une obligation). Dimensions et coordonnées des zones sont exprimées en pixels.

- Pour un rectangle, on définira les coordonnées des extrémités de la diagonale principale.
- Pour un cercle, ce sera les coordonnées du centre suivies de la valeur du rayon.
- Pour un polygone, les coordonnées des points successifs.

Le conteneur dans lequel doit se trouver cette table s'appelle <MAP NAME= "nom"> ... </MAP>. On trouve à l'intérieur autant de marqueurs <AREA>

---

1. Certains éditeurs HTML ont un éditeur d'images réactives incorporé. C'est le cas, par exemple, de FrontPage (Microsoft). Malheureusement, on ne le retrouve pas dans la version allégée, FrontPage Express, que nous étudierons dans la Partie 2 de ce livre.

qu'il y a de zones sensibles à définir. L'attribut NAME sert à donner un nom choisi arbitrairement à la table. Chacune des zones sera ainsi définie :

```
<area shape=type de zone coords="liste de coordonnées"
 href="appel de lien">
```

avec *type de zone* valant rect, circle ou polygon.

L'image réactive sera chargée comme une image normale, par un marqueur <IMG> dans lequel on aura ajouté un attribut USEMAP, suivi du nom de la table descriptive des zones sensibles indiqué par l'attribut NAME du conteneur <MAP> ... </MAP>.

Un exemple va lever toute ambiguïté :

```
<HTML>
[...]
<BODY>
[...]
<IMG SRC="salades.gif" USEMAP="#salades" BORDER="0">
[...]
<map name="salades">
  <area shape="rect" coords="11,40,156,90"
    href="http://www.montruc.fr/semis.htm">
  <area shape="polygon"
    coords="34,68,34,56,129,58,126,91,95,94,80,126,69,85"
    href="#rubrique_123">
  <area shape="rect" coords="309,146,455,195"
    href="mailto:moimeme@montruc.fr">
  <area shape="circle" coords="221,66,24"
href="#quand_semer">
  <area shape="default" href="#erreur">
</map>
[...]
<A NAME="erreur">
C'est ici qu'est signalée l'erreur dans le choix d'une
zone
[...]
</BODY>
</HTML>
```

Comme on le voit, on peut trouver n'importe quelle forme de lien : interne ou externe. Si on ne veut pas définir de traitement d'erreur pour un clic en dehors des zones sensibles, au lieu de href= dans le marqueur <AREA>, on indiquera simplement l'attribut nohref. On peut fort bien indiquer un autre type de ressources que **http://**. C'est ce qui a été fait avec **mailto:** dans l'exemple ci-dessus. Rappelons que ce protocole est celui d'un envoi de message électronique.

Il peut y avoir recouvrement partiel entre deux zones. Dans ce cas, c'est la première qui a été définie qui l'emportera, car la table des zones sensibles est explorée par le navigateur dans l'ordre où ont été créées les entrées <AREA>.

Astuce

On peut placer des commentaires à l'intérieur d'un conteneur <MAP> ...
</MAP>. Ils devront alors être précédés d'un caractère dièse (#).

L'utilitaire MapEdit

Il s'agit d'un programme shareware dont l'installation est simple et ne mérite pas qu'on s'y attarde. Il convient aux deux anciennes méthodes et à la méthode dite *client side*. Pour créer une table (ou un fichier de définitions), il suffit de cliquer sur File puis sur Open/Create. Dans la boîte de dialogue qui s'ouvre, il faut choisir le nom du fichier HTML (qui doit déjà exister) dans lequel on veut créer la table et cliquer ensuite sur OK.

Une seconde boîte de dialogue propose le nom des images contenues dans ce fichier et définies dans un conteneur <IMG>. Il faut alors cliquer sur celle qui va servir d'image réactive puis sur OK. Les formats reconnus sont GIF, JPEG et PNG.

L'image est alors chargée (voir Figure 6.11). La barre d'outils de MapEdit propose, entre autres, trois outils de définition de zone : un carré vert (outil rectangle), un cercle bleu (outil cercle) et un triangle rouge (outil polygone). Voici comment les utiliser :

- Pour définir un rectangle, on commence par cliquer sur le carré vert de la barre d'outils. On clique ensuite sur un de ses sommets de la zone rectangulaire puis sur l'autre extrémité de sa diagonale et on clique une seconde fois. Dans la boîte de dialogue (voir Figure 6.12) qui s'ouvre, on tape l'URL ou l'ancrage de l'appel de lien correspondant à la zone qu'on vient de définir et, éventuellement, le texte qui serait affiché si le navigateur ne chargeait pas les images (mais, dans ce cas, l'utilisation d'une image réactive poserait de sérieux problèmes).

- Pour définir un cercle, on commence par cliquer sur le cercle bleu de la barre d'outils. On clique ensuite au centre de la zone et on déplace le pointeur jusqu'à ce que le cercle qui apparaît couvre la zone à définir. On clique alors une seconde fois et on renseigne la boîte de dialogue comme ci-dessus.

- Pour définir un polygone, on commence par cliquer sur le triangle rouge de la barre d'outils. On clique ensuite sur chacun des sommets du polygone. On clique du bouton droit sur le dernier et on fait comme ci-dessus.

Figure 6.11 : L'utilitaire de réalisation d'images réactives MapEdit.

Figure 6.12 : Définition de l'URL vers laquelle doit pointer la zone d'image.

L'aide en ligne est suffisamment explicite pour qu'il ne soit pas utile d'en dire davantage. Elle n'a que le défaut d'être rédigée en anglais.

Chapitre 7

Tableaux en tous genres

Les premières versions de HTML ne permettaient pas une mise en page sophistiquée et, en particulier, la notion de *tableau* au sens où on l'entend dans les traitements de texte en était absente. Maintenant que cette lacune est comblée, quand on voit ce qu'on peut faire avec le conteneur <TABLE> ... </TABLE>, on se demande comment on a pu s'en passer.

Info

HTML 4.0 a créé pour les tableaux un certain nombre de balises nouvelles d'intérêt plutôt marginal et dont nous ne parlerons pas ici. Pour deux raisons : d'abord, parce que leur utilité n'est pas évidente ; ensuite, parce que ni Netscape ni Microsoft n'ont semblé témoigner un grand enthousiasme pour les implémenter. De toute façon, même en se limitant à HTML 3.2, on dispose d'outils suffisamment riches et puissants pour réaliser à peu près tout ce qu'on peut souhaiter.

Le plus simple des tableaux

Un tableau est tout entier défini dans un conteneur <TABLE> à l'intérieur duquel on définit le tableau ligne par ligne dans une suite de conteneurs <TR> (*table row* = ligne de tableau). Dans chaque ligne, les cellules sont définies individuellement dans des conteneurs <TD> (*table data* = données du tableau). De nombreux attributs viennent apporter une grande richesse de mise en page à cette structure élémentaire.

Nous allons commencer par un tableau élémentaire, sans fioritures. La Figure 7.1 montre comment Internet Explorer traduit le document HTML qui suit :

```
<HTML>
<HEAD>
<TITLE>Le plus simple des tableaux</TITLE>
</HEAD>
<BODY>
<DIV ALIGN=CENTER>
```

```
<H2>Ventes de matériel informatique</H2>
<TABLE BORDER=1>
  <TR>
    <TD></TD><TD>1995</TD><TD>1996</TD><TD>1997</TD>
  </TR>
  <TR>

<TD>Ordinateurs</TD><TD>23</TD><TD>41</TD><TD>123</TD>
  </TR>
  <TR>
    <TD>Imprimantes</TD><TD>7</TD><TD>31</TD><TD>98</TD>
  </TR>
  <TR>
    <TD>Scanners</TD><TD>-</TD><TD>2</TD><TD>11</TD>
  </TR>
  <TR>
    <TD>Modems</TD><TD>12</TD><TD>24</TD><TD>47</TD>
  </TR>
</TABLE>
</DIV>
</BODY>
</HTML>
```

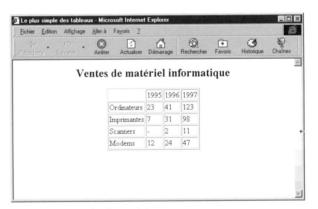

Figure 7.1 : Le plus simple des tableaux.

Astuce

L'attribut BORDER= indique l'épaisseur des bordures du tableau et des cellules. En son absence ou si on lui donne la valeur 0, le tableau n'aura pas de bordures du tout.

On ne peut pas dire que cette présentation soit très réussie. C'est un tableau : il contient des lignes et des colonnes à l'intérieur desquelles des cellules contiennent des valeurs. Mais il conviendrait d'y apporter quelques améliorations.

Quelques améliorations

Nous allons commencer par placer un titre au-dessus du tableau, grâce au conteneur `<CAPTION>` ... `</CAPTION>` qui accepte l'attribut `ALIGN=` auquel nous donnerons la valeur TOP pour que le titre soit affiché au-dessus du tableau. En lui donnant la valeur BOTTOM, le titre aurait été affiché en dessous. Pendant que nous y sommes, nous l'afficherons en gras et avec une police de caractères un peu plus grosse.

Astuce

En réalité, `ALIGN="top"` n'est pas nécessaire parce que c'est la valeur par défaut de cet attribut.

Ensuite, pour afficher les titres des colonnes, nous allons utiliser à la place de `<TD>` le conteneur prévu à cet effet : `<TH>` ... `</TH>` (*table heading*, que nous étudierons un peu plus loin) et nous allons élargir un peu ce tableau au moyen de l'attribut `WIDTH=` placé dans `<TABLE>`. Enfin, nous allons donner un peu plus d'espace vital à ce tableau, vraiment un peu trop recroquevillé en spécifiant dans la balise initiale `<TABLE>` l'attribut `WIDTH=400`. La Figure 7.2 montre comment s'affiche notre document HTML ainsi modifié :

```
<TABLE BORDER=1 WIDTH=400>
    <CAPTION ALIGN=TOP><B><FONT SIZE=+1>Pour les trois
    dernières années</FONT></B></CAPTION>
  <TR>
    <TH></TH><TH>1995</TH><TH>1996</TH><TH>1997</TH>
  </TR>
  <TR>

<TD>Ordinateurs</TD><TD>23</TD><TD>41</TD><TD>123</TD>
  </TR>
  <TR>
    <TD>Imprimantes</TD><TD>7</TD><TD>31</TD><TD>98</TD>
  </TR>
  <TR>
<TD>Scanners</TD><TD>-</TD><TD>2</TD><TD>11</TD>
  </TR>
```

```
<TR>
  <TD>Modems</TD><TD>12</TD><TD>24</TD><TD>47</TD>
</TR>
</TABLE>
```

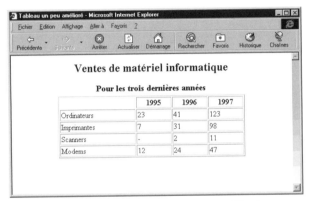

Figure 7.2 : Notre tableau simple a été un peu amélioré.

Vous remarquerez que le conteneur <TH> ... </TH> centre le contenu de la cellule qu'il définit et qu'il l'affiche en gras.

Nous allons maintenant faire une seconde amélioration en centrant le contenu de chaque cellule. Comme pour un paragraphe, nous utiliserons l'attribut ALIGN= qui peut prendre les trois valeurs left, center et right (curieusement, ici, justify n'est pas admis). Cet attribut doit être indiqué pour chacune des lignes du tableau et il fait effet sur chacune des cellules de la ligne :

```
<TR ALIGN="center">
  <TH></TH><TH>1995</TH><TH>1996</TH><TH>1997</TH>
</TR>
<TR ALIGN="center">

<TD>Ordinateurs</TD><TD>23</TD><TD>41</TD><TD>123</TD>
</TR>
<TR ALIGN="center">
  <TD>Imprimantes</TD><TD>7</TD><TD>31</TD><TD>98</TD>
</TR>
<TR ALIGN="center">
<TD>Scanners</TD><TD>-</TD><TD>2</TD><TD>11</TD>
</TR>
<TR ALIGN="center">
  <TD>Modems</TD><TD>12</TD><TD>24</TD><TD>47</TD>
</TR>
```

La Figure 7.3 montre que notre tableau est maintenant assez satisfaisant.

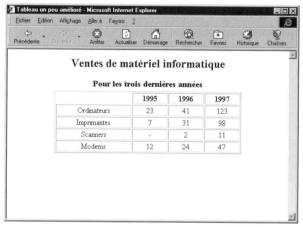

Figure 7.3 : Tableau bien amélioré.

Un peu de formalisme

Maintenant que nous avons découvert expérimentalement la façon dont on compose un tableau, nous allons prendre un peu de recul et énoncer quelques règles de composition.

La balise <TABLE>

Tous les éléments composant un tableau doivent être placés dans un conteneur <TABLE> ... </TABLE> qui admet un certain nombre d'attributs, classés ici selon leur utilité. Un tableau est défini par une succession de lignes (conteneur <TR> ... </TR>), elles-mêmes décomposées en cellules (marqueur <TD> ... </TD> ou <TH> ... </TH>). Un tableau ne peut pas subir de déformations locales : toutes les cellules d'une même ligne ont la même hauteur, et toutes les cellules d'une même colonne, la même largeur.

L'attribut BORDER

Il spécifie l'épaisseur des bordures du tableau exprimée en pixels. En son absence, le tableau n'a pas de bordure. Si on indique simplement BORDER sans spécifier de valeur, la bordure obtenue a une épaisseur de 1 pixel.

L'attribut WIDTH

Il indique la largeur occupée dans l'écran par le tableau. Cette largeur peut s'exprimer en valeur absolue par un nombre de pixels (exemple : WIDTH="400") ou en valeur relative par un pourcentage de la largeur courante de la fenêtre du navigateur (exemple : WIDTH="70 %"). Dans ce dernier cas, la largeur du tableau s'ajustera automatiquement selon les dimensions de la fichier d'observation.

L'attribut ALIGN

Il détermine l'emplacement occupé dans la fenêtre du navigateur par le tableau et peut prendre l'une des valeurs left, center ou right (ici, justify n'aurait aucun sens).

L'attribut BGCOLOR

Il fixe la couleur de toutes les cellules du tableau. Cependant, comme nous allons le voir un peu plus loin, il est possible de modifier la couleur d'une ligne ou d'une cellule particulière du tableau.

La balise <CAPTION>

Elle contient le titre qui sera affiché par défaut au-dessus du tableau et centré. Dans ce conteneur, on peut trouver du texte, un titre, une image... En l'absence de tout enrichissement ou spécification, le texte qui s'y trouve sera affiché tel quel avec la police courante.

L'attribut ALIGN

Il détermine la position du titre et peut prendre les valeurs top (au-dessus), bottom (au-dessous), left (à gauche) et right (à droite). Mais la dénomination de ces deux dernières valeurs est bien mal choisie, car elles ne contrôlent que la position de l'affichage au-dessus du tableau. Il ne semble donc pas possible d'afficher un titre de tableau au-dessous du tableau et à droite. Toutefois, Internet Explorer accepte l'attribut VALIGN, ce qui permet d'afficher un titre au-dessous d'un tableau et en appui à droite en écrivant ALIGN=right VALIGN=bottom.

Astuce

Netscape Navigator ne reconnaît que les valeurs top et bottom pour cet attribut.

La balise <TR>

Toutes les cellules d'une même ligne doivent se trouver dans un conteneur <TR> ... </TR>. Enfin, quand nous disons "conteneur", c'est plutôt par prudence, car HTML 4.0 admet que la balise <TR> soit un marqueur. Cependant, si on profite de cette tolérance, on risque d'avoir de gros problèmes avec certains navigateurs qui ne sont pas encore au courant de cette permission. Nous admettrons donc qu'il faut utiliser un conteneur. Les différentes cellules d'une même ligne peuvent recevoir des contenus très différents : aucune règle d'homogénéité n'impose ici de contrainte.

L'attribut ALIGN

Il indique comment sera aligné horizontalement le contenu des cellules de la ligne et peut prendre les valeurs left, center et right. Cet alignement peut être modifié individuellement par une valeur différente de l'attribut ALIGN dans une des cellules.

L'attribut VALIGN

Il indique comment sera aligné verticalement le contenu des cellule de la ligne et peut prendre les valeurs top, middle et bottom (respectivement : au-dessus, au milieu et au-dessous). Cet alignement peut être modifié individuellement par une valeur différente de l'attribut VALIGN dans une des cellules.

L'attribut BGCOLOR

Il détermine la couleur de fond des cellules et peut s'exprimer, comme son homonyme de la balise <BODY>, par un nom de couleur ou par un triplet RGB.

La balise <TD>

Cette balise renferme le contenu d'une cellule. HTML 4.0 admet que ce soit un conteneur ou une balise mais, pour les mêmes raisons que <TR> (voir la section précédente), mieux vaut utiliser un conteneur. A l'intérieur d'une cellule, on peut trouver n'importe quel élément HTML dont l'emploi est autorisé dans le corps d'un document HTML : texte, valeur, image, liste, image... et même un autre tableau, lequel, à son tour, comme le pendant d'oreille de "La vache qui rit", peut contenir un tableau qui... Même en excluant les nouveautés apportées par HTML 4.0 et qui tardent à être implémentées par les navigateurs actuels, cette balise est riche en attributs.

L'attribut HEIGHT

Il détermine la hauteur de la cellule exprimée en pixels. Toutes les autres cellules de la ligne ont la même hauteur, qui est celle de la cellule la plus haute.

L'attribut WIDTH

Il détermine la largeur de la cellule exprimée en pixels. Toutes les autres cellules de la même colonne ont la même largeur, qui est celle de la cellule la plus large.

L'attribut ALIGN

Il indique comment sera aligné horizontalement le contenu de la cellule et peut prendre les valeurs left (valeur par défaut), center, right et justify. Il a priorité sur un attribut ALIGN de valeur différente qui serait spécifié dans la balise <TR> contenant la cellule. La Figure 7.4 montre comment est affiché l'extrait ci-dessous :

```
<TABLE BORDER=5>
 <TR>
  <TH>LEFT</TH><TH>CENTER</TH><TH>RIGHT</TH>
 </TR>

 <TR>
  <TD ALIGN=left WIDTH=200>Sa mère était, quant à elle,
la puînée d'une famille de haut lignage apparentée aux
Bourbons qui s'était, à dire vrai, proprement enfuie de
la capitale pour cacher son indigence dans une misérable
masure sise dans le comtat Venaissin au pied du mont
Ventoux après qu'elle se fut vu ruiner.</TD>
  <TD ALIGN=center WIDTH=200>Sa mère était, quant à elle,
la puînée
      [...]
  <TD ALIGN=right WIDTH=200>Sa mère était, quant à elle,
la puînée
      [...]
 </TR>

</TABLE>
```

L'attribut VALIGN

Il indique comment sera aligné verticalement le contenu de la cellule et peut prendre les valeurs top (valeur par défaut), middle, bottom et baseline (au-dessus, au milieu, au-dessous et sur la ligne de base du texte). L'interprétation de cette dernière valeur est, d'après les documents du

W3C, la suivante : "Toutes les cellules situées dans la même ligne que celle qui a cet attribut doivent aligner leur première ligne de texte sur la même ligne de base." En réalité, l'expérience montre que mieux vaut éviter de l'utiliser, comme on pourra le voir sur les Figures 7.5 et 7.6 représentant l'interprétation de la suite de commandes ci-dessous, respectivement par Internet Explorer et Netscape Navigator. Opera donne à peu de chose près la même interprétation (correcte) que Internet Explorer.

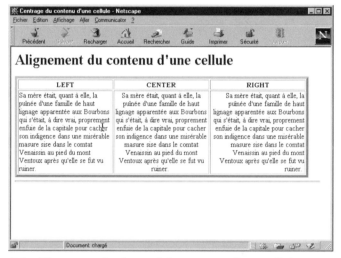

Figure 7.4 : Alignement horizontal du contenu d'une cellule.

```
<TABLE border=5>
<TR>

<TH>TOP</TH><TH>MIDDLE</TH><TH>BOTTOM</TH><TH>BASELINE</TH>
</TR>
<TR>
 <TD VALIGN=top HEIGHT=200>Lorsque l'enfant paraît, le
cercle de
   famille applaudit à grands cris.<BR><IMG SRC="mozart
.gif">
 </TD>

 <TD VALIGN=middle HEIGHT=200>Lorsque l'enfant paraît, le
cercle de
   famille applaudit à grands cris.<BR><IMG SRC="mozart
.gif">
 </TD>
```

```
<TD VALIGN=bottom HEIGHT=200>Lorsque l'enfant paraît, le
cercle de
    famille applaudit à grands cris.<BR><IMG
SRC="mozart.gif">
 </TD>

 <TD VALIGN=baseline HEIGHT=200>Lorsque l'enfant paraît,
le cercle de
    famille applaudit à grands cris.<BR><IMG
SRC="mozart.gif"> </TD>
</TR>
</TABLE>
```

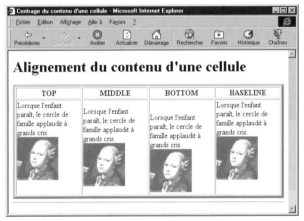

Figure 7.5 : Alignement vertical du contenu d'une cellule avec Internet Explorer.

La valeur de cet attribut a ici priorité sur un attribut VALIGN de valeur différente qui serait spécifié dans la balise <TR> contenant la cellule.

L'attribut BGCOLOR

Il détermine la couleur de fond de la cellule et peut s'exprimer, comme
son homonyme de la balise <BODY>, par un nom de couleur ou par un
triplet RGB. Il a priorité sur toute couleur qui serait spécifiée dans la
balise <TABLE> ou dans la balise <TR>. La Figure 7.7 montre comment est
affiché l'extrait ci-dessous. Bien que le texte soit imprimé en noir et blanc,
les nuances de gris permettront néanmoins de se rendre compte de l'interprétation des couleurs.

Figure 7.6 : Alignement vertical du contenu d'une cellule avec Netscape Navigator.

Figure 7.7 : Interprétation de l'attribut BGCOLOR dans un tableau.

L'attribut NOWRAP

Il permet d'éviter le rejet d'une ligne longue à la ligne suivante. Il ne reçoit pas de valeur, sa seule présence suffit à provoquer l'effet recherché. Il peut entraîner un élargissement de la cellule. Ici encore, les navigateurs font un peu ce qu'ils veulent, comme le montrent l'exemple suivant et les

Figures 7.8 (obtenue avec Internet Explorer) et 7.9 (obtenue avec Netscape Navigator) :

```
<TABLE BORDER>
<TR>
  <TD>C'était pendant l'horreur d'une profonde nuit.</TD>
  <TD NOWRAP>C'était pendant l'horreur d'une profonde
nuit.</TD>
  <TD NOWRAP WIDTH=100>C'était pendant l'horreur d'une
profonde nuit.</TD>
</TR>
</TABLE>

<HR>

<TABLE BORDER>
<TR>
  <TH>Sans attribut</TH>
  <TH>Avec NOWRAP</TH>
  <TH>Avec NOWRAP et WIDTH</TD>
</TR>
<TR>
  <TD>C'était pendant l'horreur d'une profonde nuit.</TD>
  <TD NOWRAP>C'était pendant l'horreur d'une profonde
nuit.</TD>
  <TD NOWRAP WIDTH=100>C'était pendant l'horreur d'une
profonde nuit.</TD>
</TR>
</TABLE>
```

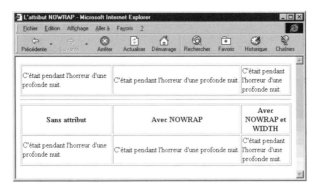

Figure 7.8 : Exemple d'effet de l'attribut NOWRAP avec Internet Explorer.

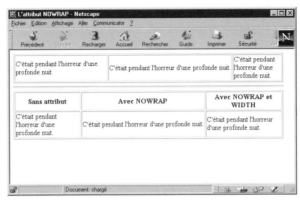

Figure 7.9 : **Exemple d'effet de l'attribut NOWRAP avec Netscape Navigator.**

On remarquera l'effet d'agrandissement obtenu sur la deuxième cellule. Si Internet Explorer respecte la contrainte imposée par `WIDTH=100`, Netscape Navigator ne respecte rien du tout : ni `NOWRAP`, ni `WIDTH`. (Quant à Opera, il suit le droit chemin en produisant le même résultat qu'Internet Explorer.)

L'attribut COLSPAN

Il permet d'étendre horizontalement les dimensions d'une cellule en empiétant sur la ou les cellules placées immédiatement à sa droite. La Figure 7.10 montre l'effet obtenu.

L'attribut ROWSPAN

Il permet d'étendre verticalement les dimensions d'une cellule en empiétant sur la ou les cellules placées immédiatement au-dessous. L'exemple qui suit, mettant en œuvre les attributs `COLSPAN` et `ROWSPAN`, est illustré par la Figure 7.10.

```
<TABLE BORDER WIDTH=500>
<TR ALIGN="center">
  <TD>UN</TD>
  <TD COLSPAN=2>DEUX</TD>
  <TD >TROIS</TD>
  <TD >QUATRE</TD>
</TR>
<TR  ALIGN="center" BGCOLOR="yellow">
  <TD CENTER>CINQ</TD>
  <TD>SIX</TD>
  <TD>SEPT</TD>
```

```
  <TD ROWSPAN=3 BGCOLOR="blanchedalmond">HUIT</TD>
  <TD >NEUF</TD>
</TR>
<TR  ALIGN="center" BGCOLOR="lightblue">
  <TD COLSPAN=3 ROWSPAN=2 BGCOLOR="lightgrey">DIX</TD>
  <TD>ONZE</TD>
</TR>
<TR  ALIGN="center" BGCOLOR="black">
  <TD><FONT COLOR=yellow><B>DOUZE</B></FONT></TD>
</TABLE>
```

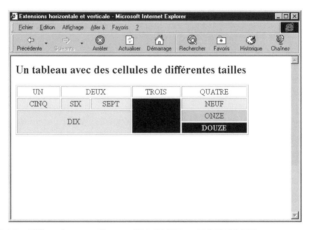

Figure 7.10 : Effet des attributs COLSPAN et ROWSPAN.

Ces possibilités d'alignement et d'agrandissement des cellules sont illustrées par un exemple plus complexe dont les Figures 7.11 et 7.12 illustrent la présentation : d'abord normale (sans bordures) puis, pour bien montrer le regroupement des cellules, avec une bordure :

```
<HTML>
<HEAD>
<TITLE>Extrait du palmarès 1927 - 1928</TITLE>
</HEAD>
<BODY>
<H2 ALIGN="center">EXTRAIT DU PALMARES 1927-28</H2>
<TABLE BORDER=1>

<TR><TD><B>Côte de Griffoutet</B></TD>
    <TD>500 cmc</TD><TD>1.</TD><TD>LANGLOIS</TD>
</TR>

<TR><TD ROWSPAN=2><B>Six jours d'hiver</B></TD>
```

```
        <TD>250 cc</TD><TD> 1. ex-&aelig;quo</TD>
        <TD>LEZIN<BR>BOURGUIN</TD>
</TR>
<TR>
        <TD>500 cmc</TD><TD>1. ex-&aelig;quo</TD>
        <TD>BERNARD<BR>BERRENGER<BR>LEREFAIT</TD>
</TR>

<TR><TD><B>Côte de Morlaas</B></TD>
        <TD>175 cmc</TD><TD>1.</TD><TD>LANGLOIS</TD>
</TR>

<TR><TD ROWSPAN=3><B>Paris-Nice</B></TD>
        <TD>175 cc</TD><TD>1.</TD><TD>LANGLOIS</TD>
        </TR><TR>
        <TD>250 cmc</TD><TD>1. ex-
&aelig;quo</TD><TD>LEZIN</TD>
</TR>
<TR>
        <TD>500 cmc</TD><TD>1. ex-&aelig;quo</TD>
        <TD>NAAS<BR>BERNARD<BR>BERRENGER</TD>
</TR>

<TR><TD ROWSPAN=3><B>Circuit du printemps</B></TD>
        <TD>175 cmc</TD><TD>1.</TD><TD>LANGLOIS</TD>
</TR>
<TR>
        <TD>250 cmc</TD><TD>1.</TD><TD>VIC</TD>
        </TR><TR>
        <TD>500 cmc</TD><TD>1.</TD><TD>DORMOY</TD>
</TR>

<TR><TD><B>Côte des Ronchettes</B></TD>
        <TD>500 cmc</TD><TD>1.</TD><TD>MARC</TD>
</TR>

<TR><TD ROWSPAN=2>
  <B>Bordeaux-Les Pyrénées<BR>Bordeaux</B></TD>
        <TD>250 cmc</TD><TD>1. ex-
&aelig;quo</TD><TD>LANGLOIS</TD>
</TR>
<TR>
        <TD>500 cmc</TD><TD>1. ex-&aelig;quo</TD>
        <TD>BOURGUIN<BR>TASTET<BR>MATHIAS<BR>COUNARD</TD>
</TR>

</TABLE>
</BODY>
</HTML>
```

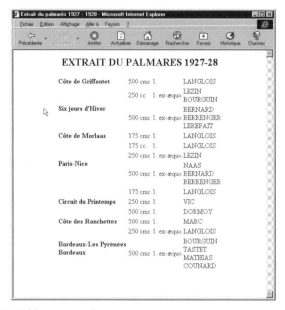

Figure 7.11 : Tableau complexe.

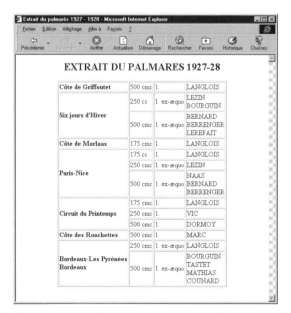

Figure 7.12 : Le même tableau, avec une bordure, pour illustrer la structure des cellules.

> **Astuce**
>
> Plusieurs navigateurs éprouvent des difficultés à gérer correctement l'affichage d'une cellule vide. Pour être tranquille, on ajoutera l'entité de caractère   représentant une espace insécable, à l'intérieur de la cellule et, normalement, tout devrait rentrer dans l'ordre.

La balise <TH>

Tout ce qui a été dit pour la balise <TD> est valable pour la balise <TH> à l'exception des points suivants qui lui sont propres :

- Elle est principalement utilisée pour afficher un titre de ligne ou de colonne.
- Son contenu est automatiquement centré et il est affiché en gras lorsqu'il s'agit de texte.

On a pu en voir des exemples aux Figures 7.2, 7.4 et 7.8, entre autres. Elle n'a pas été utilisée pour la Figure 7.11, car nous voulions que les noms des épreuves placés dans la colonne de droite soient en appui sur la marge de gauche.

Que peut-on trouver dans une cellule ?

Comme nous l'avons annoncé au début de ce chapitre, on peut mettre pratiquement n'importe quoi dans un tableau : une valeur numérique, du texte, une image... ou même un autre tableau. Cette faculté de pouvoir placer des images dans un tableau permet des mises en page irréalisables autrement. Pour peu qu'on supprime la bordure du tableau, l'effet obtenu peut devenir remarquable (voir Figure 7.13).

```
<HTML>
<HEAD>
<TITLE>Effet graphique obtenu avec un tableau</TITLE>
</HEAD>
<BODY>
<DIV ALIGN=CENTER>
<TABLE>
<TR>
    <TD></TD>
    <TD></TD>
    <TD><IMG SRC="vespa.gif"></TD>
    <TD></TD>
    <TD></TD>
</TR>
```

```
<TR>
  <TD></TD>
  <TD><IMG SRC="vespa.gif"></TD>
  <TD><IMG SRC="vespa.gif"></TD>
  <TD><IMG SRC="vespa.gif"></TD>
</TR>
<TR>
  <TD><IMG SRC="vespa.gif"></TD>
  <TD><IMG SRC="vespa.gif"></TD>
  <TD><IMG SRC="vespa.gif"></TD>
  <TD><IMG SRC="vespa.gif"></TD>
  <TD><IMG SRC="vespa.gif"></TD>
</TR>
</TABLE>
<H2>Une belle pyramide !</H2>
</DIV>
</BODY>
</HTML>
```

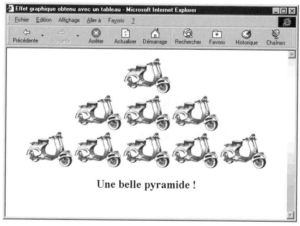

Figure 7.13 : Pyramide obtenue avec un tableau sans bordure.

Un menu de liens avec un tableau

La disposition géométrique des cellules d'un tableau permet de présenter des menus de liens sous une forme peu encombrante et malgré tout lisible, pour peu qu'on prenne le soin de réaliser les appels de liens par des images et non par du texte. L'avantage de cette méthode est de rendre l'affichage indépendant des options choisies par le visiteur pour son navigateur (taille de la police d'affichage). La Figure 7.14 reproduit un de ces menus dont voici un extrait comportant la première et la dernière ligne du tableau :

```
<TABLE BORDER=0 CELLPADDING=0 CELLSPACING=0>
 <TR>
  <TD><A HREF="histo1.htm">
     <IMG SRC="x_gr.gif" ALT="Gnome & Rhône" ></A></TD>
  <TD><A HREF="histo2.htm">
     <IMG SRC="x_amgr.gif" ALT="L'AMGR" ></A></TD>
  <TD><A HREF="statuts.htm">
     <IMG SRC="x_statut.gif" ALT="Les statuts" ></A></TD>
  <TD><A HREF="services.htm">
     <IMG SRC="x_activi.gif" ALT="Les activités" >
     </A></TD>
  <TD><A HREF="refabri.htm">
     <IMG SRC="x_refab.gif"  ALT="Refabrications"
></A></TD>
 </TR>

 [...]

<TR>
   <TD> </TD><TD COLSPAN=3><A HREF="ffve.htm">
     <IMG SRC="x_ffve.gif" ALT="Tout sur les cartes
grises
       de collection" ></A></TD>
 </TR>
</TABLE>
```

Astuce

Pour juxtaposer les images, on a utilisé ici les deux attributs, CELLPAD-DING et CELLSPACING qui régissent l'espace entre les cellules d'un tableau.

On aurait pu se contenter d'aligner les uns à la suite des autres les marqueurs <IMG> en les séparant quatre par quatre avec un marqueur <BR>. Mais ainsi, lorsque le visiteur choisit une dimension d'écran un peu étroite, les alignements du tableau sont conservés et peuvent être vus grâce aux barres de défilement (voir Figure 7.15) alors que, sans tableau, les images constituant les appels de liens sont affichées n'importe comment (voir Figure 7.16).

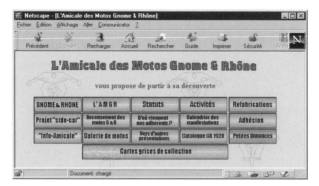

Figure 7.14 : Un menu de liens constitué par un tableau d'images.

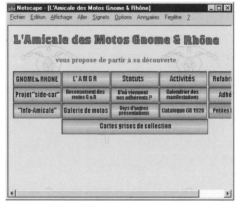

Figure 7.15 : Avec un tableau, la présentation du menu de liens n'est pas bouleversée quand l'écran est trop petit.

Astuce

On aurait aussi bien pu utiliser une image réactive à la place de plusieurs petites images réunies dans un tableau. Mais, en cas de modification d'un des menus, il est généralement plus simple de redessiner son icône que de modifier une image plus grande.

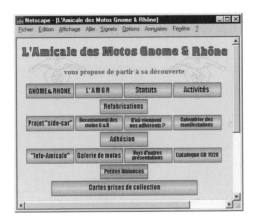

Figure 7.16 : Sans tableau, la mise en page du menu de liens est incohérente.

Les tableaux et la PAO

Pour montrer le rôle que peut jouer un tableau dans la mise en page d'une présentation Web, nous allons donner trois exemples qui mettront l'accent sur les dangers qu'il peut y avoir à détourner la structure d'un tableau pour tenter de faire une mise en page précise.

Une page en forme de journal

Voici comment a été obtenue la page de la Figure 7.17, qui cherche à imiter la présentation d'un journal imprimé sur trois colonnes. La place nous manque pour reproduire l'intégralité du texte. Nous allons en extraire l'essentiel.

```
    [...]
<DIV ALIGN=CENTER>
<IMG SRC="fanta.gif">
<TABLE BORDER=0>
<TR VALIGN=top>

<TD WIDTH=185>
<FONT SIZE=6><B>Le chimpanzé</B></FONT>
<BR>
Ce sont de grands singes sans queue, à face nue, mais que
l'imagination
seule a pu présenter comme des <I>hommes des bois</I>.
Leur corps
ramassé, leurs membres postérieurs raccourcis
```

```
comparativement aux bras,
enfin, leur face prolongée en une sorte de museau et
dépourvue de front lorsque l'animal est adulte,
<BR><IMG SRC="singe.gif"><BR>
impriment à leur extérieur tous les traits de la
bestialité. Les
jeunes, seuls, ont pu offrir quelques analogies
lointaines avec les
formes de nos enfants.. Mais ils nous ont surtout inspiré
des
rapprochements de ce genre par un certain
</TD>

<TD WIDTH=185>degré d'intelligence et par des instincts
remarquables de
sociabilité. Toutes ces qualités

    [...]

l'homme seul que le poète a pu dire:
<BR>
<FONT SIZE=2><I>Levant un front altier, il dut porter les
yeux<BR>
Vers la voûte étoilée et contempler les cieux.</I>/<FONT>
<HR NOSHADE>

<FONT SIZE=6><B>Le catoblepas</B></FONT>
<BR>
Animal extraordinaire cité par Pline: "En Ethiopie,
    [...]

</TD>

<TD WIDTH=185>
qui, en effet, porte la tête baissée comme les ruminants,
pour
combattre, mais qui n'expose pas aux dangers dont parle
Pline.
<BR><HR NOSHADE>
<FONT SIZE=6><B>Le dragon</B></FONT>
L'imagination des poètes et des artistes de l'Antiquité a
enfanté
<BR><IMG SRC="dragon.gif" WIDTH=175><BR>
un animal bizarre et effrayant en unissant au corps et
aux membres d'un
lion, les ailes, soit d'un oiseau, soit d'une chauve-
souris et la queue
d'un serpent.
```

```
        [ ... ]
      </TD>
      </TR>
      </TABLE>
      </DIV>
      </BODY>
      </HTML>
```

Figure 7.17 : Un tableau permet d'imiter la mise en page d'un journal imprimé.

Il n'y a pas de miracle : HTML ne permet pas vraiment de faire de la PAO et il faut tricher tant et plus ! Nous voulons que cette page soit affichable en format 640×480. Pour conserver un peu de marge, nous attribuerons donc une largeur égale à chaque colonne, soit 185 pixels. Nous constituons alors un tableau sans bordures qui aura une ligne et trois cellules représentant chacune une des colonnes de la page. Le titre principal est une image réalisée avec un quelconque logiciel de dessin et une police Trek-Monitor, de corps 48.

Nous continuons par saisir notre texte, au kilomètre, dans la première cellule, en ménageant des coupures par <BR> ou <P> et en insérant les images aux endroits appropriés. Entre chacun des trois articles, nous plaçons un filet <HR> sans ombrage jouant le rôle de séparateur. Les titres sont obtenus avec une police plus grosse, sans utiliser les conteneurs <Hn>.

Une fois cela terminé, nous avons une grande colonne de texte que nous allons couper un peu au hasard en trois pour en répartir le contenu dans nos trois cellules. Par tâtonnements, en déplaçant une ligne par-ci, une ligne par-là, nous allons équilibrer l'ensemble. Pour finir, les deux vers de la citation sont affichés avec une police de plus petit corps pour tenir dans l'espace limité d'une colonne.

Il n'est pas certain qu'on obtienne la même chose avec Internet Explorer. En outre, si le visiteur modifie les proportions de sa fenêtre d'observation, les résultats visuels risquent de grand bouleversements.

Une vraie bonne idée

L'un des moyens d'obtenir une mise en page identique presque indépendante du format de l'écran utilisé par le visiteur consiste à l'enfermer dans un conteneur <TABLE> dans lequel l'attribut WIDTH a une valeur comprise entre 610 et 630. Compte tenu des marges latérales, cela permet de voir la même présentation avec des formats d'écran de 640×480 (ce qui était le plus vendu, il y a un ou deux ans), 800×600 (ce qui est actuellement le plus courant) et $1\,024 \times 768$ ou au-dessus (ce qui est probablement le format le plus agréable pour voir une présentation Web dans de bonnes conditions). C'est ce que font un grand nombre de professionnels prudents.

Cette idée a été mise en application dans l'exemple suivant, dans lequel, malheureusement, d'autres idées (moins bonnes, hélas !) ont été mises en application, comme nous allons le voir.

Une fausse bonne idée

Les spécifications officielles de HTML élaborées par le W3C ne font mention de l'attribut BACKGROUND que pour la balise <BODY>. Si, par curiosité, on l'introduit (par similitude avec <BGCOLOR>) dans un des éléments <TABLE>, <TR>, <TD> ou <TH>, on a la surprise de constater que "ça marche" ! La Figure 7.18, obtenue avec Internet Explorer, montre comment se présente le document HTML suivant dans lequel on a, à dessein, choisi des fonds très (trop) colorés pour mieux marquer leur rôles respectifs :

```
<HTML>
<HEAD>
<TITLE>Petite histoire de la Vespa</TITLE>
</HEAD>

<BODY BACKGROUND="o035.jpg">
<TABLE BORDER=0 CELLPADDING=0 CELLSPACING=8
      BACKGROUND="o023.jpg" WIDTH=610>
 <TR>
  <TD WIDTH=125 VALIGN="top" ALIGN="right">
```

```
   <FONT COLOR="yellow" FACE="comic sans ms" SIZE=5>
        <H2>ACMA et Vespa</H2>
   </FONT>
  </TD>

  <TD WIDTH=10 BGCOLOR=green ROWSPAN=2> 
  </TD>

  <TD>
   <FONT SIZE=4>
     En janvier 1952, Fourchambault fête la dix millième
Vespa 100%
     française ; les usines nivernaises emploient alors
600 ouvriers et
     produisent 80 scooters par jour ; en juillet de la
même année, les
     effectifs sont de 900 personnes et la production est
passée à 140
     Vespa par jour.
   </FONT>
  </TD>
 </TR>

 <TR>
  <TD> 
  </TD>
  <TD>
   <FONT SIZE=4>
     1953 n'apporte que des changements mineurs :
contenance du
     réservoir portée de 5 à 6,5 litres, phare d'une
seule pièce
     englobant le compteur (en supplément) et la potence
du guidon,
     amortisseurs hydrauliques avant et arrière à double
effet, câbles
     de commande de gaz, d'embrayage et de frein avant à
l'intérieur du
     guidon.
     <P ALIGN="right">
      <I>Vespa, histoire et technique</I> par Jean Goyard
        et Bernard Salvat
      </I>
     </P>
   </FONT>
  </TD>
 </TR>
</TABLE>
</BODY>

</HTML>
```

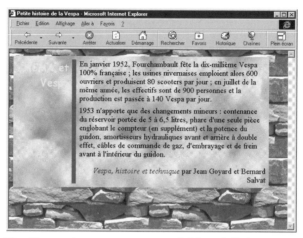

Figure 7.18 : Une mise en page agréable réalisée avec l'attribut BACKGROUND et affichée par Internet Explorer.

Malheureusement, si — comme doit le faire tout bon auteur Web — on teste cette page avec d'autres navigateurs, on déchante rapidement. Les Figures 7.19 et 7.20 illustrent respectivement ce qu'on obtient avec Netscape Navigator et Opera. Dans les trois cas, les dimensions de la fenêtre d'observation du navigateur sont identiques. La conclusion est évidente : il ne faut pas utiliser ce gadget.

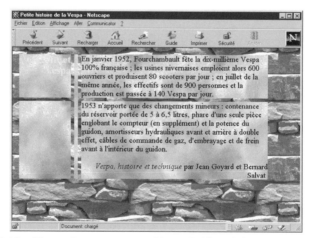

Figure 7.19 : Une mise en page désagréable réalisée avec l'attribut BACKGROUND et affichée par Netscape Navigator.

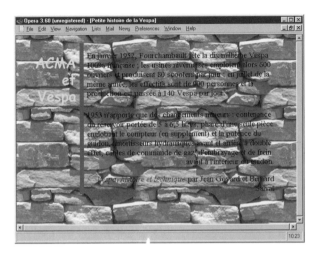

Figure 7.20 : Une mise en page désagréable réalisée avec l'attribut **BACKGROUND** et affichée par Opera.

Les tableaux et les éditeurs HTML

Comme on a pu le constater, la définition d'une mise en page précise avec une structure de tableau n'est pas toujours des plus faciles. Les éditeurs HTML graphiques facilitent, dans une certaine mesure, cette cuisine. Mais, dans les cas délicats, lorsqu'on veut un ajustement très précis de la mise en page, leur maniement devient tellement compliqué qu'il est presque toujours nécessaire de mettre la main à la pâte et de corriger çà et là quelques lignes du code HTML qu'ils ont généré.

D'un autre côté, bien que les spécifications de la balise <TABLE> soient maintenant fixées depuis longtemps, force est de constater que son interprétation par les navigateurs n'est pas identique. Une fois de plus, nous recommandons de contrôler ce qu'on aura écrit avec le plus grand nombre de systèmes (matériels et logiciels) différents avant de le livrer en pâture au public.

Enfin, avec les feuilles de styles, on parvient presque à une solution idéale pour réaliser des mises en page précises. Si nous disons "presque", c'est parce que l'implémentation actuelle des feuilles de styles par les navigateurs usuels est bien loin d'être complète. En outre, ce qui est réalisé laisse souvent à désirer.

Chapitre 8

Les formulaires

Jusqu'à présent, ce n'est pas un dialogue qui est entretenu entre le client (le visiteur) et le serveur (le fournisseur d'accès qui héberge votre présentation), mais un monologue : le serveur parle et le client écoute. Or, vous avez certainement constaté en surfant sur le Web que, souvent, certaines des présentations qui vous permettent de télécharger un programme vous demandent auparavant de décliner votre identité. Ce qui prouve donc qu'il existe une possibilité de faire parvenir des informations du client vers le serveur. Pour cela, on utilise les formulaires, qui sont apparus avec la version 2.0 de HTML.

Dans ce chapitre, nous allons étudier de près la balise `<FORM>` qui autorise ce dialogue.

Le mécanisme des formulaires

Le principe de fonctionnement d'un formulaire est le suivant :

- La page Web contenant le formulaire demande au visiteur de fournir certaines informations (nom, adresse e-mail...) dans des boîtes de saisie ou de cocher des options.

- A la fin de ces "objets HTML", un bouton rectangulaire est affiché portant un mot qui est généralement Submit, Go, Search... (ce qui correspond, en français, à Envoyez).

- Lorsque le client clique sur ce bouton, les informations recueillies dans les boîtes de saisie et les options sont mises en forme et envoyées au serveur, accompagnées du nom d'un *programme spécialisé écrit par l'auteur Web* et qui réside dans un répertoire particulier du serveur. Le nom de ce programme a été indiqué par l'auteur de la présentation dans la balise initiale du formulaire.

- Lorsque le serveur reçoit le message, il appelle le programme désigné et lui transmet les informations qu'il a reçues.

- Le programme traite ces informations et peut en faire ce que bon lui semble. Par exemple, les archiver sans rien faire d'autre. Cependant, généralement il renvoie un accusé de réception personnalisé au client. Pour cela, il construit un fichier HTML que le serveur renvoie au navigateur du client, lequel l'affiche.

Pour exploiter un formulaire, il est donc nécessaire :

- De savoir programmer dans un langage évolué (généralement PERL, parfois C ou C++) et de connaître quelques-uns des mécanismes du système d'exploitation de l'ordinateur hôte. Ce n'est pas le cas de tous les auteurs Web !

- D'être autorisé à déposer un programme personnel sur le disque dur du serveur Web.

- D'être autorisé à exécuter indirectement ce programme.

Pour des raisons de sécurité évidentes, les deux dernières conditions entraînent le plus souvent une forte réticence de la part des fournisseurs d'accès et c'est pourquoi la plupart d'entre eux n'autorisent pas leurs abonnés à utiliser des formulaires. En général, les formulaires sont plutôt utilisés à des fins commerciales et la page Web sous-traitée à des professionnels connus du fournisseur d'accès, ou directement à celui-ci, ce qui lève ainsi tout problème de sécurité. Les pages Web personnelles doivent se résigner à s'en passer.

Astuce

Nous verrons qu'il existe néanmoins un moyen détourné de ne pas se priver complètement du recueil d'informations permis par les formulaires.

Nous allons passer en revue les éléments constitutifs d'un formulaire en nous limitant, ici encore, à ceux qui sont actuellement reconnus et exploitables par les navigateurs courants.

La balise <FORM>

C'est elle qui va contenir toutes les balises du formulaire et tous les éléments de mise en page. Parmi ses attributs se trouve l'URL qui pointe sur le programme de traitement des éléments saisis par l'utilisateur. A l'intérieur de ce conteneur, on peut trouver n'importe quel élément HTML, sauf un autre conteneur <FORM>. Rien n'empêche qu'il y ait plusieurs formulaires successifs dans un même document HTML.

L'attribut ACTION

Il est, *en principe*, obligatoire, car c'est lui qui précise l'URL du programme de traitement. Deux formes sont possibles :

- **Une URL du type http.** Pointe sur le script de traitement placé sur un serveur externe qui est en général le même que celui d'où provient la page contenant le formulaire. Ce script est presque toujours dans un répertoire particulier, d'accès général, et c'est l'une des raisons pour laquelle les administrateurs de système sont méfiants (le mot est faible) vis-à-vis de cette forme d'intrusion dans le système dont ils sont responsables.

- **Une URL du type mailto.** Envoie les éléments saisis par l'utilisateur sous forme de courrier électronique en vue d'un traitement différé. Cette méthode ne présente pas les inconvénients de sécurité de la précédente, mais elle ne permet évidemment pas un traitement immédiat des données.

Si nous disons "en principe", c'est parce que les formulaires sont également utilisés en conjonction avec des scripts locaux (le plus souvent situés dans la même page). On profite alors de leurs boîtes de saisie, boutons, cases à cocher et autres gadgets, mais on n'envoie rien à l'extérieur : tout est traité *in situ*.

L'attribut METHOD

Il indique sous quelle forme vont être codées les informations envoyées pour traitement. Deux mots clés sont admis :

- POST. Les couples nom/valeur sont envoyés sur l'entrée standard du système serveur. C'est la seule forme admise lorsque ACTION comporte le mot clé mailto.

- GET. Les couples nom/valeur sont envoyés accolés à l'URL qui figure à la suite de l'attribut ACTION. Cette méthode présente un sérieux inconvénient : la longueur totale du message ainsi constitué ne peut, en général, pas excéder 256 caractères. Son utilisation est maintenant déconseillée au profit de POST mais, pour des raisons de compatibilité avec les anciens formulaires, elle demeure la valeur par défaut.

L'attribut ENCTYPE

Il précise la méthode MIME de codification qui va être utilisée pour l'envoi lorsque `METHOD=POST`. Voici quelques-unes des valeurs les plus courantes :

- `application/x-www-form-urlencoded`. C'est la valeur par défaut.
- `multipart/form-data`. C'est la valeur qui doit être utilisée si des fichiers doivent accompagner les données.
- `text/plain`. C'est cette valeur qui doit être utilisée lorsque les informations sont envoyées par courrier électronique.

En général, cet attribut n'est guère utilisé.

Les boîtes de saisie du formulaire

A l'intérieur d'un formulaire, les boîtes de saisie peuvent revêtir diverses formes : boîtes de saisie simples ou multilignes ou listes déroulantes, respectivement mises en œuvre par les balises `<INPUT>`, `<TEXTAREA>` et `<SELECT>` que nous allons étudier tour à tour.

La balise <INPUT>

Le marqueur `<INPUT>` est utilisé pour chaque élément simple que doit saisir l'utilisateur. L'auteur de la présentation peut prévoir des valeurs par défaut qui seront transmises au serveur lorsque l'utilisateur n'a rien saisi. C'est le plus important et le plus universel des contrôles par la diversité des formes d'entrée de données qu'il accepte. Ces formes sont précisées au moyen de l'attribut `TYPE` et identifiées par l'attribut `NAME` qui permettra de reconnaître une valeur particulière du formulaire lorsque aura eu lieu la transmission des données au programme de traitement.

Info

C'est à l'utilisateur de décider s'il doit ou non renseigner un champ. Sur le plan syntaxique, ce n'est pas obligatoire. Toutefois, le script de traitement peut refuser un formulaire dont certaines boîtes de saisie n'auraient pas été renseignées. Dans ce cas, l'auteur Web précise généralement quels sont les champs à caractère obligatoire.

La balise `<INPUT>` est utilisée à des fins très diverses. Nous n'examinerons dans cette section que celles qui concernent la saisie de texte.

L'attribut TYPE

C'est lui qui précise le type d'élément concerné. On le fait généralement précéder d'un texte explicatif afin que l'utilisateur sache ce qu'il doit y taper. Voici quelles sont les valeurs usuelles de cet attribut :

- `text`. Crée une boîte de saisie d'une seule ligne dans laquelle l'utilisateur peut taper du texte ou des valeurs numériques. Exemple :

  ```
  Quel est votre nom ? <INPUT TYPE="text" NAME="nom" VALUE="Toto">
  ```

- `password`. Même chose que `text`, mais destiné, en principe, à recevoir un mot de passe. Les caractères tapés sont affichés sous forme d'astérisque. Il faut noter que le mot de passe (ou quoi que ce soit qui ait été saisi) est envoyé en clair dans le message final. Ce champ ne convient donc que pour des usages où la confidentialité se limite à l'entourage immédiat de la personne qui utilise l'ordinateur. Aucune méthode de cryptologie n'est appliquée. Exemple :

  ```
  Indiquez votre mot de passe :
  <INPUT TYPE="password" NAME="passe" VALUE="">
  ```

- `hidden`. Crée un élément non affiché par le navigateur, ce qui n'empêche pas son nom et sa valeur (attribuée au moment de l'écriture de la page HTML) d'être envoyés au serveur quand l'utilisateur clique sur Submit ou sur tout autre bouton de ce type. C'est une façon d'identifier un formulaire par un code ou tout autre forme de marquage invisible du visiteur, mais qui peut être utilisé au moment du dépouillement des données reçues. Exemple :

  ```
  <INPUT TYPE="hidden" NAME="identification" VALUE="For54">
  ```

L'attribut NAME

Comme on s'en doute par les exemples précédents, c'est lui qui va identifier les informations envoyées par l'utilisateur sous forme de couples nom/valeur. Il est suivi du signe égal et de l'identificateur, placé entre guillemets. Il n'y a pas de restrictions particulières sur l'écriture de ce dernier. On évitera toutefois soigneusement d'y faire figurer des caractères accentués ou spéciaux, même sous forme d'entités de caractères, certains systèmes d'exploitation utilisés sur les serveurs n'appréciant pas ce type de fantaisie.

L'attribut VALUE

Il donne une valeur par défaut à l'élément identifié par l'attribut `NAME`. Il est suivi du signe égal et de la valeur attribuée, placée entre guillemets. C'est cette valeur qui sera envoyée au serveur si l'utilisateur ne saisit rien dans la boîte de saisie. Elle sera affichée sur l'écran à l'intérieur de la boîte de saisie.

Attention

Ne mettez pas d'expression arithmétique après le signe égal. Elle ne serait pas évaluée. Ce qui se trouve là est envoyé tel quel, caractère par caractère, au serveur.

L'attribut READONLY

C'est un attribut booléen qui ne reçoit donc pas de valeur (il n'est pas suivi d'un signe égal). Sa présence interdit toute modification par l'utilisateur. Son rôle est donc assimilable, *a priori*, à celui de la valeur hidden donnée à l'attribut TYPE. Si nous disons "a priori", c'est parce que cet attribut peut être modifié au moyen d'un script local (en JavaScript, par exemple). Il est généralement peu utilisé.

L'attribut SIZE

Il définit la largeur du champ de saisie et indique le nombre de caractères visibles dans la boîte de saisie.

L'attribut MAXLENGTH

Il est utilisé conjointement à TEXT ou PASSWORD pour préciser le nombre de caractères qui seront pris en compte dans ceux que saisit l'utilisateur. Cet attribut peut être inférieur ou supérieur à SIZE. Lorsqu'il est supérieur, le texte en cours de saisie défile dans la boîte. Dans l'exemple ci-dessous, on n'alloue qu'une fenêtre de 12 caractères pour saisir un mot qui peut en compter 24 :

```
Tapez un mot d'au plus 24 caractères :
    <INPUT TYPE="text" NAME="prenom" VALUE="" SIZE="12"
MAXLENGTH="24">
```

La Figure 8.1 montre comment se présente l'exemple suivant :

```
<HTML>

<HEAD>
<TITLE>Exemple de formulaire</TITLE>
</HEAD>

<BODY>
```

```
<H2>Identifiez-vous</H2>
<FORM ACTION="http://www.monserveur.fr/users/enquete.pl"
METHOD="POST">
Votre nom, svp ? <INPUT TYPE="text" NAME="nom"
VALUE="Toto"
                    SIZE="12" MAXLENGTH="15">
<P>
Votre prénom, svp ? <INPUT TYPE="text" NAME="prenom"
VALUE="Titi"
                    SIZE="12" MAXLENGTH="20">
<P>
Indiquez votre mot de passe :
<INPUT TYPE="password" NAME="passe" VALUE="">
<HR>
</FORM>
</BODY>

</HTML>
```

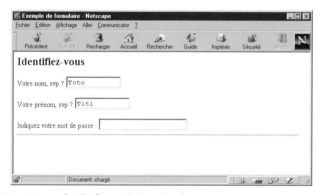

Figure 8.1 : Exemple de formulaire simple.

Comme on peut le voir sur la copie d'écran de la Figure 8.1, la présentation n'en est pas très heureuse. Pour y mettre un peu d'ordre (ce qui facilitera la saisie par l'utilisateur), on place souvent les éléments HTML contenus dans <FORM> à l'intérieur d'un tableau. Notre précédent exemple, ainsi transformé, est affiché sur la Figure 8.2.

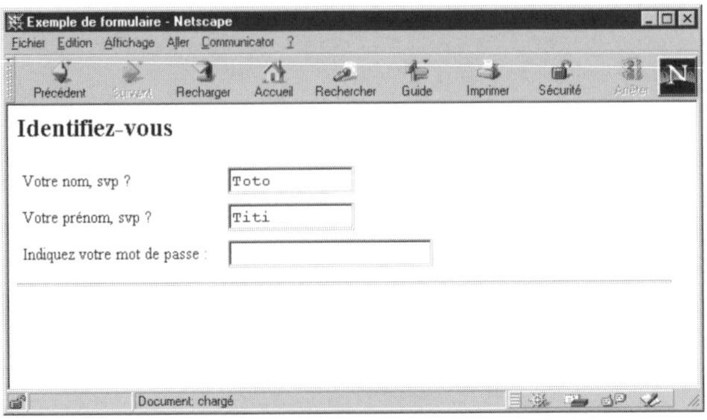

Figure 8.2 : Amélioration de la présentation d'un formulaire.

La balise <TEXTAREA>

Cet élément est une forme particulière de la balise <INPUT> : au lieu d'une boîte de saisie à une seule ligne, il offre à l'utilisateur une *surface* de saisie dont les dimensions sont spécifiées par des attributs particuliers. C'est l'élément à utiliser lorsqu'on permet à l'utilisateur de s'exprimer sous une forme libre par exemple, pour donner son opinion sur tel ou tel sujet. Il est évident que le dépouillement de ces champs présente ensuite des difficultés particulières si on veut en tirer des enseignements précis. Le texte qui est placé entre les deux balises extrêmes définit ce qui sera affiché dans la zone de saisie et que l'utilisateur est libre de modifier à sa convenance, sauf si l'attribut READONLY est utilisé (ce qui n'aurait guère de sens ici). On ne peut trouver là que du texte pur à l'exclusion de tout enrichissement (gras ou italique, par exemple) ou d'autres éléments HTML comme des images. Le texte lui-même est affiché avec une police à pas fixe. La Figure 8.3 montre ce qui est affiché par Netscape Navigator pour l'extrait suivant :

```
Que pensez-vous du dernier film que vous avez vu ?<BR>
<TEXTAREA NAME=cinema ROWS=6 COLS=60>
Je ne dirai qu'un mot : enthousiasmant !
</TEXTAREA>
```

Astuce

Cette question est mal posée car, si l'utilisateur y répond strictement, on ne saura pas de quel film il veut parler !

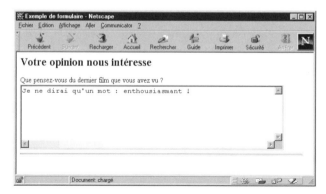

Figure 8.3 : Comment se présente une surface de saisie TEXTAREA.

L'attribut NAME

Il permet de donner un nom au contrôle TEXTAREA et c'est le seul dont la présence soit indispensable. Exemple :

```
<TEXTAREA NAME="cinema">
```

Les attributs ROWS et COLS

Ce sont eux qui définissent respectivement le nombre de lignes et de colonnes offertes à l'utilisateur par la zone de saisie. Ce ne sont là que des valeurs d'affichage, car aucune limite n'est explicitement fixée pour le texte que saisira l'utilisateur. Si la zone est trop petite, un mécanisme de défilement dans les deux sens permettra de s'en affranchir. Mais l'utilisateur n'aura alors qu'une vue fragmentaire de son texte, ce qui lui causera une gêne certaine. A la limite, si aucune valeur n'est indiquée pour ces deux attributs, Netscape Comunicator et Internet Explorer créent une fenêtre de deux lignes et vingt colonnes.

La balise <SELECT>

Ce n'est pas tout à fait un élément de saisie, mais plutôt un élément de choix, car elle propose à l'utilisateur une liste déroulante d'options prédéterminées (définies chacune au moyen d'un marqueur OPTION) dans laquelle il peut en choisir une ou plusieurs selon ce qu'a prévu l'auteur Web. La Figure 8.4 montre comment Netscape Navigator affiche l'extrait suivant :

```
Quels sont les compositeurs que vous préférez  (plusieurs
sélections possibles) ?
```

```
<SELECT MULTIPLE SIZE="5" NAME="musiciens">
  <OPTION VALUE="Bach">Bach</OPTION>
  <OPTION SELECTED VALUE="Beethoven">Beethoven</OPTION>
  <OPTION>Brahms</OPTION>
  <OPTION>Berlioz</OPTION>
  <OPTION SELECTED>Chopin</OPTION>
  <OPTION>Martinu</OPTION>
  <OPTION>Boulez</OPTION>
</SELECT>
```

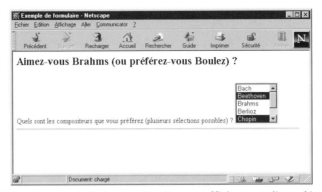

Figure 8.4 : Comment Netscape Navigator affiche une liste déroulante SELECT.

On voit que la liste des choix se présente sous la forme d'une boîte à liste déroulante dans laquelle certaines valeurs peuvent être présélectionnées (elles sont ici affichées en vidéo inverse). Pour centrer le texte d'appel et la boîte à liste déroulante, on peut, avec Internet Explorer seulement, ajouter dans la balise `<SELECT>` l'attribut `ALIGN="middle"`. A notre connaissance, cela ne marche avec aucun autre navigateur.

L'attribut NAME

Il permet de donner un nom au contrôle `SELECT` et c'est le seul dont la présence soit indispensable.

L'attribut SIZE

Il définit le nombre de choix proposés qui seront affichés dans la boîte à liste déroulante. S'il est inférieur au nombre total de choix, une barre de défilement viendra se placer à droite de la liste. S'il est supérieur, des lignes blanches seront affichées en bas de la fenêtre de la liste.

L'attribut MULTIPLE

C'est un attribut booléen qui ne reçoit donc aucune valeur. S'il est présent, cela signifie que l'utilisateur pourra choisir plusieurs des valeurs proposées. Pour cela, sous Windows, c'est le mécanisme habituel qui est appliqué :

- Pour choisir des valeurs consécutives, on clique après avoir appuyé sur la touche <Maj> sur la première puis sur la dernière valeur du groupe élu.
- Pour choisir des éléments disparates, on clique sur chacun d'eux tout en appuyant sur la touche <Ctrl>.

Si cet attribut est absent, le navigateur refusera toute sélection multiple que tenterait d'effectuer l'utilisateur au moyen des deux procédés qui viennent d'être décrits. Une nouvelle sélection effacerait la précédente.

La balise <OPTION>

Ce conteneur est le complément de l'élément SELECT qui permet de définir la suite des valeurs qui figureront dans la boîte à liste déroulante. Elle se place à l'intérieur du conteneur <SELECT> qui doit évidemment renfermer au moins deux éléments OPTION. Le texte placé à l'intérieur du conteneur sera affiché et, s'il n'y a pas d'attribut VALUE, c'est lui qui sera envoyé au serveur lorsque l'utilisateur cliquera sur le bouton Submit.

> **Astuce**
>
> Contrairement à la plupart des éléments de formulaires, OPTION n'a pas d'attribut NAME qui n'aurait ici aucun sens.

L'attribut VALUE

Sa présence n'est pas obligatoire. S'il est absent, la valeur qui sera envoyée au serveur lorsque l'utilisateur cliquera sur le bouton Submit sera le texte placé dans le conteneur.

L'attribut SELECTED

C'est un indicateur booléen qui ne reçoit donc aucune valeur. Sa présence signifie un choix par défaut. Il peut y avoir plusieurs choix par défaut affichés dans une boîte à liste déroulante à condition que le conteneur <SELECT> comporte l'attribut MULTIPLE.

Les boutons radio

Les boutons radio permettent de proposer au visiteur plusieurs choix mutuellement exclusifs à propos d'un sujet commun. Ils se présentent sous forme de plusieurs petits cercles dont l'un (celui sur lequel le visiteur a cliqué) contient un point noir pour marquer la sélection. Lorsqu'un bouton radio est déjà coché et qu'on clique sur un autre du même groupe, la précédente sélection disparaît.

Définition d'un bouton radio

Pour définir un bouton radio, on se sert de la balise <INPUT> dont l'attribut TYPE prend alors la valeur radio.

L'association des boutons radio d'un même groupe se fait au moyen de leur nom (attribut NAME). L'attribut booléen CHECKED permet de prédéterminer un choix. L'attribut VALUE indique la valeur qui sera associée à l'identificateur désigné par NAME lorsque l'utilisateur cliquera sur le bouton Submit.

Exemple de réalisation pratique

Voici un exemple de quelques boutons radio appartenant à deux groupes distincts :

```
<FORM>
Comment trouvez-vous cette page ?
<BR>
<INPUT TYPE="radio" NAME="livre" VALUE="super">
Supérieure
<INPUT TYPE="radio" CHECKED NAME="livre" VALUE="excel">
Excellente
<INPUT TYPE="radio" NAME="livre" VALUE="medioc"> Médiocre
<INPUT TYPE="radio" NAME="livre" VALUE="mauvai"> Mauvaise
<INPUT TYPE="radio" NAME="livre" VALUE="affreu"> Affreuse
<P>
Choisissez un auteur parmi les suivants :
<INPUT TYPE="radio" NAME="auteur" VALUE="gide"> André
Gide
<INPUT TYPE="radio" NAME="auteur" VALUE="claudel"> Paul
Claudel
<INPUT TYPE="radio" NAME="auteur" VALUE="dard"> Frédéric
Dard
<HR>
</FORM>
```

La Figure 8.5 montre comment se présentent ces deux questions à l'écran.

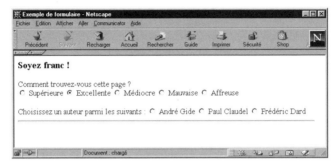

Figure 8.5 : Deux ensembles de boutons radio.

Les cases à cocher

Sur le plan logique, les cases à cocher ressemblent aux boutons radio, à quelques détails près. D'abord, elles se présentent sous forme de petits carrés dans lesquels les deux diagonales sont affichées lorsque l'option est active. Ensuite les cases d'un groupe ne sont pas mutuellement exclusives. On peut donc cliquer sur plusieurs cases pour les activer. Si on clique à nouveau sur une case cochée, elle redevient inactive. Au moment où l'utilisateur clique sur le bouton Submit, seuls seront envoyés les noms des cases qui ont été activées, accompagnés de leur valeur (par défaut : on).

Définition d'une case à cocher

Pour définir une case à cocher, on utilise la balise <INPUT> dont l'attribut TYPE prend alors la valeur checkbox. L'association des cases à cocher d'un même groupe se fait au moyen de leur nom (attribut NAME). L'attribut booléen CHECKED permet de prédéterminer un choix initial. L'attribut VALUE indique la valeur qui sera associée à l'identificateur désigné par NAME lorsque l'utilisateur cliquera sur le bouton Submit.

Exemple de réalisation pratique

Avec les commandes HTML suivantes, le visiteur verra ce qui est reproduit sur la Figure 8.6 :

```
<FORM ...>
Quel sont les fruits que vous préférez ?<BR>
<INPUT TYPE="checkbox" NAME="fruit" VALUE="prune"> Prune
<BR>
<INPUT TYPE="checkbox" NAME="fruit" VALUE="poire"
➥CHECKED> Poire
```

```
<BR>
<INPUT TYPE="checkbox" NAME="fruit" VALUE="pomme"> Pomme
<BR>
<INPUT TYPE="checkbox" NAME="fruit" VALUE="abricot"
➥CHECKED> Abricot
<BR>
<INPUT TYPE="checkbox" NAME="fruit" VALUE="peche"> Pêche
</FORM>
```

Figure 8.6 : L'attribut CHECKED permet de donner une valeur initiale à des boutons radio et à des cases à cocher.

Les boutons

Nous savons déjà qu'il existe deux boutons spécialisés dont les noms par défaut sont respectivement Submit (envoi) et Reset (réinitialisation). Mais il est possible d'en créer d'autres à la demande au moyen de l'attribut TYPE qui prend alors la valeur button.

Le bouton Submit

Lorsque le visiteur clique sur ce bouton, les différentes valeurs des éléments du formulaire sont envoyées à l'adresse indiquée par l'attribut ACTION du formulaire selon le format précisé par l'attribut METHOD. Sa syntaxe est la suivante :

```
<INPUT TYPE="submit" VALUE="Envoi">
```

L'attribut VALUE est facultatif. S'il existe, c'est sa valeur ("Envoi", dans l'exemple ci-dessus) qui est affichée sur le bouton. Dans le cas contraire, il porte simplement le mot "Submit".

Le bouton Reset

Lorsque le visiteur clique sur ce bouton, toutes les valeurs saisies dans le formulaire sont réinitialisées avec les valeurs par défaut définies par les différents attributs VALUE. Rien n'est transmis à l'adresse spécifiée par l'attribut ACTION du formulaire. Voici un exemple de bouton Reset :

```
<INPUT TYPE="reset" VALUE="Recommencer">
```

L'attribut VALUE est facultatif. S'il existe, c'est sa valeur ("Recommencer ", dans l'exemple ci-dessus) qui est affichée sur le bouton. Dans le cas contraire, il porte simplement le mot "Reset".

Les autres boutons

Il est possible de définir deux autres types de boutons dont l'un n'a aucune fonction prédéfinie et l'autre a un usage tout à fait particulier que nous allons rapidement expliquer.

Le bouton banal

Il est principalement utilisé pour commander des fonctions d'un script local (écrit, par exemple, en JavaScript). Pour le définir, on utilise la balise <INPUT> en donnant à son attribut TYPE la valeur button. On associe ce bouton à un script à l'aide d'une condition du type onxxx= où "xxx" a le plus souvent la valeur click, en écrivant, par exemple :

```
<INPUT TYPE="button" VALUE="Calcul" onclick="gain()">
```

Comme pour les autres boutons, c'est la chaîne de caractères affectée à l'attribut VALUE qui est affichée sur le bouton.

Le bouton "image"

C'est un bouton qui consiste en une image sur laquelle on peut cliquer et qui joue alors le même rôle qu'un bouton Submit. Mais, alors que ce dernier n'envoie aucune information en propre, le bouton "image" envoie les coordonnées (x, y) du point sur lequel le visiteur a cliqué. Pour le définir, on utilise la balise <INPUT> en donnant à son attribut TYPE la valeur image. Il faut alors indiquer l'adresse de l'image, de la même façon qu'on le ferait pour une image, avec l'attribut SOURCE= en écrivant, par exemple :

```
<INPUT TYPE="image" SRC="france.jpg" NAME="ou">
```

Astuce

Il est évident que les attributs VALUE et SRC sont incompatibles.

Voici un exemple de ce type très particulier d'utilisation :

```
<HTML>
<HEAD>
<TITLE>Bouton "image" dans un formulaire</TITLE>
</HEAD>

<BODY>
<DIV ALIGN="center">
<H1>Où voulez-vous aller ?</H1>
<H3>Cliquez sur la ville choisie</H3>
<FORM ACTION="mailto:mdreyfus@xxxxxxx.fr" METHOD="post"
      ENCTYPE="text/plain">
<INPUT TYPE="image" SRC="france.jpg" NAME="ou">
</FORM>
<HR>
</BODY>

</HTML>
```

Avec Netscape Navigator, l'image est entourée d'une bordure de couleur bleue, exactement comme si l'image constituait un appel de lien. Avec Internet Explorer, il n'en est rien. Dans l'exemple ci-dessus, dont le résultat est reproduit sur la Figure 8.7, ce que l'utilisateur reçoit se présente sous la forme suivante (ou est la valeur de l'attribut NAME) :

```
ou.x=178
ou.y=215
```

Les événements spécifiques des formulaires

onsubmit

Cet événement se produit lorsqu'un formulaire est envoyé, quelle que soit la forme de l'envoi. Il ne peut apparaître que dans un formulaire.

onreset

Cet événement se produit lorsqu'un formulaire est remis à son état initial. Il ne peut apparaître que dans un formulaire.

onfocus

Cet événement se produit lorsqu'un élément reçoit le *focus* du fait d'un clic de souris ou d'une action de l'utilisateur sur la touche <Tab> dans le cadre de sa navigation dans le document. Il peut apparaître dans les éléments INPUT, SELECT, TEXTAREA et BUTTON des formulaires.

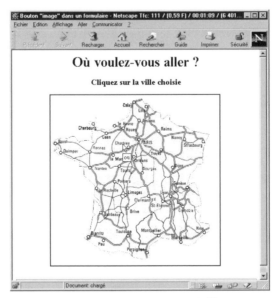

Figure 8.7 : Deux types de boutons à usage spécifique.

Dico

Le *focus* représente le gain de contrôle d'un élément qui devient alors destinataire des frappes au clavier et des clics de souris de l'utilisateur.

onblur

Cet événement se produit lorsqu'un élément perd le *focus* du fait d'un mouvement de la souris ou d'une action de l'utilisateur sur la touche <Tab> dans le cadre de sa navigation dans le document. Il peut apparaître dans les éléments INPUT, SELECT, TEXTAREA et BUTTON des formulaires.

onselect

Cet événement se produit lorsque l'utilisateur sélectionne du texte dans une boîte ou une zone de saisie. Il ne peut apparaître que dans les éléments INPUT et TEXTAREA.

onchange

Cet événement se produit lorsqu'un contrôle perd le focus **et** que sa valeur a été modifiée depuis le moment où il a gagné le focus. Il ne peut apparaître que dans les éléments INPUT, SELECT et TEXTAREA.

Format de réception des données

Sauf le cas particulier de commandes destinées à un script local, ce qui importe dans un formulaire, c'est de traiter les données reçues. Pour cela, il importe de savoir sous quelle forme elles vont être envoyées.

Lorsque METHOD=get

Les informations recueillies par le formulaire sont accolées à l'URL spécifiée dans l'attribut ACTION avec interposition d'un séparateur particulier (un point d'interrogation) et le tout est envoyé au serveur. Le nombre total des caractères de la chaîne ainsi formée ne doit pas dépasser 256, ce qui est nettement insuffisant dans le cas d'un formulaire élaboré. C'est la raison pour laquelle cette forme n'est utilisée que pour des formulaires contenant peu d'informations.

> **Astuce**
>
> Cette méthode ne permet pas d'envoyer les résultats du formulaire à une boîte aux lettres électronique.

Lorsque METHOD=post

C'est la forme la plus élaborée d'envoi des informations au serveur (si le protocole indiqué par l'attribut ACTION est **http://**) ou à la boîte aux lettres électronique (si ce protocole est **mailto:**). Il existe deux formes de présentation selon la valeur de l'attribut ENCTYPE. Pour illustrer les différences, nous allons utiliser le document HTML suivant et le renseigner comme le montre la Figure 8.8 :

```
<HTML>
<HEAD>
<TITLE>Mise en forme des informations dans un
formulaire</TITLE>
</HEAD>

<BODY>
<FORM ACTION="mailto:jules.dupont@mail.fr" METHOD="POST"
        ENCTYPE="text/plain">
<TABLE>
 <CAPTION><H1>Qui êtes-vous, cher
visiteur ?</H1></CAPTION>
 <TR>
  <TD ROWSPAN=4><B>Vous-même...</B>
  <TD>Nom :
```

```
  <TD COLSPAN=2><INPUT TYPE="text" NAME="nom" SIZE="20">
 </TR>
 <TR>
  <TD>Prénom :
  <TD COLSPAN=2><INPUT TYPE="text" NAME="prenom"
SIZE="20">
 </TR>
 <TR>
  <TD>Né le :
  <TD COLSPAN=2><INPUT TYPE="text" NAME="date" SIZE="10">
 </TR>
 <TR>
  <TD>à :
  <TD><INPUT TYPE="text" NAME="lieu" SIZE="20">
   Code postal : <INPUT TYPE="text" NAME="lieu" SIZE="6">
 </TR>

 <TR><TD COLSPAN=4><HR></TR>

 <TR>
  <TD CLASS=a ROWSPAN=3><B>Vos goûts artistiques :</B>
  <TD ALIGN=center>Littérature
  <TD ALIGN=left>
   <SELECT MULTIPLE SIZE=3 NAME="litterature">
     <OPTION>Romans</OPTION>
     <OPTION>Essais</OPTION>
     <OPTION>Récits historiques</OPTION>
     <OPTION>Poésie</OPTION>
     <OPTION>Science fiction</OPTION>
   </SELECT>
 </TR>

 <TR><TD COLSPAN=2><HR></TR>

 <TR>
  <TD ALIGN=center>Musique
  <TD ALIGN=left>
   <SELECT MULTIPLE SIZE=3 NAME="musique">
     <OPTION>Symphonies</OPTION>
     <OPTION>Sonates</OPTION>
     <OPTION>Musique religieuse</OPTION>
     <OPTION>Rap</OPTION>
     <OPTION>Techno</OPTION>
   </SELECT>
 </TR>

 <TR><TD COLSPAN=3><HR>
 </TR>
```

```
<TR>
 <TD ALIGN="center" COLSPAN=4>
  <INPUT TYPE="submit" VALUE="ENVOI">
  <INPUT TYPE="Reset" VALUE="RECOMMENCER">
 </TD>
</TR>

<TR>
  <TD VALIGN="middle" COLSPAN=2><B>Comment aimez-vous les
œufs</B>

  <TD ALIGN="left" VALIGN="middle">
   <UL>
    <LI><INPUT TYPE="radio" NAME="œufs" VALUE="coque">A
la coque
    <LI><INPUT TYPE="radio" NAME="œufs" VALUE="durs">Durs
    <LI><INPUT TYPE="radio" NAME="œufs"
VALUE="mollets">Mollets
    <LI><INPUT TYPE="radio" NAME="œufs"
VALUE="omelette">En omelette
   </UL>
  </TD>
 </TR>
 <TR><TD COLSPAN=3><HR></TR>
<HR>

</TABLE>

</FORM>

</BODY>
</HTML>
```

Sans ENCTYPE

Si l'attribut ENCTYPE ne figure pas dans la balise initiale <FORM>, la mise en forme des données respecte le type MIME application/x-www-form-urlencoded qui est, comme nous l'avons vu plus haut, le type par défaut. Tout l'envoi consiste en une chaîne de caractères unique qui se présente alors ainsi :

```
nom=DUPONT&prenom=Timoth%E9e&date=13.5.1968&lieu=BERTOUILLY&
lieu=01234&litterature=Romans&musique=Sonates
```

Chaque paire nom/valeur est séparée de la suivante par un Et commercial et un signe égale est intercalé entre le nom et la valeur. Les caractères non strictement ASCII et la plupart des caractères de ponctuation sont remplacés par leur code hexadécimal précédé d'un caractère pour-cent. Toutefois, les caractères égal, blanc souligné et moins échappent à cette transformation. On se rend bien compte que cette forme n'est pas facile à exploiter. Il existe des programmes tout faits spécialisés dans ce décodage, disponibles sur la plupart des serveurs.

Figure 8.8 : Exemple de formulaire rassemblant diverses formes de saisie.

Avec ENCTYPE="text/plain"

Il est plus simple d'ajouter ENCTYPE="text/plain" dans la balise initiale <FORM>. Dans le même cas que ci-dessus, les données sont alors présentées sous la forme suivante :

```
nom=DUPONT
prenom=Thimothée
date=13.5.1968
lieu=BERTOUILLY
lieu=01234
litterature=Romans
musique=Sonates
```

Envoi des informations à une adresse mailto:

Cette forme d'envoi est très pratique parce qu'il n'est pas nécessaire d'obtenir l'autorisation d'enregistrer puis d'exécuter un script sur le serveur qui vous héberge. Elle a cependant deux inconvénients :

- Elle ne permet pas un traitement en temps réel. Le visiteur va vous envoyer des informations dont vous n'aurez connaissance que lorsque vous irez relever votre boîte aux lettres électronique, peut-être le lendemain. Vous ne pouvez donc même pas lui envoyer d'accusé de réception juste après qu'il vous a envoyé ses informations.

- Si le navigateur n'a pas été correctement et complètement configuré, il sera incapable d'envoyer un mail. En effet, pour cela, il doit connaître certains paramètres (en particulier l'adresse du serveur SMTP) du serveur où se trouve votre boîte aux lettres.

Lorsqu'on a spécifié `ENCTYPE="text/plain"` dans le formulaire, les données sont envoyées sous forme de message sous la forme dont nous avons donné un exemple. Par contre, en l'absence de ce paramètre, elles parviennent sous forme d'un document attaché (pièce jointe). Avec Netscape, ce document porte le nom de "Form posted from Mozilla".

Il existe une méthode qui permet de s'affranchir du second inconvénient et qui consiste à utiliser un relais sous la forme d'un serveur obligeant, acceptant les scripts CGI et renvoyant les informations reçues du formulaire sous forme de mail. Pierre Genevès, l'auteur de l'excellent éditeur Web Construction Kit (dont nous parlerons au Chapitre 14) propose pour cela d'utiliser son propre serveur. Le mécanisme d'envoi est alors le suivant :

- La valeur de l'attribut `ACTION` du formulaire pointe sur le serveur de Pierresoft. C'est donc une adresse standard de type **http://...**

- On doit ajouter un champ de type `hidden` (qui sera donc invisible de l'utilisateur) dans le formulaire. Ce champ indique l'adresse e-mail de l'auteur de la présentation Web.

- Lorsque le visiteur clique sur le bouton Submit, les données du formulaire sont envoyées au serveur de Pierresoft (quelque part sur la côte ouest des Etats-Unis).

- Les données sont traitées par le script standard approprié, formatées comme un message électronique et envoyées à l'adresse indiquée par l'auteur Web.

Un court exemple valant un long discours, voici un exemple d'application réel de cette astucieuse méthode (dans lequel certaines adresses ont été volontairement dissimulées). Dans le texte compris entre les deux commentaires, on trouve :

- L'adresse d'envoi des informations du formulaire. Cette commande doit toujours être reproduite telle quelle.

- Un champ de type `hidden` dont le nom est `recipient` et qui contient l'adresse e-mail de l'auteur Web (seule la valeur suivant l'attribut `VALUE` peut être changée).

- Un champ de type `hidden` dont le nom est `redirect` et qui pointe sur la page d'accusé de réception écrite par l'auteur Web (seule la valeur qui suit l'attribut `VALUE` peut être changée).

Tout ce qui se trouve ensuite est à personnaliser en fonction de sa propre application. Dans cet exemple, il s'agit d'offrir la possibilité aux adhérents d'un club de collectionneurs de motos anciennes d'envoyer une petite annonce par le Web. Le premier champ (de type `hidden`) permet d'identifier l'origine du message, ici : le site Web de l'Amicale des motos Gnome & Rhône[1].

```
<HTML>
<HEAD>
<TITLE>Passer une petite annonce</TITLE>
</HEAD>

<BODY>
<H1><IMG SRC="gnome.gif" WIDTH="104" HEIGHT="79"
ALIGN="middle" border="0"></A>
<IMG SRC="blanc.gif" width=50>Passer une petite
annonce</H1>

<A NAME="debut"> </A>
<FORM
ACTION="http://www.pierresoft.com/utilisateurs_wck/formma
il.pl" METHOD="POST">
```

---

1. L'auteur s'occupant de plusieurs clubs, cette précaution est indispensable pour ne pas mélanger les petites annonces reçues.

```
 <INPUT TYPE="hidden" VALUE="amgr@multimania.com"
NAME="recipient">
 <INPUT TYPE="hidden"
VALUE="http://multimania.com/amgr/acknow1.htm"
NAME="redirect">
 <INPUT TYPE="hidden" NAME="ANNONCE" VALUE="AMGR">
  <TABLE border=0 CELLPADDING=0 CELLSPACING=4>
   <CAPTION><FONT SIZE=5 COLOR="BLUE">Texte de
l'annonce</FONT></CAPTION>
    <TR>
     <TD WIDTH=200 BGCOLOR="ORANGE" ALIGN="center"><FONT
COLOR="BLACK">Vos NOM et PRENOM :</FONT></TD>
     <TD WIDTH=420><INPUT TYPE=text NAME="nom" VALUE=""
SIZE=52></TD>
    </TR>

    <TR>
     <TD ALIGN="center" BGCOLOR="ORANGE"><FONT
COLOR="BLACK">VOS COORDONNEES :
                       <BR>
                       <FONT SIZE=-1>(adresse,
téléphone...)</FONT></FONT></TD>
     <TD><TEXTAREA ROWS="3" COLS="50"
NAME="adresse"></TEXTAREA></TD>
    </TR>

    <TR>
     <TD VALIGN="middle" ALIGN="center"
BGCOLOR="ORANGE"><FONT COLOR="BLACK">TYPE
D'ANNONCE</FONT></TD>
     <TD><IMG SRC="blanc.gif" HEIGHT=1 WIDTH=20>
        <SELECT NAME="objet" SIZE=1>
          <OPTION VALUE="recherche">Recherche</OPTION>
          <OPTION VALUE="vente">Vente</OPTION>
          <OPTION VALUE="echange">Echange</OPTION>
          <OPTION VALUE="info">Informations</OPTION>
        </SELECT>
        <IMG SRC="blanc.gif" HEIGHT=1
WIDTH=40><I>Sélectionnez l'option appropriée</I>
</TD>
    </TR>

    <TR>
     <TD ALIGN="center" VALIGN="MIDDLE"
BGCOLOR="ORANGE"><FONT COLOR="BLACK"><B>Objet de
l'annonce</B></FONT></TD>
     <TD><TEXTAREA ROWS="6" COLS="50"
NAME="materiel"></TEXTAREA></TD>
    </TR>
```

```
    <TR>
     <TD BGCOLOR="ORANGE" ALIGN="center" VALIGN="bottom">
      <FONT COLOR="BLACK">PRIX DEMANDE<BR>(seulement pour
une vente)</FONT></TD>
      <TD VALIGN="middle"><INPUT TYPE="text" NAME="prix"
VALUE=""SIZE=20>
     </TR>

    <TR>
     <TD WIDTH=300> </TD>
     <TD  COLSPAN=2 ALIGN="center">
      <INPUT TYPE="submit" VALUE="Envoyez !">
      <IMG SRC="blanc.gif" WIDTH=100 HEIGHT=1>
      <INPUT TYPE="reset" VALUE="Réinitialisation">
     </TD>
    </TR>
    <TR>
     <TD ALIGN="center" COLSPAN=2>
      <FONT COLOR="blue" SIZE=4>
       <HR>
       Attendez d'avoir reçu l'accusé de réception avant de
continuer votre visite.
       <HR>
      </FONT>
     </TD>
    </TR>
   </TABLE>
  </FORM>

<DIV ALIGN="center">
<A HREF="liranno.htm"><FONT SIZE=+1>Pour lire nos
annonces</FONT></A>
<IMG SRC="blanc.gif" WIDTH=230 HEIGHT=30>
<HR WIDTH=500 SIZE=5>
</DIV>

</BODY>
</HTML>
```

La Figure 8.9 montre comment se présente ce formulaire sur l'écran du
visiteur. Voici un exemple du contenu du message que recevra l'auteur de
la présentation Web :

```
Résultats du formulaire envoyé le Vendredi 13 Août 1999,
à 05:52:33 (MDT), interprété par
http://www.pierresoft.com/utilisateurs_wck/formmail.pl
-----------------------------------------------------------
---------------

ANNONCE: AMGR
```

```
nom: Dupont, Jules

adresse: 458, Grande Rue
77310 PONTHIERRY
01 83 48 48 48 E-Mail: jules.dupont@tonserveur.fr

objet: recherche

materiel: cherche roue arr. type D 1924 et type D 1926-
28,
Fourche av. complet type D 1926-28 ou Type D3,
(échange poss. avec fourche complet + roue av. type D/C
1923/24) ------------------------------------------------
---------------------
```

Attention

Cette méthode n'est fonctionnelle que tant qu'existe le serveur de Pierre-soft et que son webmaster autorise son utilisation aux fins de renvois de résultats de formulaire, ce qui est le cas depuis déjà deux ans.

Figure 8.9 : Le formulaire d'insertion d'une petite annonce tel qu'il se présente au visiteur.

Chapitre 9

Les frames

Grâce aux *frames* ("cadres", en français), vous pouvez afficher plusieurs fenêtres sur l'écran, certaines fixes, d'autres rechargeables. Cet artifice est particulièrement pratique pour conserver un menu de navigation affiché en permanence. Le seul inconvénient des frames est que certains utilisateurs, attachés à leur antique navigateur, ne pourront pas les afficher. Il existe par bonheur une balise qui permet — pour peu que l'auteur Web l'ait prévu dans sa présentation — d'utiliser un ensemble de pages Web classiques. Au prix d'une mise à jour plus contraignante pour le malheureux auteur qui devra, ainsi, gérer deux ensembles de pages différentes.

Info

Au troisième trimestre 1999, on est en droit de considérer les navigateurs ne supportant pas les frames comme ayant largement mérité de faire valoir leurs droits à la retraite et de conseiller à leurs aficionados de "s'équiper moderne".

Structure d'une présentation Web avec cadres

La première des choses à faire est de définir l'agencement qu'on va donner à son écran : en combien de zones va-t-il être divisé, quelle sera la forme de ces zones et que contiendront-elles ? Cette description géométrique va être traduite par une commande particulière, le *frameset* qui devra se trouver dans le premier fichier HTML chargé lorsqu'un visiteur se connectera sur votre site Web. La Figure 9.1 montre un exemple de découpage classique très simple et souvent utilisé dans lequel la zone de gauche est réservée au menu de navigation et le reste de la page à l'affichage. On rencontre aussi la disposition illustrée par la Figure 9.2, dans laquelle la petite zone horizontale sert à afficher des messages ou des publicités pour ceux qui ont réussi à se faire sponsoriser.

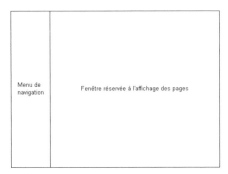

Figure 9.1 : Une disposition de cadres classique et très simple.

Figure 9.2 : Autre disposition classique de cadres.

Astuce

La taille des cadres peut être ajustable par l'utilisateur ou fixe, selon le choix fait initialement par l'auteur Web.

Ecriture des balises HTML relatives aux cadres

Il existe deux balises affectées aux cadres : `<FRAMESET>` et `<FRAME>`. La première définit le découpage proprement dit de l'espace et la seconde les propriétés générales de chacune des zones ainsi définies. En outre, une troisième balise : `<NOFRAMES>` sert de bouée de secours aux navigateurs ne sachant pas nager dans un cadre.

Le conteneur <FRAMESET>

Dans le premier cas, voici quel sera le document HTML correspondant :

```
<HTML>
<HEAD>
<TITLE>Un frameset très simple</TITLE>
</HEAD>
<FRAMESET COLS="25%,*">
  <FRAME SRC="menu.htm" NAME="menu">
  <FRAME SRC="accueil.htm" NAME="fenetre">
</FRAMESET>
</HTML>
```

Dans tous les autres fichiers, il est inutile de placer un conteneur <TITLE> ... </TITLE>, car seul celui du fichier maître (celui qui contient le découpage en cadres) sera affiché. La Figure 9.3 montre comment va se présenter l'écran.

Figure 9.3 : Ecran divisé en deux parties par des cadres.

Comme on peut le voir, ce fichier HTML ne contient aucun conteneur <BODY> ... </BODY>. Celui-ci est remplacé par <FRAMESET> ... </FRAMESET> qui joue le même rôle, mais ne contient rien d'autre que des définitions de découpage. Les principaux attributs qu'on peut rencontrer dans ce conteneur sont :

- ROWS=. Découpage du frameset, en bandes horizontales. C'est une liste de valeurs exprimées en pixels ou en pourcentages (alors suivies par le caractère %). A l'exception de la première, les valeurs peuvent être exprimées par un astérisque (*), ce qui signifie "ce qui reste" ou, s'il y en a *n*, "ce qui reste" divisé par *n*).

- COLS=. Découpage du frameset, en bandes verticales. Les valeurs utilisées sont exprimées comme pour ROWS.

En utilisant conjointement ROWS et COLS dans un même conteneur, on réalise un découpage dans les deux directions, ce qui, en général, n'est pas heureux sur le plan esthétique comme le prouve la Figure 9.4.

Figure 9.4 : Un tel découpage est trop géométrique et peu esthétique.

Il existe deux autres attributs qui interviennent uniquement lorsqu'on veut déclencher une action en appelant un script local lorsque le cadre est chargé (onload) ou lorsque son contenu est remplacé par un autre (onunload).

Imbrication de conteneurs <FRAMESET>

On peut imbriquer autant de conteneurs <FRAMESET> ... </FRAMESET> qu'on le souhaite. Généralement, on ne dépasse pas une profondeur de 2, pour des raisons de simple bon sens et de dimension des cadres. Voici, par exemple, le document HTML à écrire pour obtenir le découpage illustré par la Figure 9.5 :

```
<HTML>
<HEAD>
<TITLE>Un écran divisé en trois zones</TITLE>
```

```
</HEAD>
<FRAMESET COLS="25%,*">
  <FRAME SRC="menu.htm" NAME="menu">
  <FRAMESET ROWS="80%,*">
    <FRAME SRC="accueil.htm" NAME="fenetre">
    <FRAME SRC="pub.htm" NAME="pub" NORESIZE
SCROLLING=NO>
  </FRAMESET>
</FRAMESET>
</HTML>
```

Figure 9.5 : Ecran divisé en trois zones.

Le marqueur <FRAME>

Le conteneur <FRAME> décrit le contenu de chacun des autres cadres et charge leur contenu initial. Voici les attributs que l'on peut y rencontrer :

- SRC. Précise le nom du document HTML à charger.

- NAME. Donne un nom au cadre correspondant. Ce nom est indispensable pour dire dans quel cadre doit être chargé tout nouveau document désigné par un appel de lien. Ce dernier devra alors préciser le nom du cadre destinataire en donnant à son attribut TARGET la valeur donnée au présent attribut NAME.

- SCROLLING. Autorise ou non l'utilisateur à faire défiler le contenu de la fenêtre (valeurs possibles : NO, YES ou AUTO).

- NORESIZE. Interdit à l'utilisateur de modifier la dimension du cadre.

- MARGINHEIGHT et MARGINWIDTH. Permettent de spécifier la marge autour d'un cadre.

- FRAMEBORDER. Contrôle l'apparition de barres de séparation entre les frames adjacentes. Il peut prendre deux valeurs : 1 (une barre apparaîtra entre le présent cadre et ceux qui le touchent), 0 (pas de barre de séparation entre le présent cadre et ceux qui le touchent).

Astuce

En cas de conflit entre deux cadres adjacents dont les attributs FRAMEBORDER ont des valeurs différentes, une bordure sera tracée.

Attention

On rencontre également l'orthographe <FRAMES>. Les navigateurs qui reconnaissent les cadres se montrent généralement peu pointilleux sur cette question d'orthographe.

Dans l'exemple précédent, on pourra remarquer l'utilisation des attributs NORESIZE et SCROLLING=NO interdisant au visiteur de faire disparaître le bandeau publicitaire.

Le conteneur <NOFRAMES>

Les navigateurs qui ne savent pas interpréter le conteneur <FRAMESET> ... </FRAMESET> se contenteront d'afficher une page blanche. Pour éviter cette désagréable impression, il est possible de spécifier un texte HTML en "version normale", grâce auquel l'utilisateur pourra néanmoins voir quelque chose. En voici un exemple :

```
<HTML>
<HEAD>
<TITLE>Un écran divisé en trois zones</TITLE>
</HEAD>
<FRAMESET COLS="25%,*">
  <FRAME SRC="menu.htm" NAME="menu">
  <FRAMESET ROWS="80%,*">
    <FRAME SRC="accueil.htm" NAME="fenetre">
    <FRAME SRC="pub.htm" NAME="pub" NORESIZE
➡SCROLLING=NO>
  </FRAMESET>
</FRAMESET>
<NOFRAMES>
```

```
<H2>Désolé, mais pour voir cette
    présentation, vous devez utiliser un browser
    supportant les frames
</H2>
</NOFRAMES>
</HTML>
```

En réalité, ça ne va pas très loin car, si vous vouliez réellement que l'ensemble de votre présentation puisse être vue avec les navigateurs ignorant les frames, vous devriez tout écrire en double en prévoyant des systèmes de navigation totalement différents pour chacun des deux cas. Ce serait à la rigueur faisable initialement, mais la mise à jour d'un tel système tournerait très vite au cauchemar et, la plupart du temps, une des deux formes serait en retard sur l'autre. C'est pourquoi mieux vaut se contenter d'exprimer des regrets polis. Vous perdrez peut-être quelques visiteurs mais, à force d'essuyer ce genre de refus, peut-être finiront-ils par se moderniser.

Chargement d'un document HTML à l'intérieur d'un cadre

Dans une présentation Web à base de cadres, vous devez indiquer pour chaque appel de lien le cadre de destination du fichier à charger. C'est l'attribut TARGET= qui doit être utilisé à cette fin, comme le montre la commande suivante :

```
<A HREF="montruc.htm" TARGET="fenetre">Mes astuces"</A>
```

Lorsque le visiteur cliquera sur "Mes astuces", le document HTML montruc.htm ira se charger dans la fenêtre appelée fenetre qui a été définie dans notre dernier exemple.

L'attribut TARGET peut prendre quatre valeurs particulières réservées spécifiant une destination particulière où sera chargé le document HTML appelé :

- **_blank.** Dans une nouvelle fenêtre créée pour la circonstance.
- **_self.** Dans la fenêtre de l'appel de lien.
- **_parent.** Dans la fenêtre mère de la fenêtre actuelle ou dans celle d'appel s'il n'existe pas de niveau supérieur.
- **_top.** Dans la totalité de l'espace disponible dans la fenêtre du navigateur.

La balise <IFRAME>

Cette balise est de création récente. On pourrait interpréter son nom en "I" comme *internal* et "FRAME" comme... *frame* : cadre intérieur. Elle permet, en effet, de créer un cadre à l'intérieur d'une fenêtre HTML normale. La Figure 9.6 montre un exemple de ce qu'on peut obtenir en pratique.

> **Attention**
>
> Même dans sa version 4.7 (septembre 1999), Netscape Navigator ne reconnaît toujours pas la balise <IFRAME>. Pas plus qu'Opera, version 3.60.

La syntaxe de cette balise est un peu particulière. C'est un conteneur à l'intérieur duquel on place un texte et/ou une image qui sera affiché si le navigateur ne reconnaît pas la balise (c'est la même chose qu'avec <NOFRA-MES> pour les frames). Voici un exemple d'écriture :

```
Sa mère était, quant à elle, la puînée d'une famille de
haut lignage
apparentée aux Bourbons qui s'était, à dire vrai,
proprement enfuie de
la capitale pour cacher son indigence dans une misérable
masure sise
dans le comtat Venaissin au pied du mont Ventoux après
qu'elle se fut vu ruinée.
<IFRAME SRC="1roses.gif" HEIGHT=250 WIDTH=300
FRAMEBORDER=1
ALIGN="left">
<H4>Désolé, mais votre navigateur ne reconnaît pas la
balise
&lt;IFRAME&gt;.</H4>
</IFRAME>
```

A la place de l'image **fanees.jpg**, affichée par Internet Explorer dans un cadre de 300×250 pourvu de deux ascenseurs, Netscape Navigator et Opera se conteront d'afficher le message : "Désolé, mais votre navigateur ne reconnaît pas la balise <IFRAME>.

Outre les attributs SCROLLING, FRAMEBORDER, MARGINHEIGHT et MARGINWIDTH qui jouent le même rôle qu'avec la balise <FRAME>, il existe quatre attributs utilisables avec cette balise.

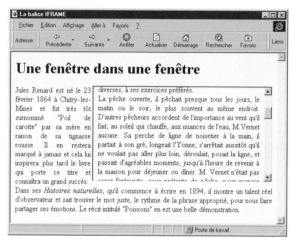

Figure 9.6 : IFRAME ou une fenêtre dans une fenêtre.

L'attribut SRC

C'est lui qui indique la source de l'objet à afficher (texte, image...). Contrairement à ce qu'on pourrait croire, sa présence n'est pas indispensable pour peu que figure l'attribut NAME.

Les attributs HEIGHT et WIDTH

Ils déterminent les dimensions de la fenêtre d'affichage (du cadre interne). Si on y place une image dont les dimensions sont supérieures, elle sera affichée en vraie grandeur et non pas redimensionnée comme c'est le cas avec la balise <IMG>. Dans ce cas, une ou deux barres de défilement apparaîtront latéralement.

L'attribut NAME

Il joue le même rôle que son homologue de la balise <FRAME>. On peut charger quelque chose dans le cadre avec un appel de lien comportant l'attribut TARGET suivi du nom donné au cadre comme le montre l'exemple ci-dessous :

```
<H1>Un cadre dans une fenêtre</H1>
<FONT SIZE=+1>
<DIV ALIGN="justify">Sa mère était, quant à elle, la
puînée d'une
```

```
famille de haut lignage apparentée aux Bourbons qui
s'était, à dire
vrai, proprement enfuie de la capitale pour cacher son
indigence
<IFRAME NAME="cadre" WIDTH="150" ALIGN="left">
  <H2>
    Désolé, votre navigateur ne reconnaît pas la balise
    ➥&lt;IFRAME&gt;
  </H2>
</IFRAME>
dans une misérable masure sise dans le comtat Venaissin
au pied du mont
Ventoux après qu'elle se fut vu ruiner. Feu les grands-
parents de notre
héros en effet, nus-propriétaires d'importants biens-
fonds, mais
amiables dilettantes et jocrisses incorrigibles,
s'étaient laissé
dépouiller jusqu'à leur dernier liard et littéralement
jeter à la rue
par un aigrefin mythomane qui, en leur faisant miroiter
la perspective
de profits pharamineux, les avaient entraînés à spéculer
dans des
plantations de caféiers, de goyaviers et autres cannes à
sucre qui,
bien entendu, ne sortirent jamais de terre.
<P>
</FONT>
</DIV>
<P>
<H3>Voulez-vous voir de beaux
<A HREF="fanees.jpg" TARGET="cadre">hortensias</A> ?
```

Bien que cette option ne figure pas dans la spécification HTML 4.0, Internet Explorer reconnaît l'attribut ALIGN qui permet, comme dans cet exemple, d'habiller le cadre avec le texte. La Figure 9.7 montre comment se présente l'écran du navigateur après le chargement de la page et ce qu'elle devient lorsqu'on clique sur l'appel de lien "hortensias". Enfin, la Figure 9.9 montre ce qui s'affiche avec un navigateur ne reconnaissant pas <IFRAME> (Netscape Navigator 4.7 ou Opera 3.60, par exemple).

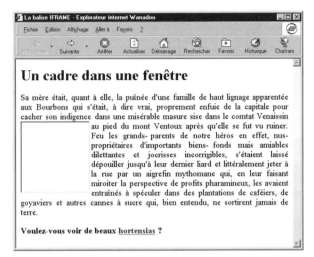

Figure 9.7 : La page immédiatement après son chargement.

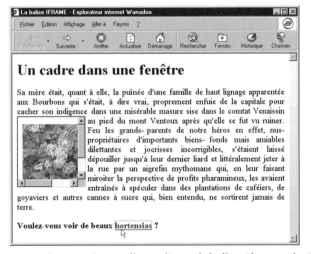

Figure 9.8 : La même après un clic sur l'appel de lien "hortensias".

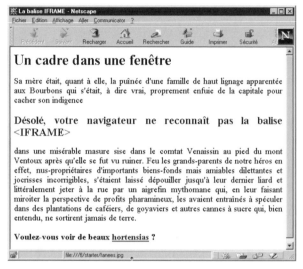

Figure 9.9 : Netscape Navigator ne reconnaît pas la balise <IFRAME>.

Chapitre 10

Compteurs d'accès, multimédia, Java, ActiveX

Dans ce chapitre, nous allons voir brièvement quelques-uns des éléments qui ne sont pas strictement nécessaires dans une page Web, mais qui peuvent contribuer à lui donner davantage d'attrait.

Les compteurs d'accès

Un compteur d'accès permet de compter le nombre de chargements de la page dans laquelle est situé son appel. Pour cela, il est indispensable de recourir au serveur, car le compteur est matérialisé par un petit fichier situé sur le serveur. Pour exploiter le contenu de ce fichier, il faut exécuter un programme *général* du serveur (l'auteur Web n'a aucun programme personnel à écrire) qui va aller chercher le contenu de ce compteur, l'incrémenter d'une unité, l'éditer sous forme d'une image composée de chiffres et renvoyer cette image au demandeur.

La fonction de comptage est donc réalisée par un appel de lien, mais c'est un appel indirect qui prend la forme du chargement d'une image. En voici un exemple dont la Figure 10.1 montre le résultat :

```
<H3>
Vous êtes notre
<IMG SRC="/cgi-bin/counter?jdupont&font=stencil&width=4">
ème visiteur depuis le 18 mai 1996
</H3>
```

Dans cette commande, voici à quoi correspondent les différents paramètres :

- `/cgi-bin/counter` est le nom du programme du serveur qui est appelé.

- `?` est un séparateur.

- `jdupont` est le nom du répertoire personnel où se trouve le compteur.

- `&` est un séparateur.

- `font=stencil` spécifie le style des images de chiffres qui seront utilisées pour composer l'image du compteur renvoyée. Comme on le voit sur la Figure 10.1, l'auteur a choisi ici une forme de chiffres ressemblant à ceux qu'on obtient avec un pochoir.

- `&` est un séparateur.

- `width=4` spécifie le nombre de chiffres que contiendra l'image du compteur.

Figure 10.1 : Comment s'affiche un compteur d'accès.

Attention

Cela est un exemple. Dans la réalité, les paramètres à utiliser dépendent de l'implémentation réalisée par le fournisseur d'accès auquel on est abonné. C'est donc auprès de lui qu'on devra se renseigner sur la forme exacte à donner à cet appel. Les fournisseurs d'accès bien organisés proposent une FAQ (foire aux questions) contenant toutes les indications nécessaires.

Le multimédia

Sous ce titre, on regroupe généralement les sons (bruits, parole, musique...), les animations et la représentation d'objets en relief (ce qu'on appelle "la 3D").

Les sons

Comme les images, les fichiers de sons (appelés aussi *fichiers audio*) existent sous de nombreux formats. Mais une image est statique et, une fois chargée, elle se voit en un instant, alors que les sons réclament l'intervention de l'élément *temps* pour être perçus. La plupart des fichiers audio sont des fichiers de sons numérisés, ce qui fait que, d'une façon générale, en dehors des bruits de courte durée, ils sont considérablement plus volumineux que les fichiers d'images. Il faut toutefois mentionner les fichiers de type MIDI qui ne contiennent que des commandes destinées à des synthétiseurs et ne peuvent donc reproduire que de la musique à l'exclusion de toute parole ou bruit naturel. Ce sont eux qu'il faut préférer lorsque c'est possible en raison de leurs dimensions nettement plus appropriées à une transmission sur l'Internet.

Par exemple, le même morceau (*Cleopha*, un rag-time de Scott Joplin), "interprété" au piano, occupe 15 Ko en format MIDI et 30 Mo (nous disons bien mégaoctets), soit 20 000 fois plus en format WAV ! En qualité CD (stéréo 16 bits, échantillonnage à 44 kHz, on compte environ 10 Mo par minute de musique. On comprend pourquoi on se limite, sur le Web à une qualité inférieure. Ainsi, échantillonner à 11 kHz permettra une réduction de la taille du fichier d'un facteur 4.

Depuis quelques années, un nouveau format de fichiers audio compressés, MP3, a fait un tabac sur le WEB en raison des taux de compression élevés (12 au minimum) qu'il permet de réaliser sans perte appréciable de qualité. Si on accepte de sacrifier la qualité à l'encombrement, on peut augmenter de façon appréciable ce taux. Ainsi, avec un *bitrate* de 8, un fichier WAV de 7,8 Mo n'occupe plus que 44 Ko. Mais la qualité sonore est alors très mauvaise, ne convenant guère que pour la parole. Pour la musique, il faut éviter de descendre au-dessous de 32 (la qualité CD correspond à un bitrate de 128) et encore à condition que cette musique ne soit pas interprétée par des instruments trop "percutants".

Les navigateurs ne savent presque jamais interpréter directement les fichiers audio qu'ils reçoivent. Pour cela, ils ont recours à des assistants logiciels externes appelés *plug-in*. Lorsqu'un navigateur reçoit un fichier audio, il sait, d'après son extension, de quel type il est. Il consulte alors la liste des plug-in qui sont installés. S'il trouve celui qui convient, il peut lancer la reproduction sonore dès que l'ensemble du fichier aura été chargé.

Info

Il existe un système de transmission de fichiers audio appelé RealAudio qui, à l'aide d'algorithmes de compression très efficaces et de l'utilisation astucieuse de buffers à la réception (*streaming*), permet de reproduire un fichier audio avant qu'il ne soit entièrement transmis. Mais cela exige des serveurs spéciaux qui ne sont généralement pas mis à la disposition de leurs clients non professionnels par les fournisseurs d'accès à l'Internet.

N'ayez pas trop de regret, la qualité sonore est le plus souvent mauvaise (rappelant davantage un petit récepteur accordé sur Radio Luxembourg Grandes Ondes), la reproduction découpée en tranches par les aléas du routage dynamique de l'Internet et ces fichiers ne conviennent guère que pour les bruits ou la parole.

Lien vers un fichier audio

On peut "charger" un son comme on charge une page ou une image, qu'il soit de type WAV, MIDI ou MP3, à l'aide de la balise d'appel de lien <A>. Contrairement à un fichier image, le contenu de l'écran subsiste et il apparaît une petite fenêtre auxiliaire pourvue de quelques contrôles permettant d'arrêter momentanément la reproduction ou de se positionner à un autre endroit du fichier. Le document HTML suivant imite une petite boîte à musique (voir Figures 10.2 et 10.3). Opera 3.60 reconnaît cette balise, mais n'affiche aucune boîte de contrôle. Ce type de lien est le moyen à préférer dans tous les cas en raison de sa simplicité de mise en œuvre et de son universalité.

```
<HTML>
<HEAD>
<TITLE>Un peu de sons pour ne pas avoir l'air d'un
âne</TITLE>
</HEAD>
<BODY>
<H1>La boîte à musique</H1>
Voici quelques musiques de ragtime de Scott Joplin.
Cliquez celle que vous voulez entendre :
<UL>
<LI><A HREF="cleopha.mid">Cleopha</A> (15 Ko)
<LI><A HREF="kitten.mid">Kitten on the keys</A> (17 Ko)
<LI><A HREF="entertnr.mid">The entertainer</A> (19 Ko)
<LI><A HREF="micicipi.mid">Mississippi rag</A> (16 Ko)
<LI><A HREF="mapple.mid">Mapple life rag</A> (20 Ko)
</UL>
<HR>
</BODY>
</HTML>
```

Figure 10.2 : Une petite boîte à musique HTML avec Netscape Navigator.

Figure 10.3 : La même boîte à musique HTML avec Internet Explorer.

Astuce

N'oubliez pas d'annoncer au visiteur la taille du fichier audio à charger afin qu'il prenne sa décision en connaissance de cause.

Le marqueur <BGSOUND>

Bien qu'il soit simple à utiliser, ce marqueur, s'il est reconnu par Internet Explorer (ce qui est normal puisqu'il a été créé par Microsoft) et Opera, est totalement ignoré par Netscape Navigator. Sa syntaxe est élémentaire : il ne comporte que deux attributs : SRC= pour indiquer le nom du fichier audio et LOOP= pour indiquer le nombre de répétitions à effectuer (les valeurs "INFINITE" et 0 signifient "sans fin"). Aucune action particulière de l'utilisateur n'est nécessaire pour lancer la reproduction, ce qui est implicite d'après le nom de la balise où "BG" signifie *background* (arrière-plan). Exemple :

```
<BGSOUND SRC="cleopha.mid" LOOP=2>
```

Dès le fichier chargé, on entendra deux fois de suite le ragtime Cleopha (de Scott Joplin).

Le conteneur <EMBED>

Ce conteneur a une existence fantomatique. Après avoir été cité dans quelques ouvrages américains sur HTML 3.2, il a disparu du livre de Laura Lemay (une référence en la matière) intitulé HTML 4.0 et ne figure plus dans la spécification HTML 4.01 du W3C. Nous mettons donc le lecteur en garde contre son utilisation, sachant que son implémentation est très variable d'un navigateur à l'autre (pour ceux qui la reconnaissent, naturellement). Par souci d'exhaustivité, voici un exemple d'emploi :

```
<EMBED SRC="perfect rag.wav"  WIDTH=300>
```

Internet Explorer et Netscape Navigator (versions récentes) s'en sortent fort bien, mais Opera ignore complètement la balise et n'affiche qu'un message disant qu'il ne dispose pas du plug-in nécessaire. Et, à plus forte raison, ne vous fait rien entendre.

Le conteneur <OBJECT>

En principe, il devrait accueillir dans de bonnes conditions toutes sortes d'objets non standards. Dans la réalité, son utilisation suscite davantage de réserves que <EMBED>.On obtiendra quelque chose de bon sur le plan auditif avec la commande suivante :

```
<OBJECT classid="perfect rag.wav" WIDTH=300>Pas d'objet
➥ici !</OBJECT>
```

Fin 99, seul Internet Explorer le reconnaît. Encore ne l'interprète-t-il pas correctement. Même les exemples élémentaires donnés dans le document de référence du W3C ne donnent pas le résultat escompté. Dans ces conditions il est vivement recommandé de ne pas l'utiliser.

Les animations

Il existe plusieurs façons d'afficher quelque chose qui bouge sur l'écran. Ne vous attendez pas à pouvoir faire du cinéma. Bien que les fichiers d'animation utilisent des algorithmes de compression efficaces, leur taille reste importante, leur format d'affichage modeste et leur durée réduite. Plus qu'une véritable vidéo, il faut ici comprendre "clip". Il existe plusieurs formats dont le plus utilisé est probablement QuickTime, créé par Apple, mais dont il existe un plug-in pour Windows. Un autre format, non "propriétaire", est MPEG (actuellement MPEG3). Nous allons décrire brièvement quelques-uns des moyens dont dispose l'auteur Web pour insérer une animation dans sa page. Il s'agit le plus souvent d'extensions proposées par Netscape ou Microsoft. Aussi faut-il s'en méfier si on veut pouvoir être vu par tous dans de bonnes conditions.

Dico

Un *plug-in* est une sorte d'assistant, étroitement lié au navigateur et lui permettant d'exploiter des fichiers qu'il ne sait pas traiter de façon native.

La Figure 10.4 montre un exemple d'animation reproduite dans une fenêtre de 235 × 290 pixels. Pour une durée de 25 secondes, la taille du fichier correspondant est de 3, 4 Mo. Sur un CD-ROM, un fichier aussi gros trouve facilement sa place, mais on comprend qu'il soit préférable de trouver d'autres solutions pour transmettre des animations sur l'Internet. Dans des conditions réelles, compte tenu de l'engorgement des liaisons téléphoniques utilisées par l'Internet, il faudrait en effet compter près d'une demi-heure pour charger ce fichier.

Info

La réception de fichiers d'animation sur l'Internet est à la rigueur possible pour ceux qui disposent d'une liaison directe à gros débit (minimum Numéris). Comme on ne peut pas le savoir d'avance, il est fortement recommandé de *proposer* leur chargement et non de l'imposer. L'utilisation de ce type de fichier est bien plus réaliste sur un intranet.

Le marqueur <IMG> avec l'attribut DYNSRC

Si on ajoute l'attribut DYNSRC dans une balise <IMG>, on peut charger un fichier AVI, format créé par Microsoft. On ne s'étonnera donc pas que, seul, Internet Explorer reconnaisse cet attribut. SRC et DYNSRC font bon ménage : tout navigateur reconnaissant l'un ignorera l'autre. En voici un exemple :

```
<IMG DYNSRC="d:\wck\logo.avi" SRC="cactus.gif" HEIGHT=100>
```

Les attributs habituels propres à la balise <IMG> sont utilisables normalement.

Figure 10.4 : Reproduction d'un fichier AVI.

Le marqueur <MARQUEE>

Encore une exclusivité Internet Explorer dont, en conséquence, l'emploi est vivement déconseillé. Il s'agit, plus modestement, de faire défiler une bannière portant un texte. Différents attributs en contrôlent la présentation et le défilement. Avec d'autres navigateurs, le texte inclus dans le marqueur sera affiché de façon fixe. Pour les curieux, en voici un exemple appliqué à une citation extraite des *Pensées de San Antonio*, de Frédéric Dard :

```
<MARQUEE BEHAVIOR="alternate" BGCOLOR="lightblue"
WIDTH="70%" HEIGHT="80" HSPACE="30" VSPACE="40"
ALIGN="top">
<H3>Tout n'est pas cirrhose dans la vie, comme dit
l'alcoolique</H3>
</MARQUEE>
```

Inutile d'en dire davantage.

Shockwave

Créé par l'éditeur Macromedia, Shockwave est un outil d'interprétation de "scènes" élaborées avec l'éditeur maison Director. Le plug-in nécessaire peut être téléchargé gratuitement depuis le site de l'éditeur. Le concepteur de pages Web doit posséder le logiciel Director et, une fois programmée son animation, compresser le fichier ainsi créé avec un utilitaire également fourni par Macromedia. Il insère ensuite un appel de lien dans sa page Web vers ce fichier. Vu le prix de ce logiciel (de l'ordre de 850 dollars, aux Etats-Unis), son utilisation est plutôt réservée à des fins professionnelles.

VRML

Il s'agit d'un langage de modélisation de réalité virtuelle. L'auteur Web définit son monde virtuel au niveau symbolique avec un outil appelé Live3D. Il en résulte un fichier texte de taille assez faible qui doit être interprété sur le navigateur par le plug-in WebFX. On peut considérer VRML comme une extension 3D de HTML et, à ce titre, l'enseignement de son utilisation demanderait à elle seule un livre bien plus gros que celui-ci. L'avantage des fichiers VRML est leur petite dimension comme on pourra en juger par l'exemple (élémentaire) suivant.

Ici encore, c'est à la balise <A> qu'on fera appel pour insérer un fichier VRML dans une page, de préférence à <EMBED>, trop restrictif. Voici un exemple d'application :

```
<HTML>
<HEAD>
<TITLE>Démo VRML</TITLE>
</HEAD>

<BODY>
<H1>VRML comme si vous y étiez</H1>
Voulez-vous voir <A HREF="demo.wrl">un texte qui
bouge</A> ?
</BODY>

</HTML>
```

et voici le fichier VRML correspondant :

```
#VRML V2.0 utf8
WorldInfo{info "Démonstration avec du texte"}
Background {skyColor .98 .95 .91}
Shape {appearance Appearance
       {material Material
         {diffuseColor 0.4745 0.6784 0.7961
          shininess 0.5
          transparency 0
         }
       }
       geometry Text
       {string ["Une poule","sur un mur",
               "qui picotait du pain dur"]
        fontStyle FontStyle
         {spacing 1 justify "MIDDLE"}
       }
}
```

Il faut commencer par installer le plug-in approprié pour pouvoir visualiser l'effet obtenu. D'anciennes versions de Netscape Navigator le possédaient d'entrée, mais cela n'est plus le cas avec Netscape Navigator version 4.7. Il faut donc commencer par télécharger le plug-in Cosmo Player (un peu plus de 3 Mo) à l'URL **http://www.karmanaut.com/cosmo/player/http.html**. Choisir la version anglaise, car il semble que la version française ne soit pas (plus ?) disponible. Pour l'installer, il faut lui indiquer avec exactitude le répertoire de Netscape où se trouvent les plug-in, soit, par défaut : `C:\Program Files/Netscape/Communicator/Program/Plugins`. La Figure 10.5 montre l'effet obtenu. Grâce à la console VRML (qu'on voit au bas de la copie d'écran), on peut faire bouger le ou les objets affichés.

Figure 10.5 : Exemple d'animation VRML. On peut voir la "console VRML" au bas de l'écran.

Les applets Java

Java est né au début des années 90 d'une idée de Sun Microsystems qui voulait créer un langage de commande d'appareillages électroniques grand public. Puis vint le Web et le développement que l'on sait. Voulant sa part du gâteau, Sun eût l'idée d'adapter ce langage qui avait tourné court pour animer (au sens large) les documents HTML statiques échangés entre serveurs et clients. La première réalisation fut incorporée à HotJava, navigateur destiné aux machines Sun. On sait qu'en informatique, encore plus qu'en d'autres domaines, tout nouveau, tout beau. Il y avait bien longtemps (moins de cinq ans ?) qu'on n'avait pas assisté à l'éclosion d'un nouveau langage. Ce fut donc l'enthousiasme.

Aidé par un marketing sans défaut, la popularité de ce langage devint universelle et lorsque des esprits pondérés firent remarquer les nombreuses failles de sécurité que présentait ce langage (qui permettait, entre autres, de manipuler le contenu du disque dur de l'utilisateur) et sa grande lenteur d'exécution, ils eurent quelque mal à se faire entendre. Si, depuis, la sécurité en a été renforcée, la vitesse (lisez "la lenteur") d'exécution n'a pas substantiellement progressé.

Caractéristiques du langage

La structure du langage Java s'apparente à celle de C++. Un C++ qui aurait subi l'amputation des pointeurs et des primitives de gestion mémoire, ce qui simplifie un peu son écriture, mais ne le met pas pour autant à la portée du programmeur du dimanche, habitué à "torcher" dix lignes de BASIC pour réaliser ses petites applications.

L'intérêt suscité par Java repose sur une portabilité absolue. Java se présente comme un langage semi-compilé. A partir d'un fichier source, on obtient un code intermédiaire à la suite d'une compilation[1]. C'est ce code qui va être exporté et, par exemple, envoyé au client Web. Tel quel, ce code ne peut pas être exécuté, car il ne correspond à aucun langage de machine. Il doit donc être interprété, ce qui est l'affaire du navigateur. Ce dernier doit donc comporter, en plus de ses mécanismes usuels, une *machine virtuelle Java* qui n'est autre qu'un interpréteur qui va analyser chacune des *méta instructions* du code intermédiaire et exécuter les fonctions qui s'y trouvent décrites. Un peu comme le ferait un vulgaire interpréteur BASIC.

---

1. Comme avec le P-code du Pascal.

Dico

On désigne sous le nom d'*applets* (rien à voir avec le Macintosh !) les programmes écrits en Java et on s'accorde généralement à leur attribuer le sexe féminin.

Au bénéfice de Java, il faut surtout mentionner sa portabilité sur toutes les plates-formes comportant un logiciel d'interprétation (appelé *machine virtuelle Java*). De l'autre côté de la médaille, force est de constater que programmer en Java n'est pas, tant s'en faut, à la portée de tout le monde. L'exécution des *applets* ainsi obtenues est lente. Le langage comporte encore des failles de sécurité et on a récemment découvert qu'il pouvait même s'y glisser des virus. Enfin, sa mise en œuvre dans une page Web nécessite de préciser de nombreux paramètres dont l'écriture correcte a de quoi faire hésiter.

Nous n'entrerons pas dans la polémique qui s'est établie autour de ce langage mais, comme pour beaucoup de gadgets nouveau-nés, nous déconseillons l'utilisation de ces applets à l'auteur Web. En effet, non seulement les anciens navigateurs ne reconnaissent pas tous Java (et quand ils le reconnaissent risquent de ne pas l'interpréter de façon identique), mais surtout, nombre d'utilisateurs désactivent la machine virtuelle Java de leur navigateur pour des raisons de sécurité.

Incorporation d'applets dans une page Web

Il existe une balise spéciale pour insérer une applet, précisément appelée <APPLET>. Ses attributs indiquent le nom de l'applet et les dimensions de la fenêtre qu'elle utilisera pour s'afficher dans la fenêtre du navigateur. Il en existe une poignée d'autres. En voici un exemple d'utilisation, illustré par la Figure 10.6 :

```
<APPLET ARCHIVE="mondrian.zip"
        CODE="Mondrian.class"
        width=470
        height=320
>
<B>Hélas, Java n'est pas disponible sur votre
navigateur.</B>
</APPLET><P>
```

Il s'agit d'une imitation d'un tableau de Mondrian dont on peut faire varier le dessin et les couleurs. Pour la voir en action, pointer votre navigateur sur l'URL **http://www.aukword.demon.co.uk/piran/mondrian/creator .html** (il n'y a vraiment que les anglais pour avoir des URL aussi tourmentées !).

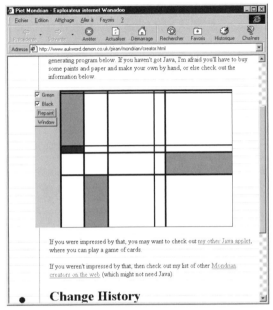

Figure 10.6 : Une applet imitatrice de Mondrian.

Astuce

Le texte placé à l'intérieur du conteneur `<APPLET>` sera affiché par tout navigateur ne possédant pas de machine virtuelle Java activée.

Cette balise travaille le plus souvent en conjonction avec une autre balise, `<PARAM>`, chargée, comme son nom l'indique, de fournir à l'applet les paramètres qui lui sont nécessaires et dont voici un exemple :

```
<applet code="ImageTape.class" width="550" height="60">
<param name="speed" value="2">
<param name="img" value="images/team">
<param name="dir" value="4">
<param name="nimgs" value="15">
</applet>
```

Il convient de noter que la spécification HTML 4.0 du W3C conseille de ne plus utiliser ce couple de balises et propose de les remplacer par `<OBJECT>` que nous avons rencontré plus haut et qui est le conteneur à tout faire pour inclure des "objets" HTML dans une page.

Exemple d'applet

Nous prendrons la plus simple qui soit, inspirée du traditionnel *Hello, world!* bien connu des adorateurs de K&R[1].

```
import java.applet.*;
import java.awt.*;
public class Salut extends Applet
{ public void paint(Graphics g)
  { g.drawstring("Salut, les copains !", 20, 10);
  }
}
```

Répétons-le : programmer en Java est tout à fait hors de portée du débutant. Même l'adjonction d'applets toutes prêtes dans une page Web n'est pas chose simple. Aussi n'en dirons-nous pas davantage ici. Cependant, pour que le lecteur puisse se faire une idée de la puissance du langage lorsqu'il est pratiqué par de vrais pros, nous lui conseillons de pointer son navigateur sur le site Web du château de Versailles, à l'URL **http://www .chateauversailles.fr** et de cliquer sur un des trois liens en bas de la page d'accueil qui proposent un panorama de la cour du château, de la chambre du Roi ou de la galerie des Glaces. Le temps de chargement est un peu long, mais le résultat vaut la peine de patienter. Les Figures 10.7 et 10.8 montrent deux aspects du panorama de 360° qu'on peut voir et dont on peut faire varier la vitesse de balayage et le sens de parcours.

En résumé

Pour comprendre et interpréter une applet, le navigateur doit donc disposer d'une machine virtuelle Java. C'est le fait, en particulier, de Netscape Navigator et de Internet Explorer en plus de HotJava de Sun. Néanmoins, nous avons déjà signalé à plusieurs reprises que beaucoup de surfeurs du Web restaient attachés à d'antiques navigateurs dans lesquels ils se sentent à l'aise. Ne comptez pas sur ces logiciels pour comprendre Java. De ce fait, avec Java, vous restreignez de façon importante le nombre de visiteurs qui seront à même de s'émerveiller de ce que font vos applets. Par ailleurs, les navigateurs disposent d'une option de configuration qui permet (pour des raisons de sécurité, par exemple) de désactiver la machine virtuelle Java, option très utilisée par les gens prudents. Le lecteur intéressé par Java trouvera des références utiles à l'Annexe A.

---

1.   Kernighan & Ritchie, les immortels auteurs du C !

Figure 10.7 : Vue panoramique de la chambre du Roi, au château de Versailles.

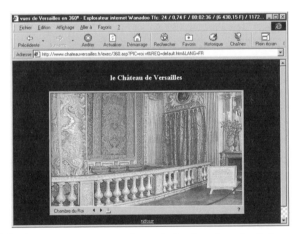

Figure 10.8 : Autre vue panoramique de la chambre du Roi, au château de Versailles.

ActiveX

Il s'agit d'un langage créé par Microsoft qui, apparemment, ne voulait pas être en reste avec Sun. Son principal inconvénient est de n'être réellement supporté que par Internet Explorer. Il existe bien un plug-in pour Netscape, mais, de l'avis des experts, ses fonctionnalités sont approximatives. En outre, même chez Microsoft, ActiveX n'est pleinement utilisable que sous Windows 95/98 et Windows NT. Il en existe toutefois des implémentations pour le Macintosh et certaines moutures d'UNIX.

ActiveX repose sur l'utilisation de modules "préfabriqués" (les contrôles ActiveX) conjointement à un langage de script. Dans une de ses pages Web relatives à ActiveX, Microsoft donne l'exemple suivant, utilisant le contrôle ActiveX IEPopup conjointement à VBScript qui est un langage basé sur VisualBasic (Microsoft) :

```
[...]
<INPUT TYPE="button" NAME="affiche" VALUE="Affiche Popup
➥Menu"
  ALIGN=LEFT>
<SCRIPT LANGUAGE="VBScript">
Sub Affiche_onClick
call IEPopup.PopUp()
End Sub
Sub IEPopup_Click(ByVal x)
Alert "Vous avez cliqué sur l'élément n°" &x
Call IEPopup.RemoveItem(x)
call IEPopup.AddItem("Elément remplacé !", x)
End Sub
</SCRIPT>
    [...]
```

Ici, le problème de la portabilité se pose de façon encore plus critique puisqu'on sait que seul Internet Explorer est capable d'interpréter Visual Basic et ActiveX.

Chapitre 11

Les feuilles de styles
et HTML dynamique

Tous ceux qui ont utilisé un traitement de texte connaissent le principe des feuilles de styles. Il s'agit de modèles permettant une mise en forme automatisée des différentes parties d'un texte selon leur place dans le document : en-tête, titres et sous-titres, paragraphes, listes... Si HTML était, à son origine, surtout préoccupé de rendre la structure d'un texte plutôt que son aspect, on a pu constater qu'il se rapprochait de plus en plus de la PAO, autrement dit que l'apparence de l'écran finissait pas prendre beaucoup d'importance. D'où le souci de trouver un moyen de formaliser la mise en page des documents HTML.

Le W3C, instance officielle ayant en charge le suivi du langage HTML, a publié en 1996 les spécifications d'un langage de *feuilles de styles*, CSS1 (*Cascading Style Sheet version 1*). Depuis, son travail ne s'est pas arrêté et nous en sommes maintenant à CSS3. Malheureusement, il semble bien que les éditeurs de navigateurs aient quelque peu rechigné à suivre le mouvement et même l'implémentation de CSS1 laisse encore beaucoup à désirer, plus de trois ans après sa définition. Nous n'en voulons pour témoignage que la page Web d'Eric Meyer en date du 25 juin 1999 (**http://webreview.com/wr/pub/1999/06/25/style/index.html?wwwrrr_19990625.txt**) de laquelle nous traduisons l'extrait suivant :

```
"Lors de la sortie de Explorer 5, on espérait qu'il
contiendrait des nouveautés et que les bogues de la
version 4 seraient corrigés. Hélas non. [...] La seule
chose réellement intéressante dans Opera 3.6 est que son
support de CSS ne va pas jusqu'à CSS2. [...] Ni Opera ni
Netscape ne disent grand-chose sur leurs intentions
concernant CSS2, préférant se concentrer sur CSS1.
Microsoft en a implémenté quelques parties, mais ne dit pas
grand-chose sur ses projets à ce sujet."
```

CSS est une des plus intéressantes innovations proposées pour améliorer la présentation des pages Web mais, comme on le voit, il serait imprudent, si vous voulez que vos pages soient vues dans de bonnes conditions par le plus de visiteurs possibles, d'en faire un large usage. Dans ce qui suit, on comprendra que nous nous limitions à CSS1.

D'un autre côté, depuis quelques années, un groupe de travail a été créé par le W3C pour définir un *HTML dynamique*. Malheureusement, chacun de leur côté, Netscape et Microsoft avaient déjà réalisé des débuts d'implémentation divergentes dans leurs navigateurs respectifs et, actuellement, chacun est resté sur ses positions. Il en résulte que l'auteur Web doit prévoir dans ses pages deux programmations différentes et activer l'une ou l'autre selon le navigateur qu'il a détecté chez le visiteur.

Chacun de ces thèmes demanderait un livre deux fois plus épais (si ce n'est davantage) que celui que vous avez entre les mains pour être traité à fond. On ne s'étonnera donc pas que nous ne fassions ici qu'effleurer le sujet, renvoyant le lecteur intéressé à la bibliographie de l'Annexe A.

Les feuilles de styles

Dans un traitement de texte, la feuille de styles est sauvegardée en même temps que le document, si bien que si vous transmettez le fichier d'un document à quelqu'un, il pourra l'imprimer de la même façon que vous, même si votre feuille de styles n'est pas installée sur sa machine.

Pendant longtemps, pour réussir une présentation agréable et variée, chacun de leur côté, les auteurs Web ont détourné certaines balises de leur usage originel (<TABLE>, par exemple) et les éditeurs de navigateurs ont créé des extensions au langage. Il en est résulté une certaine confusion, une page, correcte avec Netscape Navigator devenant laide avec Internet Explorer.

Lorsque les feuilles de styles n'existaient pas, certains auteurs Web proposaient à leurs visiteurs des fichiers PostScript ou Acrobat, dont la lecture nécessitait la présence de logiciels spécialisés. L'avantage (encore théorique) des feuilles de styles c'est qu'aucun plug-in ou assistant externe n'est nécessaire : tout est (sera...) dans le navigateur.

Principe des feuilles de styles en cascade

Parmi tous les modèles de feuilles de styles possibles, le W3C a retenu CSS (*Cascading Style Sheet*). Cette idée de "cascade" traduit le fait que des informations provenant de plusieurs feuilles de styles peuvent être réunies et mélangées pour définir la mise en page qui sera appliquée au document HTML. Des règles précises définissent qui l'emporte en cas de spécifications contradictoires dans la réunion de plusieurs feuilles.

Il y a trois sources possibles de feuilles de styles. Elles peuvent être incorporées au document HTML au moyen d'un conteneur <STYLE> ... </STYLE> placé dans la section d'en-tête (<HEAD>). Elles peuvent être contenues dans un document séparé qui aura l'extension .CSS et qui sera chargé par une commande HTML du document à mettre en forme. Enfin, elles peuvent ("pourront" serait peut-être plus exact) être incorporées dans tel ou tel navigateur. Et comme si ce n'était pas suffisant, il est toujours possible de modifier ponctuellement un style.

Que contient une feuille de styles ?

Une feuille de styles est constituée d'une suite de *règles* pouvant s'appliquer à différents niveaux d'un document HTML. Soit à toutes les balises d'un type donné (on peut spécifier, par exemple, que tout ce qui est contenu dans une balise <H3> sera affiché en rouge), soit à une *classe* d'éléments définis à l'aide de l'attribut CLASS=, soit encore uniquement à une certaine balise repérée par un identificateur (attribut ID). Pour fixer les idées, voici un exemple de feuille de styles contenue à l'intérieur d'un document HTML :

```
<HTML>
<HEAD>
<TITLE>Feuille de styles simple</TITLE>

<STYLE>
<!--
H2 {font-family: Arial Black;
    color: #FF0000; text-align: center}
I  {color: green; font-family: "courier new"}
-->
</STYLE>
</HEAD>

<BODY>
<H2>Cela est le titre de la page</H2>
Tout mot du texte en <I>italique</I>, sera affich&eacute;
en vert, sauf
si on utilise la balise &lt;SPAN&gt; comme ici :
<BR>
La mer
<I><SPAN STYLE="color:blue">
M&eacute;dit&eacute;rann&eacute;e</SPAN></I> est bleue.
<HR>
</BODY>
</HTML>
```

Ici, la feuille de styles comporte deux règles. La première indique que les titres `<H2>` seront centrés et affichés en rouge avec une police Ariane Black. La seconde demande que tous les mots en italique (situés dans un conteneur `<I>` ... `</I>`) soient affichés avec une police Courier New et en vert. Mais, dans la dernière phrase, on décide que le mot "Méditerranée" sera affiché en bleu et non pas en vert. Le résultat est présenté (couleur en moins) sur la Figure 11.1.

Figure 11.1 : Utilisation d'une feuille de styles très simple.

Les propriétés de CSS

Les *propriétés* d'une feuille de styles sont comparables aux attributs des balises HTML. Elles s'attachent à différents éléments du document HTML : structure, mise en page, présentation, etc. Il n'est pas facile d'établir une classification rigoureuse, car certaines propriétés sont à cheval sur plusieurs catégories. Néanmoins, on peut établir un classement approximatif que nous allons brièvement passer en revue.

Les blocs

Tout élément HTML peut être considéré comme placé dans un bloc rectangulaire pouvant être entouré par une bordure. Celle-ci est décomposée en deux zones *margin* (la plus extérieure) et *padding* (la plus proche du bloc lui-même). Ces zones peuvent avoir un fond de couleur différente ou transparent, ce qui permet de créer très facilement des marges dans les quatre directions. Les bordures proprement dites peuvent affecter différentes formes et, en particulier, donner une apparence de creux ou de relief.

La notion de bloc est une extension de ALIGN="left" et ALIGN="right" qui permettaient, utilisés avec la balise `<IMG>`, d'incruster une image dans du texte. Ici, on peut même incruster du texte dans du texte. ou faire des recouvrements de blocs de texte.

Les images

Si la balise <IMG> a été conservée par HTML 4.0, une nouvelle balise, <OBJECT>, généralise le concept. (Toutefois, nous avons vu au chapitre précédent que son support laissait encore beaucoup à désirer même dans les navigateurs les plus récents.) Une image est toujours considérée comme un bloc rectangulaire : de ce côté les feuilles de styles n'apportent rien de nouveau. Les images peuvent devenir transparentes (à ne pas confondre avec la notion d'image GIF transparente) et peuvent être superposées au texte. Un arrière-plan en mosaïque n'est plus nécessairement commun à toute une page : on peut en spécifier un différent pour chaque paragraphe, par exemple. L'effet de mosaïque lui-même peut être répété horizontalement, verticalement ou (comme d'habitude) dans les deux sens. Les arrière-plans peuvent être fixes ou se déplacer en même temps que le texte.

Enfin, la position d'une image dans une page peut être contrôlée de façon absolue ou relative par un système de coordonnées rectangulaires, ce qui permet une mise en page précise.

Les couleurs

C'est surtout pour les arrière-plans que l'emploi de la couleur s'assouplit. Les couleurs s'expriment toujours avec les mêmes conventions : soit par une série de noms conventionnels, soit en composantes RGB (rouge, vert, bleu).

Le texte et les polices de caractères

C'est le texte qui est le grand gagnant des feuilles de styles, ce qui est normal puisque, dans une page Web, c'est — rappelons-le — le *contenu* qui est le plus important. Le choix de la police de caractères et de sa force est naturellement possible, mais il y a mieux : on peut contrôler l'espacement entre caractères et leur alignement horizontal par rapport à la ligne de base normale. Entre une police "normale" et une police "grasse", il y a maintenant plusieurs degrés d'épaisseur de caractères.

Le clignotement fait son entrée officielle (ce n'est plus seulement une extension Netscape). Il est possible de contrôler l'indentation positive ou négative d'un paragraphe ou de sa seule première ligne. Enfin, on peut créer facilement des lettrines (initiale du premier mot d'un paragraphe de taille plus grande que le reste du paragraphe).

Les listes

Elles n'ont pas bénéficié de beaucoup d'améliorations. La plus marquante est la possibilité, pour les listes non ordonnées, d'utiliser des images au lieu de la classique puce (gros point, disque ou petit carré).

Autres

La plus grande nouveauté est sans doute la généralisation du positionnement des éléments dans la page et de leur ordre de superposition (ce qui permet de réaliser des effets de masque ou de transparence. Citons également la possibilité d'afficher les espaces consécutifs en tenant compte de leur nombre.

Exemple d'application

Nous avons choisi de vous présenter le célèbre poème d'Arthur Rimbaud, *Voyelles*, dans une mise en page assez simple, mais difficile à obtenir sans l'usage de feuille de styles. Sur l'écran, les voyelles colorées le sont effectivement, ce que l'impression en noir et blanc de ce livre ne permet pas de vérifier. Les propriétés du texte ainsi que le positionnement sur l'écran sont intensément exploitées. La Figure 11.2 montre le résultat obtenu avec Netscape Navigator qui est conforme aux commandes de la feuille de styles. De son côté, Internet Explorer (voir Figure 11.3) prend avec celle-ci certaines libertés et il en résulte quelques différences dans la mise en page définitive. (Voyez en particulier le "V" du titre vertical dont le haut est mangé.) Enfin, Opera 3.60 fait ce qu'il peut, mais est incapable de placer le titre vertical et le poème côte-à-côte.

```
<HTML>
<HEAD>
<TITLE>Voyelles</TITLE>
</HEAD>
<STYLE TYPE="text/css">
#titre {position:absolute; left:15; top:0; width:50px;
        height:350px; font-family: toto, brush, kaufman,
        ➥"snap ITC";
        font-size: 48pt; line-height: 50%; text-align:
        ➥center;}
#texte {position:absolute; left:100; top:20;
➥margin-right:15%;
        font-size:14pt;}
</STYLE>
<BODY>

<SPAN
```

```
ID="titre">V<BR>O<BR>Y<BR>E<BR>L<BR>L<BR>E<BR>S</SPAN>
<SPAN ID="texte">
A Noir, <SPAN STYLE="background-color: black; color:
white">E</SPAN> blanc, <SPAN STYLE="color:red">I</SPAN>
rouge, <SPAN STYLE="color:green">U</SPAN> vert, <SPAN
STYLE="color:blue">O</SPAN> bleu : voyelles,<BR>
Je dirai quelque jour vos naissances latentes :<BR>
A, noir corset velu des mouches éclatantes<BR>
Qui bombinent autour des puanteurs cruelles,<BR><BR>
Golfes d'ombre ; E, candeurs des vapeurs et des
tentes,<BR>
Lances des glaciers fiers, rois blancs, frissons
d'ombelles ;<BR>
I, pourpres, sang craché, rire des lèvres belles<BR>
Dans la colère ou les ivresses pénitentes ;<BR><BR>
U, cycles, vibrements divins des mers virides,<BR>
Paix des pâtis semés d'animaux, paix des rides<BR>
Que l'alchimie imprime aux grands fronts
studieux;<BR><BR>
O, suprême Clairon plein des strideurs étranges,<BR>
Silences traversés des Mondes et des Anges :<BR>
- O l'Oméga, rayon violet de Ses Yeux !<BR>
<P><SPAN STYLE="text-align:right; margin-right:25%">
<I>Arthur Rimbaud</I></SPAN></P></SPAN>
</BODY>
</HTML>
```

Figure 11.2 : "Voyelles" magnifié par Netscape Navigator 4.03.

Figure 11.3 : "Voyelles" quelque peu trahi par Internet Explorer 4.0.

Dans l'état actuel des choses, on voit bien qu'il est toujours peu prudent d'utiliser des feuilles de styles dans une page Web.

HTML dynamique

Dynamic HTML a pour but de rendre les pages HTML vivantes, pouvant se modeler selon le désir de l'auteur Web ou le caprice du visiteur. Si l'idée paraît excellente, sa réalisation ne laisse pas d'inquiéter car, chacun de son côté, Netscape et Microsoft ont plus que jamais joué les frères ennemis et ont choisi une approche différente, naturellement incompatible.

L'approche de Microsoft

Elle a l'avantage de s'appuyer sur un ensemble de recommandations du W3C et ne fait appel à aucune balise nouvelle. Elle met principalement en œuvre JavaScript rebaptisé ici JScript et doté de très nombreuses primitives spécialisées. Une de ses particularités sans doute la plus intéressante est de permettre de modifier dynamiquement n'importe quelle propriété d'un élément HTML. Ainsi, `document.all.min.style.left` permet de modifier l'abscisse de l'objet dont l'identificateur est min. Le listing ci-dessous montre comment on peut ainsi faire tourner deux boules imitant les aiguilles d'une pendule, la plus extérieure (`min`) avançant d'une fraction de tour à chaque tour de la plus intérieure (`sec`). Les Figures 11.4 et 11.5 montrent deux "instantanés" de la pendule en mouvement.

```
<HTML>
<HEAD>
<TITLE>Sommaire</TITLE>
<SCRIPT TYPE="text/javascript">
pi = 3.1416
degrad = pi/180
seconde = 0
minute = 0
s = -1
function pendule()
{ if (seconde == 0)
  { trotte(130, minute)
    document.all.min.style.left = x + 205
    document.all.min.style.top = y + 155
    minute += 6
    s++
  }
  trotte(90, seconde)
  document.all.sec.style.left = x + 220
  document.all.sec.style.top = y + 170
  seconde += 6
  seconde = seconde % 360

  setTimeout("pendule()", 10)
}

function trotte (r, v)
{ x = Math.floor(r * Math.cos((v-90) * degrad))
  y = Math.floor(r * Math.sin((v-90) * degrad))
}
</SCRIPT>
</HEAD>

<BODY onLoad="pendule()">
<H2>Réalisation d'une pendule animée</H2>
<IMG ID=sec SRC="apple.gif" STYLE="position:absolute;
top:150; left:200">
<IMG ID=min SRC="clock.gif" STYLE="position:absolute;
top:150; left:200">

</BODY>
</HTML>
```

Netscape n'ayant pas implémenté ce type d'approche des propriétés d'un élément HTML, la seule chose qu'on obtiendra en tentant de charger cette page sur Netscape Navigator, c'est l'affichage de deux boules, côte à côte, immobiles.

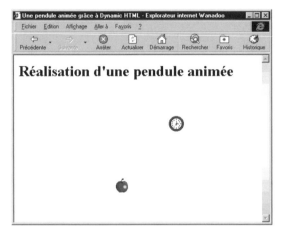

Figure 11.4 : Une vue de la pendule en pleine activité.

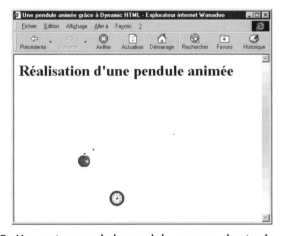

Figure 11.5 : Une autre vue de la pendule, un peu plus tard.

L'approche de Netscape

Netscape a préféré une approche par couches (les *layers*). Il s'agit d'objets plans possédant un certain nombre de propriétés : dimension, couleur, contenu, visibilité. Ils sont apparus à partir de la version 4.0 de Netscape Navigator. Trois nouvelles balises ont été créées pour gérer ces objets. Sans aller plus avant, nous nous contenterons de présenter le listing ci-dessous qui permet d'afficher l'écran reproduit sur la Figure 11.6 et traduit bien la notion d'emboîtement propre à cette approche.

```
<HTML>
<HEAD>
<TITLE>Quo non descendam</TITLE>
</HEAD>
<BODY>

<H2>L'ascenseur en panne</H2>
Une fois parvenu au sommet de la tour, je voulus
redescendre.
Hélas, l'ascenseur étant en panne, il fallut utiliser
l'escalier.
<P>Ah ! que de marches,
<ILAYER LEFT=20% TOP=0><BR>de marches,
 <ILAYER LEFT=10% TOP=0><BR>de marches,
  <ILAYER LEFT=10% TOP=0><BR>de marches,
   <ILAYER LEFT=10% TOP=0><BR>de marches,
    <ILAYER LEFT=10% TOP=0><BR>de marches,
     <ILAYER LEFT=10% TOP=0><BR>de marches,
      <ILAYER LEFT=10% TOP=0><BR>de marches...
      </ILAYER>
     </ILAYER>
    </ILAYER>
   </ILAYER>
  </ILAYER>
 </ILAYER>
</ILAYER>

</BODY>
</HTML>
```

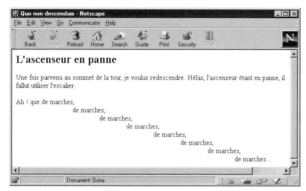

Figure 11.6 : Un long escalier à descendre...

Bien entendu, avec Internet Explorer, comme avec Opera, les mots "de marches," sont alignés l'un au-dessous de l'autre et tout l'effet d'escalier disparaît.

L'approche d'Opera

Elle est inexistante. Même dans sa version 3.60, Opera ne reconnaît aucune des deux approches que nous venons de décrire brièvement.

Conseils pratiques

L'absence de portabilité actuelle de Dynamic HTML contraint l'auteur Web respectueux de ses utilisateurs à continuer de se priver de ce puissant apport aux pages Web. Si, toutefois, il décide de passer outre à cette recommandation, signalons qu'il y a un moyen, grâce à un petit script écrit en JavaScript, et que nous verrons de près au Chapitre 12, de reconnaître le type de navigateur utilisé par le visiteur.

Chapitre 12

JavaScript

JavaScript n'est pas un Java "décaféiné". C'est un petit langage de script, bâtard de C et de BASIC, et réalisé initialement par Netscape. Il a été ensuite implémenté par Microsoft sous le nom de JScript. Il existe quelques différences entre l'interprétation de certaines instructions par ces deux navigateurs.

Dico

Un *script* est un petit programme généralement écrit dans un langage particulier et le plus souvent chargé d'effectuer certaines fonctions système.

Caractéristiques du langage

JavaScript est un langage complètement interprété, ce qui le rend compatible avec toutes les machines, à condition que leur navigateur dispose d'un interpréteur JavaScript. Ce n'est pas réellement un langage objet, mais plutôt un langage *teinté d'objet* et dont les ambitions sont limitées. Le tableau suivant résume quelques-unes des caractéristiques comparées de Java et JavaScript :

Java	JavaScript
Créé par Sun Microsystems	Créé par Netscape
Compilé sur le serveur	Interprété sur le client
Fortement orienté objet	Légèrement teinté objet
Notion d'héritage généralisé	Pas d'héritage
Code indépendant du document HTML	Code inclus dans le document HTML
Langage fortement typé	Langage pauvrement typé

Java	JavaScript
Permet d'écrire de véritables applications	Limité à de petits traitements
Moyennement sécurisé	Fortement sécurisé
Compliqué (niveau C++)	Bon enfant (du BASIC à peine évolué)
Exécution peu rapide	Exécution plutôt lente
S'adresse plutôt à des professionnels	Accessible à des amateurs

En ce qui concerne sa syntaxe, bien qu'empruntant un certain nombre d'éléments au langage C, elle reste à un niveau simple. Ni pointeurs, ni points-virgules, ni entrées-sorties, ni gestion de mémoire. Des structures de boucle (for, while). Deux types de variables : numériques et chaînes de caractères, qui peuvent facilement être converties entre elles. Un script JavaScript peut facilement accéder à des éléments du document HTML qui l'héberge, car le langage a été conçu pour cohabiter avec le HTML.

Incorporation de scripts dans une page Web

On utilise pour cela le conteneur <SCRIPT> ... </SCRIPT> à l'intérieur duquel vont se trouver, en clair, toutes les instructions du script. Celles-ci peuvent s'exécuter au moment du chargement du document HTML, mais les fonctions contenues dans un script peuvent aussi être appelées dans le cours d'un document HTML. Une des fonctions habituelles des scripts consiste, par exemple, à vérifier les éléments tapés par un utilisateur dans un formulaire et à contrôler leur validité. Si tout est correct, le formulaire est envoyé au serveur. Dans le cas contraire, un message est affiché pour renseigner l'utilisateur et lui indiquer ce qu'il doit corriger. Cette méthode est bien plus légère (elle charge moins l'Internet) que l'antique procédé qui consistait à appeler un script CGI situé sur le serveur.

Pour cela, un script a la faculté de créer des petites fenêtres auxiliaires destinées à afficher ses messages, afin de ne pas parasiter la mise en page du document HTML dans lequel il se trouve. Voici un exemple de script très simple, dont la fonction est identique à l'applet que nous avons présentée pour Java :

```
<HEAD>
<SCRIPT LANGUAGE="JavaScript">
<!--
function salut()
{ alert("Salut les copains !")
```

```
}
// -->
</SCRIPT>
</HEAD>
```

L'appel de ce script s'effectue en cliquant sur un bouton de formulaire :

```
<BODY>
<FORM NAME="form1">
<INPUT TYPE="button" NAME="bout1" VALUE="Salut !"
➥onClick="salut()">
</FORM>
</BODY>
```

Le résultat est affiché sur la Figure 12.1

Figure 12.1 : "Hello world" en version JavaScript.

Il existe un conteneur, `<NOSCRIPT>`, qui permet d'afficher un message lorsque le visiteur d'une page utilise un navigateur incapable de comprendre JavaScript.

Exemple de script JavaScript

En raison de sa liaison très étroite avec HTML, JavaScript est probablement le meilleur moyen d'agrémenter une page Web. Nous allons vous présenter à titre exemple un calendrier semi-perpétuel (valable seulement pour la décennie en cours). Lorsque l'utilisateur charge la page Web de ce calendrier, il voit deux boîtes de sélection qui lui permettent de choisir l'année et le mois dont il veut afficher le calendrier. Après avoir cliqué sur le bouton Affichez, une petite fenêtre s'ouvre (voir Figure 12.2), dans laquelle est affiché le calendrier du mois en cours, mis en page de façon exacte. En cliquant sur le bouton Effacez, la petite fenêtre disparaît.

Le listing suivant présente le script que nous n'avons malheureusement pas la place de commenter en détail ici.

```
<HTML>
<HEAD>
<TITLE>Calendrier (semi) perpétuel</TITLE>

<SCRIPT LANGUAGE="JavaScript">
<!--
jamais=true
decalage=0
function creer(An, Mois)
{ if (An == -1)
  { cal.close()
    return
  }
  jours = new Array("Lundi", "Mardi", "Mercredi",
                    "Jeudi", "Vendredi", "Samedi",
"Dimanche")
  mois = new Array(31, 28, 31, 30, 31, 30, 31, 31, 30,
31, 30, 31)
  nom_mois = new Array("janvier", "février", "mars",
                       "avril", "mai", "juin", "juillet",
                       "août", "septembre", "octobre",
                       "novembre", "décembre")
  annee = new Array(0, 1, 2, 4, 5, 6, 0, 2, 3, 4, 5)
  //                90 91 92 93 94 95 96 97 98 99 00

  an_veritable = 1990 + An
  if ((an_veritable % 4 == 0) && (an_veritable % 100 != 0)
       || (an_veritable % 400 == 0)) bissex = 1
                                    else bissex = 0
  correction = Mois > 1 ? bissex : 0
  nb_de_jours = annee[An] +  correction

  for (i=0; i<Mois; i++)
   nb_de_jours += mois[i]

  jour_de_la_semaine = nb_de_jours % 7
//-----------------------------------------
  if (jamais) jamais =false
  cal = open("", "ABCD",
"height=220,width=450,scrollbars=yes")
  cal.document.write("<TABLE BORDER=1>")
  cal.document.write("<CAPTION><B>" + nom_mois[Mois] + "
- " +
                     (An+1990) +  "</B></CAPTION>")
  cal.document.write("<TR>")
  for (i=0; i<7; i++)
```

```
    cal.document.write("<TH WIDTH=67>" + jours[i] + "</TH>")
  cal.document.write("</TR>")
  for (i=0, debut=1, bascule=false; i<6; i++)
  { cal.document.write("<TR ALIGN=center>")
    for (j=0; j<7; j++)
    { if (i == 0 && j == jour_de_la_semaine) bascule = true
      if (bascule)
        cal.document.write("<TD WIDTH=70>" + debut++
        ➡+ "</TD>")
      else cal.document.write("<TD WIDTH=70> </TD>")
      if ((Mois != 1 && debut > mois[Mois]) ¦¦
        (Mois == 1 && debut > mois[Mois] +  bissex))
          ➡bascule = false
    }
    cal.document.write("</TR>")
    if (! bascule) break
  }
  cal.document.write("</TABLE><HR>")
  cal.scroll(0, decalage)
  decalage += 300
}
// -->
</SCRIPT>
</HEAD>

<BODY onUnload="window.creer(-1)">
<DIV ALIGN=CENTER><H1>Mon calendrier de la décennie</H1>

<FORM NAME="CAL">
Choisissez l'année :
<SELECT NAME="an" SIZE=5>
<OPTION VALUE=0> 1990
<OPTION VALUE=1> 1991
<OPTION VALUE=2> 1992
<OPTION VALUE=3> 1993
<OPTION VALUE=4> 1994
<OPTION VALUE=5> 1995
<OPTION VALUE=6> 1996
<OPTION VALUE=7> 1997
<OPTION VALUE=8 SELECTED> 1998
<OPTION VALUE=9> 1999
<OPTION VALUE=10> 2000
</SELECT>
et le mois :
<SELECT NAME="mois" SIZE=5>
<OPTION VALUE=0> janvier
<OPTION VALUE=0> février
<OPTION VALUE=0> mars
<OPTION VALUE=0> avril
```

```
<OPTION VALUE=0> mai
<OPTION VALUE=0> juin
<OPTION VALUE=0> juillet
<OPTION VALUE=0> août
<OPTION VALUE=0> septembre
<OPTION VALUE=0 SELECTED > octobre
<OPTION VALUE=0> novembre
<OPTION VALUE=0> décembre
</SELECT>
<P>
<INPUT TYPE="button" NAME="choix" VALUE="Affichez"
       onClick="creer(document.CAL.an.selectedIndex,
                       document.CAL.mois.selectedIndex)">
<INPUT TYPE="reset" VALUE="Effacez" NAME="nul"
⇒onClick="creer(-1)">
</FORM>
</DIV>
</BODY>
</HTML>
```

Figure 12.2 : Ce que voit l'utilisateur quand il a choisi son année et son mois.

Nous nous bornerons à quelques explications sommaires. Le corps du document HTML est essentiellement constitué par un formulaire dans lequel on ne trouve ni ACTION ni METHOD. Nous avions signalé cette possibilité au Chapitre 8. Ici, ce qui nous intéresse, ce sont les boîtes de sélection (balise <SELECT>) et les boutons (balise <INPUT> avec les attributs TYPE="button" et TYPE="reser". Les boîtes de sélection permettront de définir l'année et le mois, donc la valeur des variables an et mois. Le clic sur le bouton Affichez appelle le script `creer()` par l'attribut `onClick()` en passant les deux valeurs `document.CAL.an.selectedIndex` et `document.CAL.mois.selectedIndex` qui représentent respectivement les variables `an` et `mois` dans la convention JavaScript.

La fonction `creer()` commence par effectuer quelques calculs pour tenir compte, en particulier, des années bissextiles. Elle crée ensuite la fenêtre dans laquelle sera affiché le calendrier :

```
open("", "ABCD", "height=220,width=450,scrollbars=yes"
```

Dans cette fenêtre, elle compose dynamiquement, une par une, les commandes HTML définissant un tableau qui servira à afficher le calendrier du mois. Ce sont ces commandes qui seront interprétées par le navigateur pour afficher ce qu'a demandé le visiteur.

Lorsque celui-ci charge une autre page, la fenêtre supplémentaire est détruite :

```
<BODY onUnload="window.creer(-1)"
```

Ce script s'exécute parfaitement avec Netscape Navigator, Internet Explorer (à partir de la version 4.0) et Opera 3.60.

Comment reconnaître le navigateur utilisé par le visiteur

JavaScript permet facilement de reconnaître le navigateur (Netscape Navigator, Internet Explorer, Opera, etc.) utilisé par le visiteur afin d'adapter éventuellement un script écrit dans ce langage ou exploitant DHTML. L'objet Navigator possède deux propriétés pouvant être utilisées à cette fin, pourvu que l'éditeur du navigateur les ait correctement initialisées dans son implémentation de JavaScript. Voici leurs valeurs pour les trois navigateurs que nous avons suivis jusqu'ici :

Navigateur	*navigator.appName*	*navigator.appVersion*
Netscape Navigator 4.7	Netscape	4.7 [fr] (Win98; I)
Internet Explorer 5.0	Microsoft Internet Explorer	4.0 (compatible, MSIE 5.0, Windows 98)
Opera	Netscape	3.0 (Win95,I)

Le problème se complique étant donné le faux nez qu'arbore Opera, lequel cherche à ressembler à Netscape. Et en outre, il annonce "Win95" bien que l'on tourne sous Win98 ! A qui se fier ? Aussi, la seule façon de distinguer le vrai Netscape Navigator, c'est de tester la présence d'un crochet ouvrant. (Il ne faut pas tester sur "fr" qui représente la langue utilisée par le navigateur, car le test serait incorrect pour un Netscape Navigator américain.) Finalement, on arrive au document HTML suivant :

```
<HTML>

<HEAD>
<TITLE>Quel navigateur ?</TITLE>
<SCRIPT LANGUAGE="JavaScript">
function qui()
{ if (navigator.appName.indexOf("Microsoft") != -1)
   nom = "Internet Explorer"
  else
   nom = (navigator.appVersion.indexOf("[") == -1) ?
   ➥"Opera" : "Netscape"
   document.write ("<H2>Votre navigateur est " + nom
   ➥+"</H2>")
}
</SCRIPT>
</HEAD>

<BODY onLoad="qui()">
</BODY>

</HTML>
```

Astuce

Vous pourrez trouver une étude détaillée de ce problème avec un script tout prêt à l'emploi sous le titre "The Ultimate JavaScript Client Sniffer" à l'URL **http://developer.netscape.com/docs/examples/javascript/browser_type .html**.

En résumé

JavaScript est réellement un langage conçu pour le Web puisqu'il ne peut exister en dehors d'un document HTML. Il reste d'un emploi simple et, s'il est loin de la "puissance" de Java, ses possibilités cadrent tout à fait avec le contexte HTML. Comme pour Java, il ne peut cependant pas être compris de tous les navigateurs, certains ne disposant pas de l'interpréteur approprié. Nos deux ténors, Netscape Navigator et Internet Explorer, le comprennent parfaitement, mais avec quelques différences dans l'interprétation de certaines instructions.

Sur le plan de la sécurité, JavaScript est beaucoup moins dangereux que Java, tout le mal qu'il puisse faire étant de bloquer la machine sur laquelle il tourne, sans causer de dommages aux fichiers qu'elle abrite. N'étant pas conçu pour faire des calculs, sa lenteur n'est pas vraiment un défaut. Enfin, sa simplicité d'écriture ne requiert pas de grands talents de programmeur, le mettant ainsi plus facilement à la disposition de l'auteur Web que son cousin Java, pour lequel mieux vaut être un athlète complet de la programmation.

Le lecteur intéressé par l'écriture de scripts en JavaScript trouvera quelques références bibliographiques utiles à l'Annexe A.

Chapitre 13

Exemple complet
d'une présentation Web

Au cours de ce chapitre, nous allons illustrer les notions générales concernant la conception et l'écriture que nous avons exposées au cours des précédentes heures avec la construction d'une page consacrée à une association loi de 1901 de collectionneurs de motos anciennes : l'AMGR (Amicale des Motos Gnome & Rhône). Cette association existe réellement et sa véritable présentation peut être consultée à l'URL **http:// www.multimania.com/amgr/amgr.htm**.

Choix des options générales

L'un des principaux soucis des associations sans but lucratif est de se faire connaître, d'abord pour une question de notoriété, ensuite et surtout, pour recruter des adhérents. Question de représentativité et souci de faire du prosélytisme : on aime bien faire partager sa passion. Comme ces associations ne disposent que d'un maigre budget, pas question de s'adresser à des professionnels de la communication. Ce faisant, elles acceptent implicitement de sacrifier la qualité globale de la mise en page et des graphismes. Elles font généralement plus que l'accepter : elles le demandent, sachant que la plupart de ceux qui s'intéressent à un "hobby" comme la restauration des motos anciennes ou autre ne sont pas des forcenés de l'informatique et de l'Internet, soucieux d'exploiter la toute dernière version des navigateurs usuels. L'essentiel, pour ces associations, c'est de pouvoir être vu dans de bonnes conditions par le plus grand nombre de gens et non pas de jeter de la poudre aux yeux par une présentation clinquante, pétillante et défilante. Donc : ni Java ni JavaScript !

L'hébergement

Il peut paraître singulier de commencer par cette préoccupation qui vient d'habitude en dernier. Pourtant, dans notre cas, il est primordial. A l'époque où ce site Web a été conçu (1996), on ne parlait pas encore de fournisseurs d'accès gratuit et, faute de trouver un hébergement gratuit, nous aurions été contraints de renoncer. Les bons présidents d'association pensent généralement que les cotisations des membres doivent être utilisées en priorité pour leur fournir des services et non pour réaliser une communication dispendieuse, qu'elle se fasse sous forme de bulletins imprimés sur papier glacé, avec de nombreuses photos imprimées en similigravure ou de présentation Web à la mise en page élégante et colorée.

Comme l'indique son URL, nous avons choisi MultiMania pour héberger cette présentation. A l'époque, nous avions choisi Mygale (devenu depuis MultiMania) qui proposait 10 Mo d'espace disque pour des sites non commerciaux. Aujourd'hui, c'est 12 Mo que propose MultiMania et même 20 pour ceux dont la présence est effective chez eux depuis plus d'un an. C'est largement suffisant pour une présentation qui comporte essentiellement du texte et d'assez nombreuses images. De toute façon, il est primordial d'éviter des images de grande dimension. Quant aux animations ou fichiers audio (poum ! poum !), mieux vaut n'y pas penser. Nous verrons au Chapitre 15 qu'à l'heure actuelle, le choix d'un site d'hébergement gratuit n'est pas aussi ardu qu'on pourrait le craindre.

Les sujets à aborder

La première des choses à faire lorsqu'on veut créer un *site Web*, c'est de définir son contenu et sa structure.

Pour toute association 1901, on peut retenir les quelques objectifs généraux suivants auxquels viendront s'ajouter, dans le cadre de la nôtre, quelques points plus spécifiques :

- objectifs de l'association ;
- historique ;
- statuts ;
- activités ;
- adhésion ;
- petites annonces ;
- page de liens vers d'autres associations poursuivant des buts analogues.

La restauration des motos anciennes suppose le remplacement de certaines pièces dites "d'usure" : caoutchoucs, décorations, engrenages... qu'on ne trouve évidemment plus dans le commerce. L'AMGR propose donc à ses adhérents des pièces détachées refabriquées ainsi que de la documentation technique.

Le club organise diverses manifestations : expositions, rassemblements, rallyes... Enfin, il diffuse 5 à 6 bulletins par an. Tout cela nous amène à compléter ainsi les rubriques de notre présentation :

- documentation ;
- refabrications ;
- calendrier des manifestations ;
- le bulletin.

Certaines de ces rubriques pourront être rapidement construites ; d'autres seront réalisées petit à petit.

Les documents dont on dispose

L'AMGR possède une riche documentation historique et technique et de nombreux documents photographiques et dessins. Mais naturellement, rien de tout cela n'existe sous forme informatique. Il faudra donc utiliser un scanner pour numériser les images et le texte et ensuite, un système d'OCR (reconnaissance de caractères) pour transcrire les documents techniques. La baisse de prix des scanners à plat au format A4 les amène, fin 1999, à des prix compris entre 600 et 1 500 F TTC sans perte appréciable de qualité.

Structure générale de la présentation

Une fois ces éléments définis, on voit que nous sommes en face d'une arborescence simple puisque chacune des rubriques que nous avons définies est indépendante des autres. Pour l'instant, nous pensons qu'un seul document HTML par rubrique devrait être suffisant. A partir de la page d'accueil, on peut alors imaginer un menu de liens conduisant vers chacune des pages. Au bas de chaque page, un renvoi vers la page d'accueil permettra ensuite au visiteur de repartir dans une autre rubrique de son choix. C'est l'organisation illustrée au Chapitre 2 par la Figure 2.3.

Première esquisse

Avant d'aller plus loin, nous allons nous emparer de notre éditeur HTML[1] et aligner quelques commandes, histoire d'avoir un avant-goût du résultat. Inutile d'aller plus loin que la page d'accueil pour le moment. Nous créerons plus tard les appels de liens nécessaires pour visiter les rubriques proposées.

---

1. Nous présenterons quelques éditeurs HTML au Chapitre 14 et la Partie II sera consacrée à détailler l'un d'eux : FrontPage Express.

La page d'accueil

En quelque dix minutes, nous obtenons un fichier que nous appellerons ACCUEIL1.HTM qui, chargé dans Netscape Navigator, nous présente ce que montre la Figure 13.1. Nous avons conservé les bordures du tableau de mise en page pour mieux apprécier les corrections à effectuer. Objectivement, il y a pas mal de critiques à formuler :

- C'est peu engageant : la présentation de l'association est terne, le style est plat et l'ensemble est trop succinct.
- Cette page manque totalement de personnalité.
- Les rubriques sont présentées dans le désordre.
- Il y a une faute de frappe (*refacrications*).

Premières améliorations

Nous allons nous efforcer de mettre un peu d'ordre dans nos rubriques, en même temps que nous améliorerons la présentation du texte au moyen d'images. Tout groupement, commercial ou non, a un logo qui constitue sa personnalité. L'AMGR n'y échappe pas et utilise à cette fin la reproduction d'un document publicitaire datant des années 30 (voir Figure 13.2). Grâce à un scanner, nous allons le numériser dans un format réduit (190 × 280, soit 27 Ko) pour que le temps de chargement ne soit pas trop long. Ensuite, avec un logiciel de dessin tel que PaintBrush, Paint Shop Pro ou autre, nous en tirerons une silhouette (voir Figure 13.3) qui sera repeinte en gris léger pour ne pas masquer le texte affiché et qui nous servira à faire des fonds de page par effet de mosaïque. L'arrière-plan de cette image GIF sera défini comme étant transparent.

En outre, nous allons utiliser deux icônes d'environ 30 × 30 pixels pour symboliser téléphone et fax et nous effectuerons de menues corrections stylistiques. Sans recherche particulière dans la mise en page, nous aboutissons alors à ce que montre la Figure 13.4.

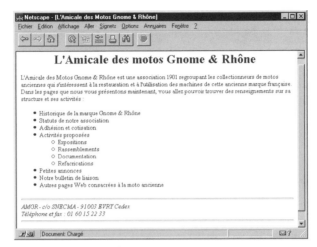

Figure 13.1 : Le premier essai.

Figure 13.2 : Le logo de l'AMGR.

Figure 13.3 : Silhouette qui servira à créer des fonds de page.

Figure 13.4 : Premières améliorations de la page d'accueil de l'AMGR.

Autres améliorations

Un premier constat s'impose : notre logo est bien trop grand par rapport au texte puisque la page d'accueil dépasse nettement la taille d'un écran de petite dimension (le format affiché est de 632×585 pixels). Il faut éviter que le lecteur ait à faire défiler la page d'accueil pour en percevoir l'essentiel. Nous allons donc tenter de placer le logo et le texte côte à côte. Nous obtenons alors ce que montre la Figure 13.5.

Cette fois, l'ensemble est plus harmonieux et surtout plus réduit. Nous avons utilisé une police de corps 4 (en unités HTML) pour afficher le court texte de présentation afin qu'il ressorte mieux. L'utilisation d'un conteneur <TABLE> nous a permis de placer côte à côte le logo et tout le texte comme on peut le voir dans le listing ci-dessous :

```
<HTML>
<HEAD>
<TITLE>L'Amicale des Motos Gnome &amp; Rhône</TITLE>
</HEAD>

<BODY BACKGROUND="amgr.jpg" BGCOLOR="white">
<DIV ALIGN=CENTER>
<H1>L'Amicale des Motos Gnome &amp; Rhône</H1>
</DIV>
```

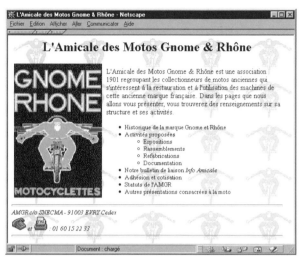

Figure 13.5 : La page d'accueil se présente mieux ainsi.

```
<TABLE ALIGN="CENTER">
<TR>
<TD>
 <IMG SRC="logo.gif" WIDTH="190" HEIGHT="280" ALT="Logo
de
  l'AMGR">
</TD>
<TD>
 <FONT SIZE=4>
L'Amicale des Motos Gnome &amp; Rhône est une association
1901 regroupant les collectionneurs de motos anciennes
qui
s'intéressent à la restauration et à l'utilisation des
machines de cette ancienne marque française. Dans les
pages
que nous allons vous présenter, vous trouverez des
renseignements sur sa structure et ses activités.
</FONT>
 <UL>
  <LI>Historique de la marque Gnome et Rhône
  <LI>Activités proposées
   <UL>
    <LI>Expositions
    <LI>Rassemblements
    <LI>Refabrications
    <LI>Documentation
   </UL>
  <LI>Notre bulletin de liaison <I>Info Amicale</I>
```

```
<LI>Adhésion et cotisation
<LI>Statuts de l'AMGR
<LI>Autres présentations consacrées à
la moto
</UL>
</TD>
</TR>
</TABLE>

<HR SIZE="3" ALIGN="center" >

<ADDRESS>
AMGR c/o SNECMA - 91003  EVRY Cedex
<BR>
<IMG SRC="phone.gif" WIDTH="32" HEIGHT="28"
ALT="Téléphone"> et
<IMG SRC="fax.gif" WIDTH="30" HEIGHT="31"
ALT="Télécopie"> :
   01 60 15 22 33
</ADDRESS>

<HR SIZE="3" ALIGN="center">

</BODY>
</HTML>
```

Info

L'indication des dimensions des images à charger permet un affichage de la page plus rapide, car le navigateur connaît à l'avance l'espace à ménager dans la fenêtre et peut afficher le texte tout en continuant de charger la ou les images. La plupart des bons éditeurs HTML insèrent automatiquement ces indications.

Vous remarquerez que nous avons scrupuleusement utilisé l'option ALT= dans les marqueurs d'image afin que les visiteurs ayant désactivé le chargement des images aient néanmoins une idée de ce qu'ils ont manqué.

Doit-on aller plus loin ?

Si cette présentation a le mérite de la clarté, il faut bien reconnaître que sur le plan graphique, elle manque nettement d'allure. Nous pourrions certainement l'améliorer en demandant à certains des membres de l'Association, connus pour leurs talents de dessinateur, de nous proposer une maquette plus esthétique. Mais est-ce bien nécessaire ? Nous ne concourons pas pour les Webs d'Or et le public que nous cherchons à atteindre est davantage sensible au contenu de nos pages qu'à leur présentation, tant qu'elle reste claire.

Astuce

N'oubliez pas que le contenu doit prendre le pas sur le contenant. Dans une présentation à vocation utilitaire (la présentation d'une association qui ne poursuit pas de buts artistiques), il y a un juste équilibre à trouver entre l'attrait de la page et l'intérêt des informations qu'elle propose. Ce ne serait pas le cas d'une page à vocation artistique ou graphique pour laquelle il serait préférable de se faire aider par un véritable graphiste ayant le sens des formes et des couleurs.

C'est pourquoi, nous choisissons d'en rester presque là pour cette page d'accueil. La seule amélioration que nous apporterons sera l'utilisation d'un fond coloré, de teinte assez légère, à l'aide de l'attribut `BGCOLOR=`. Comme ce livre est imprimé en noir et blanc, il est inutile d'afficher le résultat obtenu.

Autre version

Comme nous l'avons vu au Chapitre 9, utiliser ou non des frames peut poser problème. Rappelons que cet artifice consiste à diviser la fenêtre principale en plusieurs zones (cadres) rectangulaires indépendantes. De la sorte, certains peuvent rester constamment affichés alors que d'autres changent au gré des clics du visiteurs. C'est très pratique pour garder le même menu de navigation affiché en permanence.

Si on pense que les visiteurs qu'on souhaite intéresser utilisent des navigateurs récents, on peut s'y risquer. Actuellement, il est probable que 80 % des navigateurs en service sont capables d'interpréter correctement ce mode de présentation. Aussi allons-nous modifier nos pages en utilisant des frames. La Figure 13.6 montre une autre version de la même page d'accueil dans laquelle le volet de gauche contient un menu qui a été formé avec des éléments graphiques. Pourquoi une telle complication apparente alors que ce menu se présente comme du texte ? Pour deux raisons : d'abord parce que ce qui s'affiche ainsi ne dépend pas des polices réellement installées dans la machine du visiteur ; ensuite, parce que l'utilisation d'une police étroite nous permet de laisser davantage de place pour la fenêtre de droite qui contient les informations utiles et changeantes.

Figure 13.6 : Version de la page d'accueil utilisant des frames.

La page d'accueil

Voici les listings des trois fichiers nécessaires pour composer cette page d'accueil :

- Le fichier de définition du frameset, AMGRNEW.HTM, qui contient un court texte explicatif à l'usage des visiteurs dont le navigateur ne supporte pas les frames.

- Le fichier de navigation, NAVIGA.HTM, qui contient les appels de liens nécessaires pour atteindre les différentes rubriques proposées.

- Le fichier de présentation générale, PRESENTA.HTM, qui contient le court texte de présentation de la page d'accueil proprement dite.

```
AMGRNEW.HTM
<HTML>
<HEAD>
<TITLE>L'Amicale des Motos Gnome &amp; Rhône</TITLE>
</HEAD>
<FRAMESET COLS="110,*">
<FRAME SRC="naviga.htm"  NAME="naviga"  MARGINWIDTH="0"
SCROLLING="auto">
  <FRAMESET ROWS="46,*">
   <FRAME SRC="vide.htm"  NAME="sous_menu" NORESIZE>
   <FRAME SRC="presenta.htm"  NAME="presenta"
   MARGINWIDTH="5" MARGINHEIGHT="0">
  </FRAMESET>
```

```
</FRAMESET>
<NOFRAMES>
<BODY BGCOLOR="#EEDD99" BACKGROUND="gnomq.gif">
<DIV ALIGN=CENTER>
<FONT COLOR="red" SIZE=5>
Désolé, cher visiteur, mais cette présentation ne peut
être
vue qu'avec un navigateur capable de reconnaître et
d'exploiter les
<I>frames</I>. Nous vous invitons à vous procurer un
navigateur plus
récent tel que Internet Explorer de Microsoft ou Netscape
Navigator
dans une version supérieure ou égale à la 3.0.
<HR>
</FONT>
</DIV>
</BODY>
</NOFRAMES>
</HTML>
```

PRESENTA.HTM

```
<HTML>
<HEAD>
<TITLE>L'Amicale des Motos Gnome &amp; Rhône</TITLE>

<script language="JavaScript">
var texte="L'Amicale des Motos Gnome & Rhône - Téléphone
➡et FAX : 01 60 15 22 33";
var lentxt=texte.length;
var longueur=100;
var pos=1-longueur;

function scroll()
{ pos++;
  var defile="";
  if (pos==lentxt)
  { pos=1-longueur;
  }
  if (pos<0)
  { for (var i=1; i<=Math.abs(pos); i++)
      defile=defile+" ";
    defile=defile+texte.substring(0,longueur-i+1);
  }
  else
    defile=defile+texte.substring(pos,longueur+pos);
  window.status = defile;
  setTimeout("scroll()", 100);
}
</script>
```

```
</HEAD>

<BODY BACKGROUND="gnomq.gif" BGCOLOR="#EEDD99"
BGPROPERTIES=FIXED
                    onLoad="scroll(); return true; ">
<TABLE BORDER=1>
<CAPTION VALIGN=top>
   <IMG SRC="amgr_tit.gif"
        ALT="L'Amicale des motos Gnome & Rhône">
</CAPTION>
<TR>
    <TD VALIGN=top WIDTH=20> </TD>
    <TD><IMG SRC="logo_gra.gif" ALT="Logo AMGR"
ALIGN=left></TD>
    <TD WIDTH=40> </TD>
    <TD WIDTH=340>
    <FONT SIZE="+1">
Créée en 1986 avec l'appui de la SNECMA
(<I>Société Nationale d'Etude et de Construction des
Moteurs
d'Avion</I>), l'<B><I>Amicale des Motos Gnome &amp;
Rhône</I></B>
regroupe dans le cadre d'une association  &quot;loi de
1901&quot; tous
ceux qui s'intéressent aux motos anciennes de la marque.
Avec plus
de 400 membres, l'<I>Amicale</I> est le club de marques
qui compte le plus d'adhérents en France.
<BR>
Depuis 1992, elle est affiliée à la FFVE (<I>Fédération
Fran&ccedil;aise des Véhicules d'Epoque)</I> sous le
numéro 227-92.
    </FONT>
    </TD>
</TR>
</TABLE>

<HR>
<ADDRESS>
A.M.G.R. <BR>c/o SNECMA<BR>BP 81<BR>91003 <B>EVRY</B>
Cedex<BR>
<IMG SRC="phone.gif" ALIGN=middle ALT="Téléphone">
et
<IMG SRC="fax.gif" ALT="Fax" ALIGN=middle> :
<B>01 60 15 22 33</B>
<P>
Faites nous part de vos commentaires ou de vos questions :
<A HREF="mailto:amgr@multimania.org">mailto:
amgr@multimania.org</A>
</ADDRESS>
```

```
<HR>
<I><FONT SIZE="-1" COLOR="#DD0000">
Dernière mise à jour le 2 juin 1999</FONT></I>
<BR>
</BODY>
</HTML>
```

Dans le conteneur `<NOFRAMES>` se trouve le texte qui sera affiché pour prévenir les utilisateurs dont le navigateur ne reconnaît pas les frames. La Figure 13.7 montre ce qu'on obtient en utilisant la dernière version de Mosaic pour Windows (datant de fin mars 1996). Au passage, vous pourrez noter que le conteneur `<FONT>` n'est pas, lui non plus, reconnu.

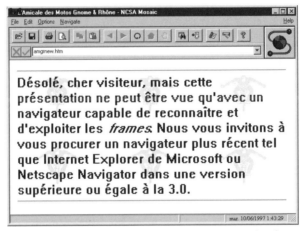

Figure 13.7 : Ceux dont le navigateur ne reconnaît pas les frames ne verront que ce message.

```
NAVIGA.HTM
<HTML>
<HEAD>
<TITLE>L'Amicale des Motos Gnome & Rhône</TITLE>
</HEAD>
<BODY BGCOLOR="#55EECC" BACKGROUND="amgr_4.gif">
<BASE TARGET="presenta">
<A HREF="vide.htm"> <IMG SRC="y_vide.gif" ALT=" "
border=0></A>
<A HREF="histo1.htm"> <IMG SRC="y_gr.gif"
   ALT="Gnome & Rhône" border=0></A>
<A HREF="histo2.htm"> <IMG SRC="y_amgr.gif" ALT="L'AMGR"
   border=0></A>
<A HREF="services.htm"> <IMG SRC="y_activi.gif"
   ALT="Les activités" border=0></A>
```

```
<A HREF="refabri.htm"> <IMG SRC="y_refab.gif"
   ALT="Refabrications" border=0></A>
<A HREF="manifs.htm"> <IMG SRC="y_calend.gif"
   ALT="Calendrier" border=0></A>
<A HREF="bulletis.htm"> <IMG SRC="y_infoam.gif"
   ALT="Info-Amicale" border=0></A>
<A HREF="galeria.htm"> <IMG SRC="y_galeri.gif"
   ALT="Galerie de motos" border=0></A>
<A HREF="cata19213.htm"> <IMG SRC="y_cata.gif"
   ALT="Catalogue GR 1929" border=0></A>
<A HREF="adhesion.htm"> <IMG SRC="y_adhes.gif"
   ALT="Adhésion" border=0></A>
<A HREF="statuts.htm"> <IMG SRC="y_statut.gif"
   ALT="Les statuts" border=0></A>
<A HREF="liens.htm"> <IMG SRC="y_liens.gif"
   ALT="Autres présentations" border=0></A>
</BODY>
</HTML>
```

Ici, l'emploi de l'attribut ALT est nécessaire car, sans cela, les visiteurs ayant désactivé le chargement des images, n'auront absolument aucun moyen de naviguer. Même ainsi, ce qui sera affiché (voir Figure 13.8) ne sera pas très présentable en raison de la place occupée par le texte de remplacement. Le fichier Y_VIDE.GIF sert à décaler l'affichage vers le bas pour mieux centrer l'ensemble des entrées de menu.

La Figure 13.9, obtenue en donnant à l'attribut BORDER de <TABLE> la valeur 1, montre comment on utilise deux cellules vides supplémentaires pour obtenir un meilleur cadrage du texte et du logo.

En tête du fichier se trouve un script JavaScript qui fait défiler l'adresse de l'AMGR dans la barre d'état, en bas de la fenêtre. C'est un des grands classiques qu'on rencontre un peu partout et qui n'a même pas le mérite de l'originalité. En principe, nous aurions dû éviter de mettre du JavaScript dans une page que nous souhaitions pouvoir être vue par le plus grand nombre de visiteurs. Si nous avons cédé à cette petite faiblesse, c'est parce que si le script ne peut pas être interprété, cela ne prive pas le visiteur d'un élément d'information important, mais seulement d'un petit effet visuel. En bas de la page, figure la date de dernière mise à jour qui permet aux visiteurs de juger de la fraîcheur des informations présentées.

Info

Pour bien profiter d'une présentation utilisant des cadres, le visiteur doit pouvoir afficher un écran d'au moins 800×600 pixels. Une taille inférieure nécessiterait l'usage intensif des barres de défilement, ce qui n'est jamais agréable.

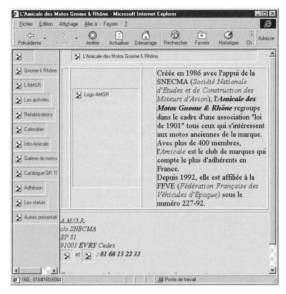

Figure 13.8 : Ce que verra le visiteur ayant désactivé le chargement des images.

Figure 13.9 : Des cellules vides dans un tableau peuvent améliorer la mise en page.

Le catalogue des modèles de la marque

La page intitulée "Galerie de motos" présente le menu reproduit sur la
Figure 13.10 dans lequel le visiteur peut choisir d'afficher une image parmi
les douze qui lui sont proposées. C'est ici un cas particulier, car on a affaire
à un sous-menu qui doit être géré localement, sans disposer d'une structure
de cadre. Une flèche de remontée doit donc exister dans chacune des douze
pages possibles, flèche renvoyant au menu de la "galerie". Le visiteur qui
veut en sortir a toujours le choix de cliquer directement sur le menu du
volet de gauche. La Figure 13.11 montre un exemple d'une de ces vues.

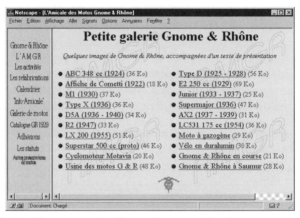

**Figure 13.10 : Un menu de liens de type classique permet de voir
individuellement chacune des douze images proposées.**

**Figure 13.11 : Chacune des douze vues possède une flèche de remontée
vers la liste des vues.**

Ici encore, on voit que l'utilisation d'un conteneur <TABLE> sans bordure facilite la mise en page.

La page des liens

Une présentation Web se doit de proposer des liens vers d'autres sites Web traitant de sujets de même type de façon que le visiteur puisse élargir son champ d'investigations sans avoir à recourir aux bons offices d'un moteur de recherche tel que Yahoo! ou Altavista. Ici, nous allons donc proposer des liens sous forme graphique vers d'autres clubs de collectionneurs de motos anciennes ou vers des sites présentant des informations sur telle ou telle marque ancienne disparue ou existant encore (c'est le cas, par exemple, de Harley Davidson).

Chaque lien est constitué par le nom du club ou de la marque illustré par son logo. L'ensemble est inclus dans une balise <A> de façon que le visiteur puisse cliquer au choix sur le nom ou sur le logo pour afficher le site Web correspondant. Chacun de ces liens est placé dans une cellule d'un tableau et il y a trois cellules par ligne, ce qui évite, pour peu que l'affichage s'effectue en 800×600, de devoir utiliser l'ascenseur horizontal pour voir une ligne complète. Le tableau s'allonge au fur et à mesure que d'autres liens sont proposés. Les Figures 13.12 et 13.13 montrent respectivement le haut et le bas de cette page de liens.

Figure 13.12 : Le haut de la page des liens.

Figure 13.13 : Le bas de la page des liens avec le lien vers le webmaster du site Web.

Au bas de la page, on peut remarquer un lien de type `mailto:` permettant au visiteur de communiquer avec le webmaster pour lui indiquer d'autres liens qu'il jugerait intéressants. Dans le fichier LIENS.HTM, on pourra voir comment a été utilisé l'attribut `COLSPAN=3` pour que le filet horizontal, placé dans le tableau, ait la même largeur que celui-ci. Enfin, le menu de navigation, à gauche, est une version plus récente, améliorée, du précédent, dont la présentation est également réalisée à partir d'éléments d'images de type GIF transparentes assemblées sur un fond de nuages.

```
LIENS.HTM
<HTML>
<HEAD>
<TITLE>Liens vers d'autres présentations de motos</TITLE>
</HEAD>

<BODY BGCOLOR="#FFDD88" BACKGROUND="amgr_3.gif"
TEXT="crimson">

<TABLE WIDTH=620>
<CAPTION><IMG SRC="sites.gif"></CAPTION>
<TR>
   <TD ALIGN=center>
     <A HREF="http://bau2.uibk.ac.at/urmann/bmw.html">
     <IMG SRC="bmwc.gif" ALIGN=middle>
```

```
    <BR>
    <FONT SIZE=+1>Le site autrichien des BM</FONT>
    ➡</A></TD>
  <TD ALIGN=center>
    <A HREF="http://www.mygale.org/06/motobec/accueil4
    ➡.htm">
    <IMG SRC="tobec.gif" WITDH=40 ALIGN=middle>
    <BR>
    <FONT SIZE=+1>Motobécane Club<BR>de France</FONT>
    ➡</A></TD>
  <TD ALIGN=center>
    <A HREF="http://dredd.meng.ucl.ac.uk/www/mag/fem
    ➡.html">
    <IMG SRC="fem.gif" ALIGN=middle>
    <BR>
    <FONT SIZE=+1>Fédération européenne<BR>des motards
    ➡</FONT></A></TD>
</TR>
<TR>
  <TD ALIGN=center>
    <A HREF ="http://www.imaginet.fr/~yvesjpv">
    <IMG SR ="motoweb.gif" ALIGN=middle">
    <BR>
    <FONT SIZE=+1>MOTOWEB : La Page<BR>des Motards du
    ➡Net</FONT></A></TD>
  <TD ALIGN=center>
    <A HREF="http://www.newtech.fr/2cam/index.htm">
    <IMG SRC="harley2.gif" ALIGN=middle" width="147"
    ➡height="125">
    <BR>
    <FONT SIZE=+1>Un site dédié aux Harley<BR>de 1903 à
    ➡1929</FONT></A></TD>
  <TD ALIGN=center>
    <A HREF="http://www.infini.fr/~cgarrec/index.htm">
    <IMG SRC="garrec.gif" ALIGN=middle" width="147"
    ➡height="125">
    <BR>
    <FONT SIZE=+1>L'album motos du Net</FONT></A></TD>
</TR>

[...]

<TR><TD COLSPAN=3><HR></TD></TR>

<TR><TD ALIGN="center" COLSPAN=3>
  <H3>Si vous en connaissez d'autres, merci de nous
indiquer leur URL:
  </H3>
```

```
<A HREF="mailto:amgr@multimania.org.fr">
<FONT SIZE=+1>mailto:amgr@multimania.org</FONT></A>
</TR>

<TR><TD COLSPAN=3><HR></TD></TR>

</TABLE>
</BODY>
</HTML>
```

Info

Pour de plus amples informations sur ce site Web, nous vous invitons à l'explorer plus en détail que nous n'avons la place de le faire ici. Au moyen du menu Affichage/Source de la page de votre navigateur, n'hésitez pas à voir la façon dont sont codées chacune des pages.

Chapitre 14

Quelques éditeurs et vérificateurs HTML

On peut écrire un document HTML à l'aide d'un simple éditeur de texte, par exemple le Bloc-notes de Windows. Mais l'insertion des différentes balises devient vite fastidieuse et se souvenir de leur syntaxe exacte peut tourner au cauchemar. Mieux vaut utiliser des éditeurs spécialisés. TUCOWS, la source de sharewares bien connue, en recense une cinquantaine sans compter les produits commerciaux que leur éditeur ne propose pas en évaluation. Nous allons en passer quelques-uns en revue, par ordre alphabétique.

Les éditeurs HTML

On peut classer les éditeurs HTML en trois groupes :

- Ceux qui travaillent sur du texte HTML qui est affiché dans leur fenêtre de travail. Une ou plusieurs barres d'outils et des boîtes de dialogue vous facilitent l'insertion des balises appropriées.

- Les éditeurs WYSIWYG qui vous cachent la cuisine HTML en vous donnant la possibilité d'agir directement, avec la souris, sur la mise en page de votre document.

- Les convertisseurs qui, partant d'un texte élaboré avec un traitement de texte, font leur possible pour convertir leur formatage en commandes HTML.

Info

Nous considérons que la faculté de transformer automatiquement les caractères accentués en entités de caractères est une fonction primordiale pour un éditeur HTML. Nous nous sommes donc particulièrement attaché à évaluer la qualité de cette fonctionnalité dans les brèves analyses que vous allez pouvoir lire.

Enfin, une quatrième catégorie commence à apparaître : les convertisseurs partant d'un fichier de PAO qu'ils traduisent du mieux qu'ils peuvent au moyen de commandes HTML. L'un des représentants de cette espèce émergente est NetObjects Fusion, disponible en version bêta sur le site de son éditeur pour peu que vous acceptiez de répondre à un long et indiscret questionnaire.

AOLpress

C'est un éditeur WYSIWYG simple qui a l'avantage non négligeable d'être gratuit. Initialement écrit par le fournisseur d'accès américain AOL pour ses membres, il a été mis à la disposition de la communauté HTML. Il permet de composer une page Web en ignorant absolument toute balise HTML, uniquement en cliquant dans la barre d'outils ou en choisissant une option dans les menus présentés. La version 2.0 date de 1996 et n'a plus évolué depuis. Si elle a bénéficié de nombreuses améliorations qui en font un éditeur puissant, il n'en reste pas moins qu'elle ne supporte évidemment pas les dernières innovations de HTML 4. On peut la télécharger à partir de l'URL **http://www.aolpress.com/download.html**. Son utilisation s'apparente beaucoup à celle d'un traitement de texte classique. La Figure 14.1 montre comment se présente une page en cours d'édition.

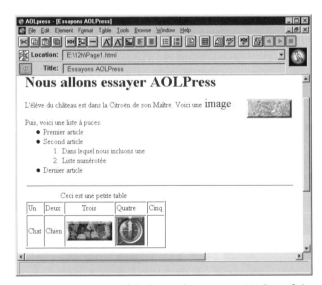

Figure 14.1 : Avec AOLpress, l'écriture d'une page Web se fait sans voir les balises.

Une option (Tools/Show HTML) permet de voir le code HTML et de l'éditer éventuellement. Ce code se présente très proprement et ses indentations favorisent les retouches manuelles. Point positif : les entités de caractères sont générées automatiquement (voir Figure 14.2).

AOLpress vous permet de créer facilement des tableaux et des frames à l'aide de boîtes de dialogue, et plusieurs astuces facilitent l'édition, comme celle qui est illustrée par la Figure 14.3 : vous sélectionnez un objet (ici une image, mais cela pourrait être une liste ou un tableau) et vous laissez la souris immobile pendant une seconde. Le code HTML correspondant s'affiche dans une fenêtre qui disparaît dès que vous bougez la souris. Autre astuce : vous pouvez modifier les dimensions d'une image, toujours avec la souris, en utilisant les poignées qui apparaissent lorsque vous sélectionnez cette image.

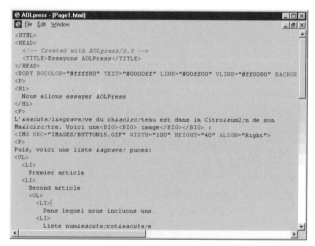

Figure 14.2 : Code HTML généré pour notre essai.

On ne peut qu'être séduit par un éditeur gratuit offrant tant de possibilités et aussi pratique à utiliser, dans la mesure où on souhaite écrire des pages HTML simples pouvant être vues par à peu près tout le monde, quel que soit le navigateur utilisé.

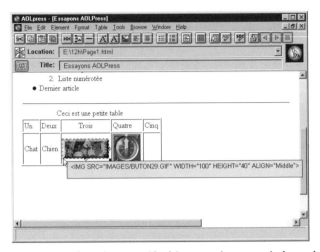

Figure 14.3 : Un artifice de contrôle bien pratique : voir le code HTML généré pour un objet.

Arachnophilia

Arachnophilia n'est ni un produit commercial, ni du shareware, ni du freeware. Son auteur, un Américain du nom de Paul Lutus, le présente comme du *careware*, notion qu'il définit ainsi : le *client* obtient quelque chose de valeur en échange de ce que souhaite le *vendeur*. Et ce que veut ici le vendeur, c'est : "N'importe quoi sauf de l'argent." On a du mal à situer un tel désintéressement, à mi-chemin entre mécénat et apostolat. D'autant plus qu'il ne s'agit pas ici d'un bricolo, mais d'un produit de bonne qualité. Paul Lutus explique en détail son idée à l'URL **http://www.arachnoid.com/careware/** (voir Figure 14.4).

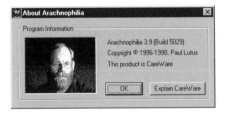

Figure 14.4 : Paul Lutus propose une nouvelle forme de distribution de programmes : le "careware".

Ici, nous travaillons au niveau des commandes HTML. Lorsqu'on clique sur File/New/HTML file, l'éditeur crée un squelette de page (voir Figure 14.5) qu'il ne reste plus qu'à remplir. Vous pouvez, à votre gré, personnaliser ce modèle. En cliquant du bouton droit de la souris, apparaît le menu des commandes les plus courantes. Des barres d'outils, affichables à volonté, facilitent l'insertion des balises HTML.

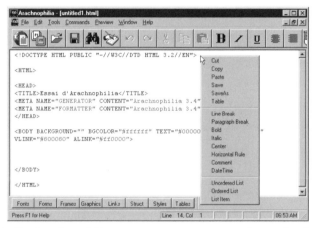

Figure 14.5 : Arachnophilia vous propose un squelette de document HTML.

La Figure 14.6 montre les options de configuration proposées par le menu Tools/Options. Les boutons au bas de la page permettent d'afficher des barres de boutons relatives à chacun des objets HTML proposés. Pour visualiser le résultat obtenu, vous pouvez appeler l'un des quatre navigateurs que vous aurez définis préalablement, mais vous devrez manuellement changer de fenêtre (<Alt>-<Tab>).

Un client FTP incorporé vous permet de transférer vos fichiers sur votre site d'hébergement sans quitter Arachnophilia (voir Figure 14.7). Vous pouvez également envoyer un e-mail par l'intermédiaire du mailer que vous aurez préalablement sélectionné. Des facilités sont prévues pour incorporer des scripts JavaScript et des applets Java. Les caractères accentués ne sont pas convertis au vol lors de leur saisie, mais il faut cliquer sur Tools/Convert Extended Characters pour convertir tous ceux qui sont présents dans la page, ce qui est finalement assez pratique. La barre d'outils peut être personnalisée et un système de macros permet d'adapter facilement Arachnophilia à ses propres desiderata. L'aide en ligne contient une brève description des balises usuelles (an anglais, naturellement).

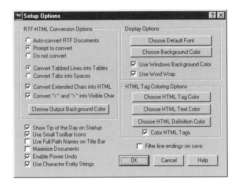

Figure 14.6 : Options de configuration générales de Arachnophilia.

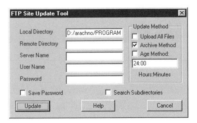

Figure 14.7 : Arachnophilia contient un client FTP intégré.

Du côté négatif, il faut déplorer une génération de tableaux plutôt primitive, se bornant à créer un squelette conçu pour deux lignes et deux colonnes, qu'il n'est ensuite pas très facile de personnaliser. Les frames doivent être composées de la même façon, en sachant exactement ce qu'on doit écrire et où on doit le mettre.

On peut sans doute regretter une certaine rusticité dans un produit dont la mise à disposition est inspirée par de si nobles sentiments. Cet éditeur ne sera réellement bien exploité que par des auteurs Web connaissant bien HTML et soucieux de créer leurs pages commande par commande. Les débutants risquent de s'en lasser assez vite. Mais ceux qui ont déjà acquis une certaine expérience avec HTML le trouveront très agréable à utiliser. La version actuelle porte le numéro 3.9 et peut être téléchargée à partir de l'URL **http://www.arachnoid.com/**.

FrontPage

Ici, nous entrons dans la catégorie des poids lourds. Microsoft a encore frappé et le résultat est un logiciel très ambitieux et très complet qui se compare, dans le domaine HTML, à ce qu'est Word pour Windows dans celui du traitement de texte. Il faudrait plus de cinq cents pages pour en faire un exposé complet, tant est grande sa richesse. En outre, il est livré accompagné d'un logiciel de serveur personnel et d'un éditeur graphique très puissant. Les versions successives sont indexées sur le numéro du Windows courant. La dernière version sortie est FrontPage 2000. La précédente était FrontPage 98.

C'est un éditeur presque entièrement WYSIWYG qui vous permet néanmoins d'accéder facilement au code généré et de le modifier dans une certaine mesure, si l'envie vous en prend. Mais c'est bien davantage qu'un simple éditeur HTML : c'est un logiciel complet pour créer une présentation Web, depuis l'écriture de chaque page jusqu'à l'installation sur le serveur en passant par la gestion automatisée des mises à jour. Il se compose en réalité de deux modules : l'explorateur, qui s'attache à la structure de votre présentation ; et l'éditeur proprement dit, qui vous permet de créer et/ou de modifier n'importe quelle page. On passe de l'un à l'autre très facilement, en cliquant dans la barre d'outils. La Figure 14.8 vous montre comment se présente l'écran de l'explorateur.

> **Info**
>
> Si nous disons que FrontPage est "presque entièrement WYSIWYG", c'est parce qu'il est indispensable de compléter certaines options (le positionnement d'une image, par exemple) à l'aide de boîtes de dialogue.

Pour composer ou modifier une page, on appelle le module Editeur qui est l'éditeur HTML proprement dit.

On peut voir la structure du document HTML généré dans lequel on a la surprise de constater que les caractères étendus n'ont pas été traduits par des entités. Sans doute Microsoft estime-t-il qu'il n'existe rien en dehors de l'univers Wintel (Windows+Intel) ?

De nombreux assistants viennent vous aider dans la création de vos pages. Il vous est même possible d'en créer vous-même. D'une façon générale, cliquer du bouton droit sur un objet de la page affiche un menu contextuel permettant d'accéder aux propriétés de l'objet.

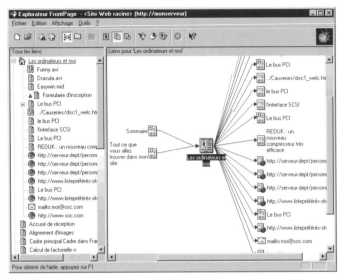

Figure 14.8 : L'explorateur affiche la structure d'un site Web au complet.

La grande originalité de FrontPage et ce qui fait à la fois sa force et sa faiblesse, c'est le recours aux *WebBots*. Pour expliquer ce que signifie ce terme, nous ne pouvons mieux faire que de reprendre la définition donnée par Microsoft dans l'aide en ligne :

```
Objet dynamique d'une page Web évalué et exécuté lorsque
l'auteur enregistre la page ou, dans certains cas, lorsque
le lecteur accède à la page. La plupart des composants
WebBot génèrent du code HTML.
```

Il existe un certain nombre de ces WebBots. Pour donner une idée de la puissance de ces objets, prenons le WebBot "Insertion programmée" dont la Figure 14.9 montre la boîte de dialogue. Ce composant insérera un fichier dans la présentation entre deux dates bien précises. On peut ainsi éviter de continuer à annoncer une manifestation ou une conférence qui vient d'avoir lieu.

Pour si pratique que soit cette innovation, elle suppose l'installation sur le serveur d'hébergement des *Extensions Microsoft FrontPage*. Il en existe diverses versions, non seulement pour les serveurs Windows NT, mais aussi pour la plupart des avatars d'UNIX. Mais, ne serait-ce que pour des raisons de sécurité, bon nombre d'administrateurs de serveurs verront d'un œil suspicieux (pour ne pas dire plus) cette intrusion et refuseront carrément la présence de ce corps étranger sur leur machine. Adieu alors, les WebBots !

Figure 14.9 : Le WebBot "Insertion programmée" permet d'insérer un fichier HTML dans une page pendant un intervalle de temps fixé à l'avance.

Nous arrêterons là ce survol de FrontPage. Le peu que nous en avons vu suffit pour être convaincu qu'il s'adresse bien davantage au professionnel qu'à l'auteur Web occasionnel. Son prix (conseillé) de l'ordre de 1 200 F TTC n'est toutefois pas excessif, compte tenu de sa puissance. C'est un produit qui convient très bien, par exemple, à la gestion d'un intranet dans lequel l'installation des Extensions FrontPage ne posera pas de problème et où son puissant gestionnaire de site fera merveille.

FrontPage Express

C'est une version "décaféinée" de FrontPage, allégée et privée d'un certain nombre de facilités de son grand frère, mais qui n'en demeure pas moins un éditeur WYSIWYG de haut niveau. Outre ses qualités intrinsèques, il présente un important avantage : son prix. En effet, il est distribué gratuitement par Microsoft en même temps que Windows 98. Nous n'en dirons pas davantage dans ce chapitre, car c'est lui qui sera décrit en détail dans la Partie II de ce livre.

HotDog

HotDog, de Sausage Software (non, ce n'est pas une blague !) est un éditeur HTML qui a été l'un des premiers sur le marché. Il a rapidement connu le succès et il en existe maintenant plusieurs moutures : Junior, PageWiz et Pro 5.5 Leurs prix sont respectivement de 39,95 dollars (environ 240 francs, soit 37 €), 69, 95 dollars (environ 420 francs, soit 64 €) et 129,95 dollars (environ 780 francs, soit 119 €).

HotDoc Junior

Il se destine principalement — d'après l'éditeur — aux enfants à partir de 6 ans. (Il semble qu'aux Etats-Unis, la valeur n'attende vraiment pas le nombre des années...) Il est si simple que, même Papa et Maman pourraient l'utiliser ! Comme cet ouvrage n'est pas un traité de puériculture, nous n'en dirons pas davantage.

HotDog PageWiz

C'est la version la plus dépouillée, mais elle est néanmoins intéressante, car elle cumule des fonctions évoluées WYSIWYG réalisées au moyen de quatre *wizards* (assistants) et des possibilités de travail direct au niveau du HTML La conversion des caractères nationaux s'effectue probablement à la demande car elle n'est pas automatique au moment de la saisie. Cependant, ni dans les menus, ni dans les barres d'outils, nous n'avons trouvé comment faire.

La version que nous avons utilisée ici porte le numéro 1.0 et elle était proposée à l'essai dans le CD-ROM inclus dans la revue *NetSurf* de novembre 1999. Vu sa taille (de l'ordre de 7 Mo), il n'est pas conseillé de la télécharger à partir du site Web de son éditeur.

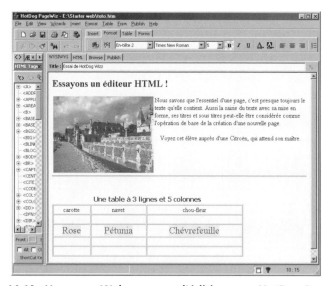

Figure 14.10 : Une page Web en cours d'édition avec HotDog PageWiz.

L'insertion d'un tableau s'effectue au moyen d'un assistant richement doté en options (voir Figure 14.11) et à peu près complet par rapport à tout ce qu'il est possible de placer dans une cellule de tableau. L'assistant de création des formulaires semble, lui aussi, assez pratique à utiliser. Dans la version actuelle (qui porte le numéro 5), les frames sont reconnues et, si un assistant vous guide, il a l'inconvénient de ne pas être graphique, ce qui rend son usage peu pratique pour ce type de structure. Un menu d'options permet de définir bon nombre de paramètres de configuration parmi lesquels le remplacement à la volée des caractères accentués par leurs équivalents en entités. Il se présente de la même façon que le menu de configuration de Netscape Navigator, comme en témoigne la Figure 14.12.

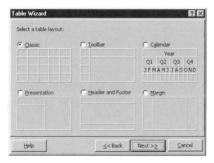

Figure 14.11 : Un assistant aide à définir les différents paramètres d'un tableau.

Les trois autres assistants concernent l'insertion d'images, l'insertion de liens et la création de formulaires. Pour les images, on peut modifier leur format dans l'assistant, mais pas avec la souris : il faut indiquer en clair leur hauteur et leur largeur. Attention, alors, à ne pas causer de déformation involontaire.

Terminons en indiquant qu'un assistant de création de site facilite le transfert de fichiers et nous aurons tracé un rapide portrait d'un excellent éditeur HTML qui mérite qu'on s'y intéresse. L'aide en ligne est plutôt pauvre et, bien entendu, en anglais. Sa présentation est du même style que celle de FrontPage Express, ce qui n'est pas un éloge et il est tout aussi difficile d'y trouver des informations utiles, ce qui oblige à naviguer un peu à tâtons dans les multiples possibilités proposées par cet éditeur.

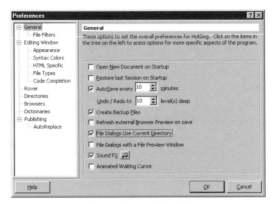

Figure 14.12 : Les options de configuration de HotDog.

HotDog Pro

Ici, nous sommes un cran au-dessus comme le laisse deviner son nom. Nous avons trouvé une version d'essai (la 5.5) dans le numéro de novembre 1999 de la revue *.Net*. Sa taille étant un peu supérieure à 8 Mo, c'est sans doute le meilleur moyen de se la procurer.

D'entrée, une boîte de dialogue vous propose trois niveaux : débutant, intermédiaire et expert (*hardcore*, c'est-à-dire "dur à cuire"). HotDog Pro sera configuré selon votre réponse et les choix que vous avez faits dans les boîtes de dialogues qui vont se succéder. La présentation est semblable à celle proposée par HotDoc PageWiz à cet important détail près que vous avez, l'une au-dessous de l'autre, la fenêtre WYSIWYG et la fenêtre montrant le code HTML généré. L'aide en ligne est d'un excellent niveau et il est très facile, par exemple, d'apprendre comment convertir les caractères accentués en entités de caractères (menu Format, rubrique Convert). Cette conversion peut d'ailleurs s'effectuer dans les deux sens. Il existe même une option de conversion automatique, mais elle ne semble pas opérationnelle.

Clairement, cet éditeur est un poids lourd qui se destine plutôt aux professionnels de l'édition Web. Le débutant risque d'être un peu perdu dans les nombreux menus et barres d'outils qui lui sont proposés. Mais celui qui a déjà une certaine expérience l'appréciera à sa juste valeur.

Web Construction Kit

L'ordre alphabétique nous a permis de garder le meilleur pour la fin. Comme son nom ne l'indique pas, Web Construction Kit (WCK, en raccourci) est un logiciel français distribué sous forme de shareware. Il a été écrit il y a un peu plus de deux ans par un jeune auteur français, Pierre Genevès qui a créé sa société, PierreSoft, pour distribuer son produit. Cet éditeur est excellent sous tous les rapports. La Figure 14.13 montre une page HTML en cours d'édition. On remarquera tout particulièrement en bas à gauche les trois onglets Page, Aperçu et Site qui permettent d'avoir différentes vues de la page (ou du site en cours d'édition). La vue Site, en particulier, donne une représentation graphique de l'articulation des pages d'un site, comme on peut le voir sur la Figure 14.14.

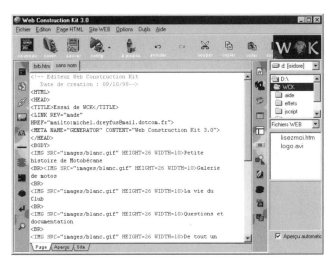

Figure 14.13 : Une page HTML en cours d'édition avec WCK.

Outre la traditionnelle barre d'outils horizontale, on remarque deux barres d'outils verticales. Celle de gauche commande les fonctions les plus courantes : insertion d'un lien, d'une image, d'un filet horizontal, centrage du texte, création de liste... Celle de droite appelle des assistants pour créer des objets HTML plus complexes : tableaux, formulaires, cadres, image réactive, feuille de styles... Pour cette dernière, une succession d'étapes faciles à parcourir permet de générer des spécifications de styles complètes et très fouillées.

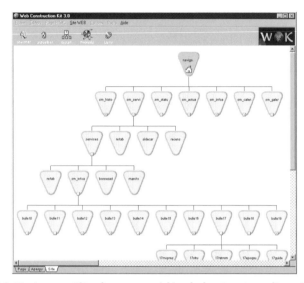

Figure 14.14 : La vue Site donne une idée de la structure d'un site Web.

Les caractères accentués ne sont pas convertis à la volée, mais une commande du menu Options permet de le faire à la demande ainsi que de revenir à la codification directe (sans entités).

On trouve avec plaisir un certain nombre de raffinements tels que l'affichage en vignette de l'image dans la boîte de dialogue d'insertion d'une image et l'insertion automatique de ses dimensions dans le code HTML généré, la présentation imagée des polices de caractères pour l'édition du texte, etc. Enfin, il existe même un outil de vérification syntaxique qui n'a pas son pareil pour détecter les balises mal refermées, les entités de caractères oubliés et autres erreurs habituelles.

La cerise sur le gâteau : en cliquant sur l'outil "Image cliquable" (nous aurions préféré "image réactive") de la barre de droite, on fait surgir un outil de découpage qui permet de déterminer graphiquement les zones de l'image à considérer et génère le code HTML nécessaire. Très peu d'éditeurs HTML proposent cet artifice, au point que certains utilitaires ont vu le jour (MapThis ou MapEdit, par exemple) rien que pour cela. La Figure 14.15 montre cet écran d'édition.

S'il fallait mettre un bémol à ces éloges, ce serait du côté du menu des Préférences avec lequel il n'est actuellement pas possible de modifier la police de caractères d'affichage ou la taille de celle-ci. Mais cette amélioration est prévue pour une prochaine version.

Figure 14.15 : WCK comporte un outil graphique de création d'image réactive.

Et nous touchons là à un autre point important en faveur de WCK : la rapidité de réaction de l'auteur aux messages de demande d'assistance qu'on lui envoie. Il ne s'écoule jamais plus de 24 heures avant d'obtenir une réponse personnalisée, claire et précise. Les suggestions sont bien accueillies et, lorsqu'elles peuvent améliorer WCK, seront reprises dans une prochaine version.

Pour en savoir davantage sur Web Construction Kit, pointez votre navigateur sur l'URL **http://www.pierresoft.com** à partir de laquelle vous pourrez télécharger une version d'essai.

Autres éditeurs

Il existe d'autres éditeurs de pages Web que nous n'avons pas la place d'étudier plus avant. Citons néanmoins WebExpert (version 3.0), logiciel édité par Visicom Média (**http://www.visic.com/webexpert**), Hot Metal Pro (**http://www.sq.com**), HTMLed Pro (**http://www.ist.ca**), Namo Web-Editor (**http://www.namo.com**), Tarantula (**http://www.nostrumindia .com**) et, pour terminer, des outils réputés professionnels dont le prix avoisine les 2 000 francs (soit environ 300 €) comme Golive d'Adobe ou DreamWeaver de Macromedia.

Les outils de vérification

Une fois terminée l'écriture d'un document HTML, il est prudent de lui faire subir quelques vérifications. Plus l'outil qui a été utilisé pour le composer est sophistiqué et moins il y a de risques d'y trouver des erreurs. Mais quelles erreurs ?

A la recherche des erreurs

De la même façon qu'après avoir écrit un document ordinaire avec un traitement de texte, on lui fait subir l'épreuve du vérificateur d'orthographe, il est bon de s'assurer qu'aucune erreur de syntaxe HTML ne subsiste dans une page Web. Certes, les navigateurs ont bon caractère et lorsqu'ils ne comprennent pas ce que vous avez écrit, ils essaient toujours de faire quelque chose. Mais ce ne sera pas toujours ce que vous attendiez.

Une fois qu'on s'est assuré que la syntaxe est correcte, il faut vérifier que les liens sont exacts. Pour les liens internes, il n'est pas nécessaire de se connecter à son fournisseur d'accès, car on peut faire le test en local. Pour les autres, il est impératif d'opérer en vraie grandeur.

On doit donc procéder à deux niveaux de vérifications si on veut être raisonnablement sûr de ne pas publier une présentation... disons "approximative", pour ne vexer personne.

Les erreurs de syntaxe

HTML n'a pas la rigueur du langage C pour lequel on sait exactement ce qui est permis et ce qui ne l'est pas. Les zones de flou y sont nombreuses et la multiplication des extensions apportées par les éditeurs ne contribue pas à clarifier la situation.

Il existe bien pour chaque version un document officiel qu'on appelle une *DTD* (*Document Type Definition*) écrit en SGML, l'ancêtre de HTML, et pratiquement compréhensible des seuls gourous du culte UNIX. Nous n'y ferons donc pas référence. Mais aucun éditeur ne propose actuellement de navigateur qui traduise toutes les spécifications de HTML 4.0. Et la même spécification sera souvent traduite de façon différente par l'un ou par l'autre. Alors, dans ces conditions, où est la vérité ?

Les erreurs les plus courantes sont probablement l'oubli de fermeture d'une balise. Si la balise de fermeture devait se situer à la fin du document, il y a peu de risque de conséquences dommageables. A quoi sert, par exemple </HTML> s'il n'y a plus rien derrière ? On se trompe souvent dans l'imbrication des balises lorsqu'on les écrit à la main. Ainsi, il n'est pas rare de refermer une <TD> après une <TR>.

Autres erreurs courantes : les oublis de guillemets. En général, lorsqu'on donne une valeur à un attribut (SRC=, par exemple pour un marqueur <IMG>), nous avons dit qu'il fallait mettre la chaîne de caractères qui suit le signe égal entre guillemets. La plupart des navigateurs s'accommodent fort bien de leur oubli. Mais si on en met, encore faut-il les utiliser par paires. L'oubli du guillemet terminal risque fort d'apporter de sérieuses perturbations.

Il se peut qu'on invente un attribut qui n'existe pas ou qu'on orthographie mal son nom : VALIGN= dans un marqueur <IMG> par exemple. Pratiquement, cela a peu de conséquences, car ce qu'un navigateur ne reconnaît pas, il l'ignore. Mais on pourra s'étonner de ne pas observer l'effet de mise en page auquel on s'attendait.

La plupart des outils de vérification donnent la possibilité de définir le niveau de la syntaxe HTML à respecter.

La vérification des liens

Ici, le danger, c'est d'avoir mal orthographié une référence ou une URL pour les images et les pages. Une partie de la vérification peut s'effectuer en local, mais dans une page du genre "Mes sites favoris" (où figurent les URL d'une douzaine de sites qu'on juge dignes d'être connus), il est prudent de s'assurer que leurs URL ont été orthographiées correctement d'une part et que les pages correspondantes existent toujours, d'autre part. Tous ceux qui ont un tant soit peu surfé sur le Web savent, en effet, qu'une adresse n'a rien d'immuable.

Le test en vraie grandeur

Si tous les tests précédents se sont soldés par un satisfecit, tout n'est pas encore gagné pour autant. De même qu'un garagiste consciencieux fera un essai sur route avant de vous rendre votre voiture après une réparation importante, vous devez installer l'ensemble de votre présentation sur le serveur qui vous héberge et la tester dans ses moindres recoins, comme si vous étiez un visiteur quelconque. Et si vous voulez vraiment bien faire les choses, faites ce test plusieurs fois en utilisant des navigateurs différents et, si possible, des plates-formes différentes.

C'est à ce moment que vous découvrirez que certaines images qui s'affichaient fort bien lorsque vous testiez votre présentation en local sont remplacées par l'icône d'image introuvable. C'est un des grands classiques du Web que connaissent bien ceux qui ont préparé leur présentation sous Windows et l'ont ensuite installée sur un serveur UNIX. La cause en est simple : alors que Windows considère comme identiques les majuscules et les minuscules dans un nom de fichier, pour UNIX ce n'est pas du pareil au même.

> **Astuce**
>
> Pour éviter ce type d'ennui, le plus simple est d'orthographier systématiquement tous les noms de fichiers en minuscules.

Exemples de tests

La syntaxe avec HTML Validator

HTML Validator est un vérificateur de syntaxe HTML considéré comme l'un des meilleurs (il a obtenu la cote maximale — 5 vaches — de la part de TUCOWS) et, cependant, nous allons voir qu'il est loin d'être parfait. La dernière version porte le numéro 4.01 et on peut la télécharger à partir de l'URL **http://www.htmlvalidator.com**. Elle est entièrement fonctionnelle, mais limitée à 50 validations. La Figure 14.16 montre l'un des écrans d'options qui permettent de choisir ou d'écarter certains types d'erreurs.

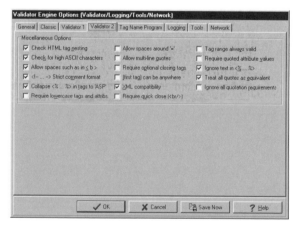

Figure 14.16 : Options de syntaxe de HTML Validator.

Nous avons soumis à ce vérificateur un document HTML dont l'affichage par Netscape Navigator et Internet Explorer ne semblait pas poser de problèmes. Il s'agit de la page des liens que nous avons commentée à la fin du Chapitre 13. La Figure 14.17 montre la fenêtre de vérification dans laquelle on peut voir le document HTML à vérifier dans la zone en haut et à droite et la liste des messages d'erreur dans le coin inférieur gauche. Nous avons obtenu une liste de 21 erreurs, 8 avertissements, 4 messages et 10 commentaires dont nous allons reproduire les principaux après les avoir traduits. Nous n'avons reproduit que les lignes HTML en erreur et nous avons imprimé en gras et numéroté les diagnostics pour les repérer plus facilement.

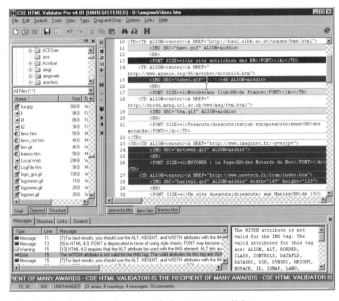

Figure 14.17 : La fenêtre de travail de HTML Validator.

```
<CAPTION><IMG SRC="sites.gif"</CAPTION>
[1] Caractère "<" avant le ">" de fermeture de la balise
en cours

<TR><TD ALIGN=center><A
HREF="http://bau2.uibk.ac.at/urmann/bmw.html">
<IMG SRC="bmwc.gif" ALIGN=middle>
[2] HTML 4 demande la présence de l'attribut ALT
[3] Pour de meilleurs résultats, vous devriez utiliser
les attributs
     ALT, WIDTH et HEIGHT pour l'élément IMG
```

```
<FONT SIZE=+1>Le site autrichien des BM</FONT></A></TD>
[4] L'emploi de l'élément FONT est déconseillé au profit
des
      feuilles de styles

<IMG SRC="tobec.gif" WITDH=40 ALIGN=middle>
[5] L'attribut WITDH n'est pas valide pour l'élément IMG

<FONT SIZE=+1>Motobécane Club<BR>de
France</FONT></A></TD>
[6] Présence d'un caractère dont le code ASCII est
supérieur à
      127, illégal dans un document HTML

<IMG SRC="motoweb.gif" ALIGN=middle">
<BR>
<FONT SIZE=+1>MOTOWEB : La Page<BR>des Motards du
Net</FONT></A></TD>
<TD ALIGN=center><A
HREF="http://www.newtech.fr/2cam/index.htm">
<IMG SRC="harley2.gif" ALIGN=middle" width="147"
height="125">
```
[8] L'attribut SRC apparaît 2 fois dans l'élément IMG
[9] L'attribut WIDTH apparaît 3 fois dans l'élément IMG
[10] L'attribut ALIGN a une valeur illégale : "middle">"
[11] Guillemet rencontré à un endroit anormal d'une
chaîne de caractères
[12] Fin de ligne avant un guillemet fermant (ou la fin
d'une macro
     MIVA)

```
<BR>
```
[13] L'attribut <BR> n'est pas valide pour un élément IMG
[14] Guillemet rencontré à un endroit anormal d'une
chaîne de caractères

 A partir de là, HTML Validator perd complètement les
pédales en
**signalant que LA, PAGE
DES, MOTARDS, DU,**
NET<FONT></A></TD>
ne sont pas des attributs valides pour l'élément IMG

Quel désastre ! Nous assurons le lecteur que nous n'avons pas triché et
que cette page est strictement celle qui donne les images affichées sur les
Figures 13.12 et 13.13. Certes, dans l'écriture de cette page, nous avons
commis quelques erreurs et celle qui a fait dérailler HTML Validator est

l'une de celles qu'on comment le plus facilement (donc le plus fréquemment) : l'oubli d'un guillemet ouvrant, ici dans :

```
<IMG SRC="motoweb.gif" ALIGN=middle">
```

Mais HTML Validator n'a pas été capable de "raccrocher la casserole" et s'est complètement égaré. Et pourtant, il avait bien débuté en signalant l'oubli du chevron fermant dans :

```
<CAPTION><IMG SRC="sites.gif"</CAPTION>
```

Ensuite, le message [2] est tout à fait exact. Hélas, celui qui suit montre une méconnaissance gênante de la syntaxe HTML. Au lieu d'être "required" (demandés, exigés), les attributs width et height sont facultatifs. Le texte du W3C dit, en effet : "When specified, the width and height attributes..." (lorsqu'ils sont spécifiés, les attributs width et height...). Le message [4] est correct, mais on peut s'interroger sur le sens du suivant, en totale contradiction avec celui qui le précède.

Le message [6] signale avec raison l'oubli d'une entité de caractère pour un diacritique (le "é"). Ensuite, comme nous l'avons dit plus haut, c'est la déroute causée par ALIGN=middle" au lieu de ALIGN="middle". Toutefois, dans cette avalanche de propos délirants, on trouve parfois ([11]) un diagnostic exact.

Ce qu'on peut en conclure, c'est que HTML Validator donne des indications utiles, mais que son auteur a encore besoin de perfectionner ses compétences dans l'art (délicat) de l'analyse syntaxique. L'auteur Web qui utilisera ce logiciel de validation devra faire très attention à chaque message et en peser la pertinence. Pour simplifier, disons que HTML Validator permet de repérer les plus grosses erreurs, mais qu'il faut se méfier de ses excès et ne pas suivre aveuglément ses suggestions.

Les liens avec InfoLink

Pour ce test, nous avons utilisé une version freeware de InfoLink que nous avons téléchargée à partir de l'URL **http://www.biggbyte.com/freeware .html** et à qui nous avons demandé de vérifier tous les liens (locaux et distants) de notre page de liens déjà utilisée pour les précédents tests. La Figure 14.18 montre les résultats obtenus. Ici, nous avouons avoir triché : nous avons volontairement modifié une URL (**www.geocities.com** est devenu **www.geocity.com**) pour être certain d'avoir au moins une erreur à diagnostiquer.

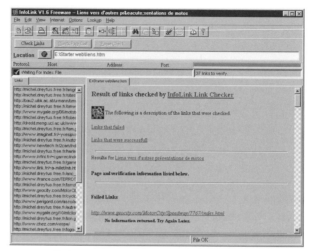

Figure 14.18 : L'affichage du résultat d'une vérification de liens par InfoLink.

Les services de validation

Outre les outils de vérification comme HTML Validator que nous venons brièvement de voir, il existe aussi des services de validation utilisables à distance, "en ligne". Vous vous connectez sur leur serveur (un site Web comme un autre) et vous leur indiquez l'URL de la présentation à tester ou vous copiez dans une zone de formulaire le texte du fichier HTML à tester s'il n'est pas trop long. Ils vous renvoient un listing des erreurs qu'ils ont trouvées. Ici, on cumule d'un seul coup les trois phases que nous avons énumérées, au prix, il est vrai d'un temps de vérification plus long puisque le vérificateur va devoir charger toutes vos pages et toutes vos images pour faire son travail.

Ces outils de vérification sont souvent constitués par des scripts écrits en PERL ou en un langage équivalent. Nous en avons essayé trois parmi ceux dont vous trouverez les URL à l'Annexe A et le résultat n'est guère encourageant. Outre le temps d'attente (pendant lequel le compteur de France Télécom tourne), on constate que certains en sont restés à des versions anciennes de HTML (2.0) ou n'ayant jamais réellement vu le jour (3.0). Il n'est pas aussi facile de les configurer que lorsqu'il s'agit d'outils téléchargés.

WWWebLint

Il s'agit d'un un service d'évaluation en ligne limité (en usage gratuit) à des fichiers HTML ne dépassant pas 2 048 caractères. Hélas, comme on peut le voir sur la Figure 14.19, il est resté figé à la date du 10 septembre 1997 et sans doute n'a-t-il pas assimilé les derniers développements de HTML. Mieux vaut donc éviter de s'en servir.

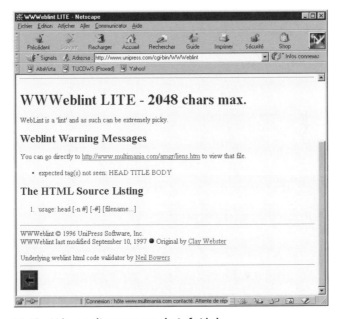

Figure 14.19 : L'écran d'ouverture de InfoLink.

Astuce

Avant d'utiliser un service en ligne, faites comme s'il s'agissait d'œufs ou de lait : regardez sa date d'"emballage" (ici de dernière mise à jour). Vous éviterez ainsi d'utiliser des produis pas frais et dont les résultats ne correspondent pas aux standards actuels.

Le W3C

Comme vous le savez, le W3C est le consortium qui s'occupe de définir les standards du Web. De plus en plus souvent en dehors de tout contexte réel comme nous l'avons vu à propos des feuilles de styles où on y parle de la version 3 alors que la version 1 n'est pas encore complètement implémentée par les navigateurs les plus répandus. Le W3C offre à l'URL **http://validator.w3c.org** un service de validation dont la page d'accueil est reproduite sur la Figure 14.19. Nous l'avons expérimenté avec le même fichier que celui utilisé pour tester HTML Validator. Voici un extrait de ce que nous avons obtenu :

Figure 14.20 : La page d'accueil du service de vérification de pages HTML du W3C.

```
* Line 1, column 1:
<HTML>
    ^
    Error: Missing DOCTYPE declaration at start of
document
```

Il s'agit ici d'une déclaration tout à fait formelle, pratiquement inutile et que, pour cette raison, la plupart des auteurs Web omettent dans leurs documents. Sauf les générateurs automatiques, et encore. Mais ici, nous sommes chez les théoriciens du Web et on comprend que cette omission puisse les blesser.

```
* Line 9, column 29:
<CAPTION><IMG SRC="sites.gif"</CAPTION>
                            ^
    Error: required attribute "ALT" not specified
```

L'absence de chevron fermant pour la balise <IMG> n'a pas été décelée. En revanche, c'est l'absence de l'attribut ALT qui est signalée. Il est exact que les spécifications de HTML 4 le qualifient de "required", mais son absence empêchera simplement que soit affiché un court texte explicatif si, pour une raison ou une autre, l'image correspondante ne peut pas être affichée.

```
* Line 11, column 40:
<IMG SRC="bmwc.gif" ALIGN=middle>
                                ^
    Error: required attribute "ALT" not specified
```

Même diagnostic pour l'absence de l'attribut ALT, mais la valeur middle est bien reconnue correcte, contrairement à ce que faisait HTML Validator.

```
* Line 13, column 19:
<FONT SIZE=+1>Le site autrichien des BM</FONT></A></TD>
            ^
    Error: an attribute value must be a literal unless
it contains only
    name characters
```

Au W3C, il doit exister des cloisons étanches entre ceux qui établissent les spécifications HTML et ceux qui sont en charge de ce système de vérification, car voici ce qu'on lit pour l'attribut size de la balise <FONT> dans le document de référence de cette honorable institution concernant HTML 4 :

```
size = cdata [CN]
Deprecated. This attribute sets the size of the font.
Possible values:

A relative increase in font size. The value "+1" means
one size larger. The value "-3" means three sizes
smaller. All sizes belong to the scale of 1 to 7.
```

(Traduction du dernier paragraphe : Un incrément relatif de la taille de la police. La valeur "+1" signifie une taille supérieure d'une unité. [...])

```
  * Line 15, column 35:
<IMG SRC="tobec.gif" WITDH=40 ALIGN=middle>
                            ^
    Error: there is no attribute "WITDH"
(explanation...)
```

Diagnostic exact.

```
* Line 24, column 43:
<IMG SRC="motoweb.gif" ALIGN=middle">
                                    ^
Error: an attribute specification must start with a name
or name token
```

A la différence de HTML Validator, le guillemet manquant ne fait pas
dérailler le vérificateur, mais le diagnostic donné n'est pas celui qu'on
aurait attendu.

```
* Line 58, column 19:
              <FONT SIZE=+1>Moto-club du Lion
(Peugeot)</A></FONT>
                        ^
      Error: an attribute value must be a literal unless
it contains only
      name characters (explanation...)

* Line 58, column 52:
              <FONT SIZE=+1>Moto-club du Lion
(Peugeot)</A></FONT>

  ^
      Error: end tag for "FONT" omitted, but its
declaration does not
      permit this

* Line 58, column 8:
              <FONT SIZE=+1>Moto-club du Lion
(Peugeot)</A></FONT>
          ^
      Error: start tag was here

* Line 58, column 59:
              <FONT SIZE=+1>Moto-club du Lion
(Peugeot)</A></FONT>

  ^
      Error: end tag for element "FONT" which is not open
(explanation...)
```

La ligne 58 donne lieu à quatre diagnostics qui interviennent dans la
structure suivante :

```
<TD ALIGN="center">
  <A HREF="http://www.mygale.org/10/mtclion/index.htm">
    <IMG SRC="lion.gif" width=140 height=118>
    <BR>
```

```
    <FONT SIZE=+1>Moto-club du Lion (Peugeot)
</A>
    </FONT>
```

où on voit parfaitement l'interversion des deux balises `</A>` et `</FONT>`. Mais cette erreur n'empêche pas les navigateurs de donner le résultat espéré par l'auteur Web.

Info

Remarquez que les caractères diacritiques non encodés par des entités de caractères n'ont pas été diagnostiqués.

Que conclure sur les vérificateurs ?

Comme on vient de le voir par des exemples tirés de logiciels ou de services réputés, ces vérificateurs travaillent dans l'à-peu-près. Soit ils connaissent mal les spécifications HTML, soit une broutille les égare, soit leurs exigences sont plus sévères que celles des navigateurs. Si l'auteur Web utilise un éditeur WYSIWYG comme FrontPage ou FrontPage Express, il n'aura pas besoin de ces services. S'il préfère coder ses balises à la main, il y a de grandes chances pour qu'une vérification de ses pages effectuée simplement avec deux ou trois navigateurs différents et, si possible sur des plates-formes différentes, suffise à lui donner une assurance raisonnable d'avoir des pages visibles par le plus grand nombre de visiteurs. Pourquoi vouloir savoir ce qui n'est pas syntaxiquement correct dans une page qui se présente comme on l'attend ? Cela relève de la paranoïa !

Ce n'est guère que s'il ne parvient pas à obtenir ce qu'il espère (lorsque, par exemple, pour réaliser une mise en page sophistiquée, il utilisera des tableaux à la structure complexe), qu'un vérificateur pourra le mettre sur la piste de son erreur. Et encore, à la condition qu'il fasse preuve d'esprit critique dans l'interprétation dans les diagnostics qui lui seront fournis.

Chapitre 15

Se faire héberger
et se faire connaître

Maintenant que vous avez achevé votre présentation Web, que vous l'avez longuement testée et fait tester par vos amis en local (sur votre propre machine ou sur la leur), il est grand temps de penser à la faire connaître au monde entier. Pour cela, il faut d'abord l'installer sur un serveur connecté en permanence à l'Internet. Ensuite, il va falloir vous faire connaître. En banlieue (le mot "banlieue" ne mérite pas toujours la connotation désobligeante et péjorative qu'on y attache trop souvent) et à la campagne, lorsque aux beaux jours on organise un vide-grenier, une brocante ou une kermesse, on colle des affiches un peu partout pour que le plus de gens possible soient avertis de ces manifestations. Pour votre présentation Web, c'est la même chose. Sauf que c'est à l'échelon mondial que vous allez devoir "coller vos affiches". Nous verrons que ce n'est pas si difficile qu'on pourrait le craindre.

Une stupidité

Peut-être avez-vous lu dans quelque revue informatique qu'on pouvait fort bien être son propre serveur. Il existe en effet des logiciels de serveur personnel et on peut penser qu'ils fonctionnent correctement. Mais c'est loin d'être suffisant. Combien allez-vous devoir louer de lignes téléphoniques à France Télécom pour que plus d'un visiteur puisse voir votre présentation à la fois ? Combien de modems allez-vous devoir acheter ? Combien tout cela va-t-il vous coûter ?

Vous avez aussi l'alternative de louer une ligne à grand débit et de vous raccorder directement à l'Internet. Techniquement c'est possible, mais mais pratiquement c'est un non sens en raison des coûts de fonctionnement et des difficultés techniques qui vont surgir. Vous même, vous vous plaignez déjà certainement de la lenteur des transmissions avec votre fournisseur d'accès. Soyez certain que vos visiteurs qui auront — par miracle — réussi à atteindre votre site n'y reviendront pas dans de telles conditions d'accès.

Le nom de domaine

Avoir une URL de page Web à votre nom, c'est tentant. Si vous vous appelez Durand, vous seriez certainement très content que l'URL de votre site Web soit **www.durand.fr**. N'y comptez pas ! D'abord parce qu'avec un nom aussi courant, s'il était possible d'avoir une page à son nom, il y a belle lurette que cette URL serait déjà attribuée. Comme il est évident que les URL doivent être uniques, et que la règle générale en cette matière, c'est "premier arrivé, premier servi", vous risquez de rester sur votre faim.

Et puis, n'oubliez pas que nous sommes en France, pays où règne en maîtresse la complexification administrative (pardon pour ce néologisme !). Chez nous, seules les entreprises titulaires d'une inscription officielle et pouvant exciper d'un certificat administratif (le fameux K-bis) peuvent prétendre à faire figurer leur raison sociale dans leur URL. Exemples : **www.campuspress.fr**, **www.ibm.fr**, **www.cnil.fr**.

Si peu vous chaut de ne pas voir votre URL se terminer par ".fr", le problème se simplifie immédiatement car, sous réserve d'homonymie, vous pouvez très facilement obtenir un ".com", un ".org" ou un ".net". L'organisme américain qui attribue ces URL est bon enfant et ne cherche qu'à vous satisfaire. Pour bien comprendre comment les choses se passent, il est nécessaire de voir comment sont attribués les noms de domaine.

Aux Etats-Unis

Depuis 1993, NSI (Network Solutions, Inc.) était le seul fournisseur de noms de domaine en .com, .net et .org. En 1998, il a été mis fin à ce privilège exclusif et un accord a été conclu par le gouvernement américain pour que d'autres pays puissent également bénéficier de ces droits. Ces "registrars" (c'est ainsi qu'on appelle les organismes pouvant enregistrer les noms de domaine) sont encore actuellement peu nombreux. En France, par exemple, on trouve France Télécom et Worldnet (**http://www .worldnet.fr**).

Même si vous résidez en France, rien ne vous empêche de demander un nom de domaine se terminant par autre chose que .fr. Pour cela, vous devez vous adresser à NSI dont la page d'accueil, à l'URL **http://www .networksolutions.com**, est visible sur la Figure 15.1. Vous apprécierez au passage la façon agréable et pratique dont cette page est conçue. Certes, ce n'est pas un chef d'œuvre artistique, mais tel n'est pas son but. Ici, vous trouverez tout ce qui vous est nécessaire. La première chose à faire est évidemment de voir si le nom de domaine que vous souhaitez déclarer est libre ou est déjà attribué.

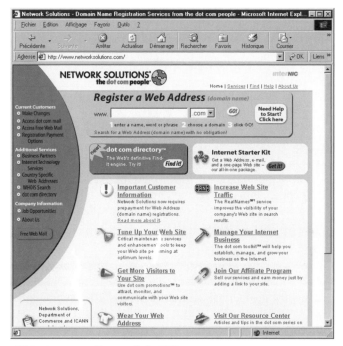

Figure 15.1 : La page d'accueil de NSI.

Info

.com, org, .net ? Lequel choisir ? En principe, .com est réservé comme on peut le penser à des entreprises commerciales, .org à des organisations et .net aux organismes s'occupant de network (réseau). Mais en général, on n'ira pas vous chercher des poux sur la tête sur ce type de détail. C'est ainsi, par exemple, que la Fédération française des véhicules d'époque (FFVE), association à but lucratif reconnue par l'Etat et qui s'occupe des véhicules de collection, a pu obtenir sans mal l'URL www.ffve.org. En France, elle n'aurait pu obtenir que www.ffve.asso.fr et pas en ligne comme avec NSI. Dans les conditions plus compliquées que nous allons exposer un peu plus bas.

Nous avons fait un essai avec le nom de notre club de motos anciennes qui a servi d'exemple au Chapitre 13 et nous avons proposé **www.amgr.org** (voir la Figure 15.2). En moins de 5 secondes, nous apprenions que cette URL était disponible et, sur la même page, dont la Figure 15.3 montre la présentation, le choix nous était offert entre :

- **Une simple réservation**. Aucune autre formalité n'est alors nécessaire. Il vous suffit de payer 119 dollars (environ 700 francs, soit 109 €), éventuellement par carte de crédit, pour réserver ce nom pendant deux ans.

- **Un enregistrement pour utilisation à brève échéance**. Vous devez alors fournir quelques informations techniques sur le serveur qui vous héberge afin que ce nom puisse être reconnu par les serveurs de noms de l'Internet. Le coût est de 70 dollars pour les deux premières années (environ 420 francs, soit 62 €).

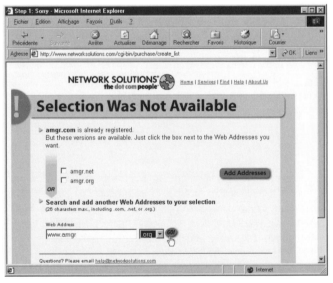

Figure 15.2 : Comment voir si un nom de domaine est libre.

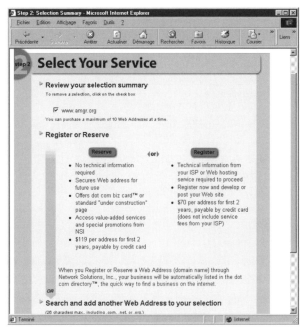

Figure 15.3 : Avec NSI, réserver ou enregistrer son nom de domaine est possible en ligne.

En France

Depuis deux ans, le discours officiel nous avait donné l'espoir que tout allait devenir simple et serait fait pour que notre pays rattrape son retard en matière d'Internet. Hélas, il ne faut pas rêver ! La simple vue de la page d'accueil de l'AFNIC (Association française pour le nommage Internet en coopération) à l'URL **http://www.nic.fr/presentation/**, reproduite sur la Figure 15.4, vous donne tout de suite le ton. Ici, fini de rire !

Pour en savoir plus, cliquez sur le bouton "Domaines" et téléchargez le fichier de la charte de nommage, par exemple, en format PDF. Vous obtiendrez un document de huit pages que nous n'allons pas étudier en détail ici. Sachez simplement que vous ne pouvez pas traiter en direct avec l'AFNIC et que vous devez **obligatoirement** passer par les bons offices d'un intermédiaire agréé (nous retrouvons bien là l'esprit tracassier de l'administration française où rien n'est fait pour encourager la libre entreprise).

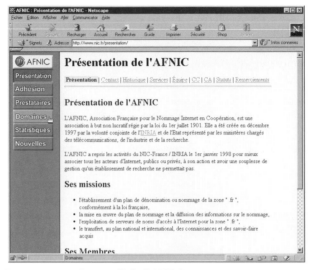

Figure 15.4 : La page d'accueil de l'AFNIC.

La zone **.fr** est décomposée en deux sous-domaines dont l'énumération occupe plus de trois pages :

- Domaines publics : **.fr**, **.asso.fr**, **.com.fr**, **.nom.fr**, **presse.fr**, **.prd.fr**, **.tm.fr**.

- Domaines sectoriels : **.gouv.fr**, **.notaires.fr**, **.mairie.fr**, etc.

Pour un site Web de particulier, vous pourrez prétendre au domaine **.nom.fr**, à condition de fournir les pièces suivantes :

- Justificatif de domicile datant de moins de trois mois.

- Justificatif de majorité.

- Si vous résidez hors de France, vous devrez en outre produire un justificatif de nationalité.

Si vous œuvrez pour une association à but non lucratif (loi de 1901), vous aurez un nom de domaine se terminant en **.asso.fr** en produisant simplement une copie de la parution au J.O. de la déclaration de votre association ou un récépissé de sa déclaration en préfecture.

Mais, bien entendu, vous ne pourrez pas faire ces opérations en direct et c'est votre "intermédiaire agréé" qui devra s'en charger pour votre compte. Il se fera évidemment rémunérer pour ses bons offices. Vous trouverez des adresses utiles dans les pages de publicité des revues d'informatique consacrées à l'Internet comme *Netsurf* ou *.Net* (voir l'Annexe A).

Se faire héberger

Pour héberger votre présentation Web, évitez de recourir au serveur de votre entreprise, à moins que vous n'ayez un patron particulièrement compréhensif. Il vous reste alors trois solutions :

- Vous adresser à votre fournisseur d'accès habituel. Comme nous l'avons signalé précédemment, la plupart de ceux-ci vous accordent un espace de l'ordre de 10 à 20 Mo sur leurs disques durs. D'autres sont plus généreux encore, allant jusqu'à 50 Mo.

- Vous adresser à un fournisseur d'hébergement gratuit tel que Multi-Mania, Altern ou Chez qui, à la différence d'un fournisseur d'accès ordinaire, ne propose pas d'accès Internet proprement dit, se limitant au seul hébergement. Parfois il vous propose aussi une ou plusieurs adresses e-mail...

- Recourir aux prestations payantes d'un professionnel de l'héberge-ment. Pour le particulier, cette dernière solution n'offre guère d'avan-tages. Par contre, elle est précieuse dans le cadre d'un site Web d'entreprise, petite ou moyenne, ne disposant pas de suffisamment de ressources ou de compétences chez elle ou ne souhaitant pas s'investir dans ce type de travail.

Nous allons brièvement étudier les avantages et inconvénients de chacune de ces solutions dans le cadre d'un site Web personnel.

Votre fournisseur d'accès

Pratiquement, tous les fournisseurs d'accès vous proposent aujourd'hui d'héberger vos pages personnelles. Nous n'allons pas dresser un panorama de l'offre, car celle-ci est assez fluctuante et pour avoir des informations à jour, mieux vaut consulter le site Web de votre fournisseur d'accès. A titre d'exemple, pour ne pas nous faire accuser de faire de la publicité déguisée pour tel ou tel fournisseur d'accès payant, nous allons voir ce que propose le fournisseur d'accès gratuit Free.

Vous devez avoir ouvert un compte normal (gratuit) sur free (**http:// www.free.fr**). A partir de ce moment, vous pouvez activer votre compte Web en ligne en affichant la page **http://inscription.free.fr/acces/pages-perso.html** dans laquelle vous indiquerez votre identifiant et votre mot de passe (voir la Figure 15.5). Si vous ne vous êtes pas trompé dans la saisie de ces deux paramètres, une nouvelle page vous confirmera votre inscrip-tion en vous signalant que l'activation des pages personnelles a lieu toutes les deux heures. Vous avez droit à 50 Mo d'espace disque, ce qui est plus que suffisant, même si vous avez l'intention d'agrémenter votre page par des animations ou des extraits musicaux en MP3.

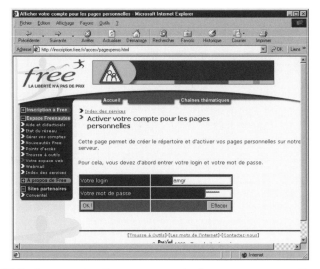

Figure 15.5 : Comment activer son compte de pages personnelles avec Free, fournisseur d'accès gratuit.

Pour transférer vos pages, vous devrez utiliser un client FTP (voir à ce sujet la Partie III de ce livre) et l'adresse à utiliser sera **ftp://ftpperso.free.fr**. Aucun nom de répertoire n'est nécessaire, car il sera automatiquement déduit de l'identifiant (accompagné du mot de passe) que vous devrez indiquer dans la fenêtre de votre client FTP au moment de la connexion.

Si le nom de votre compte est (pour continuer avec notre exemple) : **amgr**, vos visiteurs accéderont alors à votre page d'accueil à l'URL **http://amgr.free.fr** complétée par le nom de fichier de la page d'accueil. Si celle-ci a pour nom **accueil.htm**, votre URL sera donc **http://amgr.free.fr/accueil.htm**.

Plusieurs services annexes vous sont proposés :

- Compteur d'accès (voir le Chapitre 10).

- Possibilité de restreindre l'accès de vos pages au moyen d'un mot de passe.

- Envoi de résultats de formulaires par e-mail (voir le Chapitre 8, section *Envoi des informations à une adresse mailto:*).

- Personnalisation des messages d'erreur pour l'accès à vos pages.

- Utilisation de scripts en langage PHP3.
- Gestion d'un livre d'or où vos visiteurs peuvent vous poser leurs questions et vous communiquer leurs commentaires.
- Statistiques sur vos visiteurs.

La liste complète et les détails d'utilisation de ces services se trouve à l'URL **http://support.free.fr/nouveau/**.

Attention

Comme chez la plupart des fournisseurs d'accès, il existe quelques restrictions. Les principales sont que, pour des raisons de sécurité, vous n'avez pas le droit d'écrire des script CGI et que vous ne pouvez pas utiliser un nom de domaine personnel (**www.amgr.com**, par exemple).

Un fournisseur d'hébergement gratuit

Il en existe quelques-uns en France et davantage aux Etats-Unis. La plupart n'acceptent que les présentations personnelles ou d'associations à but non lucratif et vous demandent, en contrepartie, d'insérer des bandeaux publicitaires de leurs commanditaires dans votre page. Certains ne vous demandent pas votre avis et vous les imposent d'office.

Voici quelques sites d'hébergement français :

- **MultiMania : http://www.multimania.fr**. Sa page d'accueil est reproduite sur la Figure 15.6. Vous disposez de 12 Mo (20 pour ceux qui y résident depuis plus d'un an) d'espace disque et d'une boîte à lettres personnelle dans laquelle vous pouvez recevoir et envoyer du courrier électronique. Des services annexes sont proposés, destinés à vous faciliter l'écriture de vos pages : pages didactiques, astuces d'écriture, bibliothèque d'images, forums privés... Inconvénient : toute page chargée à partir de MultiMania est "complétée" par un fichier JavaScript préliminaire de 945 octets destiné à afficher un panneau publicitaire, ce qui allonge de façon non négligeable le chargement de la page et finit par être lassant. La Figure 15.7 montre comment se présente un de ces écrans de pub.

Attention

Chez MultiMania, le nom de domaine de **votre** page ne sera pas **.fr**, mais **.com**.

Figure 15.6 : La page d'accueil de MultiMania qui offre 12 Mo d'espace disque.

Figure 15.7 : Un écran de pub de MultiMania.

- **Chez : http://www.chez.com.** Propose 10 Mo d'espace disque (les conditions générales annoncent une limite de 2 000 fichiers d'au plus 500 Ko, ce qui pose un douloureux problème d'arithmétique) ainsi que la création d'une boîte à lettres électronique consultable normalement ou par Minitel (voir Figure 15.8). Votre adresse électronique ne doit pas être celle d'un "remailer" (vous ne pourriez pas vous inscrire sous l'adresse e-mail **amgr@mail.dotcom.fr**). Votre site devra être écrit en langue française et vous devrez accepter un bandeau publicitaire. Une fenêtre annexe s'affichera comme chez MultiMania.

- **Altern : http://www.altern.com.** On y parle français, comme son nom ne l'indique pas. Propose 10 Mo d'espace disque, des forums et un service de mail.

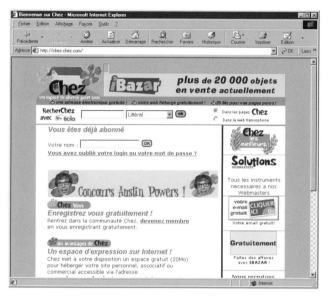

Figure 15.8 : La page d'accueil de Chez qui vous offre 10 Mo d'espace disque.

- **CiteWeb : http://www.citeweb.net/**. Accepte les pages personnelles et d'associations 1901 à l'exception des associations religieuses. Ces pages doivent être rédigées en français, mais une version de ces mêmes pages dans une langue étrangère est acceptée en plus. Les fichiers ".au", ".rm", ".wav", ".mp3", ".mov", ".mpg" ou apparentés sont interdits. Propose 20 Mo d'espace disque, mais les fichiers dont la taille dépasse 512 Ko sont interdits et seront automatiquement effacés si on tente d'en envoyer. Services annexes : compteur, statistiques, forum personnel... Ni fenêtre auxiliaire, ni bandeau de pub.

- **Le Village (http://www.le-village.com)**. Sa page d'accueil est reproduite sur la Figure 15.9. C'est une communauté virtuelle (ici ce mot n'a aucune connotation avec l'idée d'une secte quelconque) qui vous propose un espace disque sans limitation définie. En prime : courrier électronique, forums de discussion, vidéo conférence et dialogues en temps réel avec d'autres internautes. Publie depuis peu (le numéro 2 date de novembre 1999) une petite revue papier, *L'Echo du Village*, vendue 12 francs et contenant un CD-ROM.

- **SiteFun (http://www.sitefun.com)**. Tout nouveau service qui vous offre 50 Mo d'espace disque.

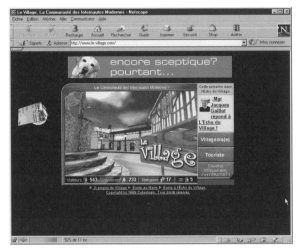

Figure 15.9 : La page d'accueil très typée de "Le Village".

- **i-France** (**http://www.i-France.com**). Propose 50 Mo d'espace disque, mais il faut résider en France. Compte e-mail possible. Offre également un hébergement payant avec prestations annexes.

Aux Etats-Unis, citons, parmi les plus connus :

- **Tripod** (**http://www.tripod.com**). Propose 5 Mo. Organisé en communautés virtuelles (une dizaine en France contre plus d'une centaine aux Etats-Unis) fédérées autour d'un "podérateur". Un bandeau permanent sera affiché sur vos pages.

- **Geocities** (**http://www.geocities.yahoo.com**). Fort de ses quelque deux millions d'hébergés, il vous propose 15 Mo et un service de courrier électronique. A récemment été (comme l'indique son URL) racheté par Yahoo!.

- **Xoom** (**http://xoom.com**). 11 Mo d'espace disque et un service de courrier électronique.

Astuce

Bien évidemment, il n'y a guère d'intérêt pour un Français à se faire héberger par un serveur américain, car cela allongera d'autant le temps de chargement des pages Web pour ses visiteurs en raison du plus long parcours (et donc du plus grand nombre de routeurs) et de l'engorgement des liaisons Internet transatlantiques.

Un professionnel de l'hébergement

Ici, tout est possible et c'est à vous de négocier pour obtenir les facilités que vous souhaitez. Les pages de publicité des revues consacrées à l'Internet sont remplies d'annonces relatives à ce type de prestation.

Attention

Si votre page Web attirait vraiment beaucoup de monde, le serveur sur lequel elle est installée pourrait se trouver surchargé ou même saturé par les appels, ce qui risquerait d'amener votre hôte à vous faire payer un supplément.

Le transfert des fichiers

Le transfert des fichiers s'effectue presque toujours par FTP depuis votre ordinateur vers le répertoire personnel qui vous a été alloué. Vous trouverez tous les détails de cette opération dans la Partie III, aux Chapitres 22 à 25. Aussi n'en dirons-nous pas davantage ici.

Certains éditeurs de pages Web (FrontPage de Microsoft ou Arachnophilia, par exemple) comportent un client FTP qui automatise le transfert et facilite la mise à jour d'une présentation. Bien que non indispensables pour des sites à la structure simple, ces outils peuvent vous faire gagner du temps lors de la mise à jour de sites ramifiés ou complexes. Mais ils ne vous procureront ni la puissance ni, surtout, la facilité d'utilisation que vous aurez avec un *client FTP* spécialisé. Et, en outre, comprendre comment vous devez les utiliser n'est pas toujours facile.

Se faire connaître

Si vous publiez, c'est pour être lu. Lorsqu'il s'agit d'une publication écrite, se pose en outre le problème de la distribution dans les kiosques et Maisons de la Presse. Avec l'Internet, vous n'aurez pas à le résoudre puisque la distribution de vos pages est automatique et gratuite. Seul vous reste donc le problème de vous faire connaître. Au début du Web, on disait : "Construisez un site et ils y viendront." C'est maintenant totalement erroné en raison de la prolifération des sites Web dans le monde entier. Aussi faut-il trouver des moyens pour amener les abeilles que sont les surfeurs de l'Internet à venir butiner vos pages.

Les moyens artisanaux

Comme vous ne disposez que d'un budget limité, vous n'allez évidemment pas passer de la publicité dans les périodiques spécialisés, mais recourir à des moyens moins onéreux.

Le support papier

Si votre présentation Web est celle d'un club ou d'une association 1901, vous pouvez signaler votre présence sur le Web à vos membres au moyen du bulletin papier que vous leur distribuez presque certainement.

Info

Un périodique récent, *Net@scope*, propose de vous consacrer gratuitement un entrefilet dans son prochain numéro. Pour plus de détails, voir l'Annexe A. La Figure 15.10 montre sa page d'accueil.

Figure 15.10 : Net@scope vous propose d'annoncer gratuitement votre site dans sa publication papier.

Le bouche à oreille

Vous pourrez aussi en parler à vos amis et connaissances. Avec un peu de chance, ça fera tache d'huile et peut-être arriverez-vous à intéresser une centaine de personnes. Comparé à l'auditoire mondial potentiel du Web, c'est absolument dérisoire. Mais peut-être par modestie (ou paranoïa ?) ne souhaitez-vous pas dépasser ce cercle de "happy few" ?

Le courrier électronique

Si vous êtes un habitué de l'e-mail, pourquoi ne pas rajouter votre URL à votre signature ? Ainsi, tous vos correspondants sauront que vous avez un site Web. Vous pourriez adopter une signature de ce genre :

```
Georges Martin
Secrétaire de la Société pour le Comblage des Lacunes
        http://www.monserveur.fr/spcl.htm
```

Cela accroîtra légèrement la diffusion, surtout si vous êtes abonné à une liste car, de cette façon vous toucherez des gens que vous ne connaissez même pas, abonnés à la même liste.

Les news

Pensez aussi à ce panneau d'affichage public que constituent les news-groups (forums) de Usenet. Le même principe de diffusion par la signature peut y être employé. Certains vont même jusqu'à une incitation plus directe, pas toujours bien perçue :

```
Venez visiter mon nouveau site Web : http://www.monserveur
➥.fr/spcl.htm
```

Si vous fréquentez un forum dont le sujet est en rapport avec celui de votre présentation, vous pourrez attirer pas mal de monde : Français ou même anglophones, selon le forum que vous choisirez. En outre, il existe deux forums spécialisés dans ces annonces (mais nous n'avons pas l'impression qu'ils soient très fréquentés) :

```
fr.comp.infosystemes.www.annonces
fr.comp.infosystemes.www.annonces.d
```

Le renvoi d'ascenseur

Vous n'êtes pas seul à vous intéresser au sujet de votre présentation Web et sans doute y a-t-il (particulièrement dans le cas d'associations 1901) d'autres présentations traitant, sinon du même sujet, du moins de sujets voisins. Envoyez un e-mail à leur webmaster (dont l'adresse figure quelque part sur la page d'accueil dans tous les sites Web bien conçus) pour lui demander la permission de le référencer dans votre rubrique appropriée (*Autres liens, Mes sites préférés, Voyez aussi...*) en lui demandant de faire de même dans la sienne. C'est le genre de demande qui recevra presque toujours un accueil favorable.

Les méthodes sérieuses

D'une façon générale, il existe deux moyens : le référencement par des sites spécialisés et le référencement par échange de bons procédés. Nous allons examiner quelques-unes des méthodes pratiques à mettre en œuvre dans ces deux cas.

Les moteurs de recherche

Le plus sûr moyen de vous faire largement connaître est de vous inscrire auprès des moteurs de recherche et des annuaires tels que Yahoo!, Alta-Vista, Lycos, Voila, etc., Si votre présentation est rédigée en français, vous limiter aux moteurs installés en France pourrait paraître sage, mais vous risquez ainsi de vous priver d'une partie de la clientèle francophone mondiale (des Québécois, en particulier).

Des annuaires et des moteurs de recherche, il y en a beaucoup. Comment les connaître ? Comment les choisir ? Comment s'y inscrire ? A ces (angoissantes) questions, une réponse : utilisez un service de référencement qui fera le travail pour vous. Ici encore, certains services sont gratuits ; d'autres, payants. Comme nous nous sommes placés dans la situation d'une page personnelle, nous ne retiendrons que les premiers, parmi lesquels nous citerons :

- **Subwizard** (**http://www.subwizard.com/francais/**). Il vous propose de vous inscrire auprès de 25 moteurs de recherche à travers le monde en remplissant un simple formulaire en ligne. En payant la somme de 227 francs, vous pourrez obtenir un référencement auprès de 400 moteurs de recherche.

- **SAM l'annonceur** (**http://www.annonceur.net**). 60 outils de recherche (dont 20 francophones).

- **Référencement 2000** (**http://www.brioude-internet.fr/gratuit.html**). Egalement 60 outils de recherche (dont 20 francophones). Procédure en ligne automatisée.

Mais encore faut-il savoir comment se présenter et quelles sont les astuces à utiliser pour se faire "bien" référencer et avoir une chance d'émerger parmi les centaines de milliers de pages qui existent.

La stratégie des annuaires et des moteurs de recherche

Systématiquement, annuaires et moteurs de recherche envoient des automates programmés à la découverte des nouveaux sites Web pour alimenter leurs bases de données. Lorsqu'ils trouvent quelque chose qu'ils n'ont pas encore en mémoire, ils vont l'analyser pour voir à quel thème ça se rapporte et quels sont les mots clés importants. Pour attribuer un poids à ces mots clés, ils vont ensuite étudier leurs occurrences dans le texte, ce qui peut conduire à des résultats inattendus, pour peu que l'auteur se soit laissé aller à une certaine emphase.

Astuce

Il est connu que si on ne se trouve pas dans les trente premières références présentées par un moteur de recherche à l'issue d'une consultation sur un mot clé, on n'a que fort peu de chances d'être visité. Certains moteurs de recherche ont tenté, avec plus ou moins de bonheur, de monnayer l'ordre de présentation des sites qu'ils référencient. Quoiqu'il en soit, ce procédé est financièrement hors de portée de l'individu.

La plupart sont capables d'exploiter la présence dans la page d'accueil de la balise `<META>`. S'ils la trouvent, ils cherchent alors les attributs `NAME="description"` et `NAME="content"` (contenu). En extrayant les informations qui y figurent, ils ont de quoi garnir leurs bases de données. Pour ce qui suit, nous supposerons que vous avez écrit une présentation Web sur le bœuf (utilisant, par exemple, l'image réactive de la Figure 6.10).

- **L'attribut NAME="description".** Il doit être suivi d'un attribut CONTENT= à la suite duquel se trouve un résumé du contenu de la présentation. Par prudence, évitez les accents, ce qui ne gênera guère les francophones et facilitera le travail des robots et les recherches des anglophones. Dans notre exemple, voici ce qu'on pourrait trouver :

```
<META NAME="description" CONTENT="Le boeuf, son elevage,
les
 differentes races, les meilleurs morceaux, recettes
inedites">
```

- **L'attribut NAME="keywords".** Il doit être suivi d'un attribut CONTENT= à la suite duquel se trouve une liste de mots clés en rapport avec le sujet traité. Dans notre exemple, voici ce qu'on pourrait trouver :

```
<META NAME="keywords" CONTENT="boeuf, boucherie, elevage,
race
 bovine, boucherie, recettes, cuisine, bourguignon,
```

```
miroton">
```

Pour augmenter ses chances d'être correctement référencé, il est bon d'avoir un titre de page clair et explicite (balise <TITLE>) et un premier paragraphe se présentant comme un bref résumé de la présentation.

Astuce

Si nous insistons sur la concision de ces indications de présentation générale, c'est que les bases de données des annuaires et des moteurs de recherche ne prévoient pas beaucoup de place pour résumer le contenu d'une présentation. Mieux vaut alors éviter le risque d'une coupure brutale du texte qui pourrait lui faire perdre son sens.

Pour illustrer ces propos, voici un exemple concret d'en-tête de document HTML bien réalisé, élaboré par un prestataire de services (dont, par discrétion, nous avons modifié le nom) qui témoigne d'un métier sûr :

```
<!-- EDITEUR WEBEXPERT
     DATE DE CREATION: 24/03/1998
     DERNIERE MODIFICATION: 17/05/1998
     PAR: Jules Dupont-->

<HTML>
<HEAD>
<TITLE>FAQ page</TITLE>
<META NAME="Author" CONTENT="Jules Dupont">
<META Name="description" Content= "Bonzordis, entreprise
   Internet !!">
<META Name="keywords" Content="Yvelines, bonzordis,
   informatique, internet, web, hébergement"></HEAD>
```

Astuce

Pour vous aider à confectionner des balises META correctes, vous pouvez vous servir du logiciel HISC Taggen dont vous pourrez charger une version d'essai à l'URL **http://www.taggen.com/trialware.htm**.

Deux astuces à éviter

Beaucoup d'auteurs Web ne savent pas rédiger correctement les balises <META> et ils comptent sur l'indexation du contenu de leur page par les robots pour établir les mots clés. D'autres, soucieux de se faire référencer dans le plus de domaines possible, cherchent à ajouter des mots clés qui n'aient rien à voir avec le texte, mais appartiennent à des domaines très... sollicités (le "X", par exemple). Il existe deux moyens simples d'y parvenir, l'un honnête, l'autre moins :

- On peut rajouter en tête de sa page d'accueil un texte plus ou moins cohérent contenant des mots clés réputés "attractifs", plusieurs fois répétés (pour donner du poids à leurs occurrences), mais placés dans une balise de commentaire HTML (`<!-- ... -->`). Maintenant, presque tous les robots savent déjouer cette tentative de leur forcer la main et risquent de la sanctionner en ignorant purement et simplement le site.

- On peut aussi reprendre la liste de ces mots clés en les écrivant dans une couleur identique à celle de l'arrière-plan. La Figure 15.11 nous présente la page d'accueil du bœuf, à l'allure bien innocente.

Figure 15.11 : La page du bœuf semble bien innocente.

Mais si l'on promène le curseur de la souris dans l'espace situé au-dessus du titre, on va constater qu'il se change en barre verticale, signe de la présence d'un texte. Et si on balaie l'espace, on va sélectionner ce texte qui va alors apparaître en vidéo inverse et devenir ainsi visible (voir Figure 15.12) On notera que nous avons conservé un vocabulaire qui ne mette pas en péril la haute tenue littéraire de cet ouvrage.

Info

Cette astuce est, elle aussi, connue et les robots de recherche savent généralement la déjouer. C'est d'ailleurs pour cela que nous avons décidé de vous la faire connaître !

Figure 15.12 : Avec de tels mots, on peut espérer se faire référencer par les robots dans d'autres domaines plus fréquentés que celui de la gastronomie.

Tout simplement, le texte subliminal a été écrit dans la même couleur que l'arrière-plan. Voici comment se présente ce texte dans le document HTML correspondant :

```
[...]
<BODY BGCOLOR="yellow">
<FONT COLOR="yellow">Nus, cuisse, deshabille, nue, nues,
 jambe, seins, cuisses, X, pornographie, deshabille,
denude,
 frivole, girls, filles, poitrine</FONT>
<H1 ALIGN=CENTER>Apprenez à connaître le boeuf
</H1>
<IMG SRC="bof.gif" ALIGN=LEFT>
[...]
```

Les Webrings

Il s'agit d'un système de référencement en anneau fermé de sites ayant un même objectif : la restauration des porcelaines chinoises, la culture des fleurs sauvages, l'aquariophilie... Sur votre page d'accueil, vous mettez deux pointeurs particuliers : l'un vers l'avant ; l'autre vers l'arrière. Lorsque le visiteur clique sur l'un d'eux, il est mis en communication avec le site central du Webring qui choisit dans une liste l'URL du "prochain" site selon le sens de parcours. Si des sites viennent se rajouter ou d'autres à disparaître, la mise à jour s'effectue seulement sur le site central, votre page n'ayant pas à être modifiée. Un répertoire liste les thèmes pour lesquels existe un anneau ainsi que le contenu de chaque anneau. Pour en savoir plus, consultez le site du Webring à l'URL **http://www.webring .com** dont la Figure 15.13 vous montre la page d'accueil.

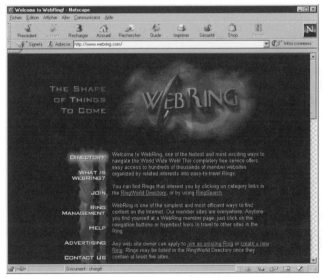

Figure 15.13 : La page d'accueil du site du Webring.

Les bannières

Le principe est simple bien qu'il en existe plusieurs variantes. Un site central vous propose d'afficher des bannières publicitaires (images d'un format voisin de 60×400 pixels, commerciales ou non) sur vos pages. Ces bannières comportent un pointeur vers le site Web concerné. Chaque fois qu'un visiteur a été voir le site ainsi signalé, vous obtenez un certain nombre de "crédits". En fonction du nombre de crédits que vous avez ainsi obtenu, votre propre bannière sera affichée dans plus ou moins de pages. Voici, un peu au hasard, les URL de trois de ces services spécialisés :

- **Clicmoi** (**http://www.clicmoi.com/**). Service français dont la page d'accueil est visible sur la Figure 15.14.

- **LinkExchange** (**http://adnetwork.linkexchange.com/**). Service américain dont la page d'accueil est visible sur la Figure 15.15.

- **Mégaphone** (**http://www.megaphone.ch/offresweb/offrebannieres .html**). Service suisse.

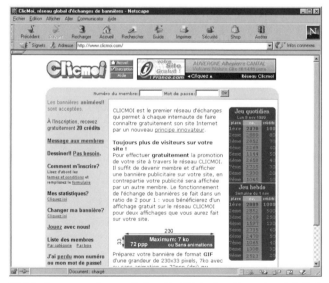

Figure 15.14 : La page d'accueil du site Web de Clicmoi spécialisé dans l'échange de bannières.

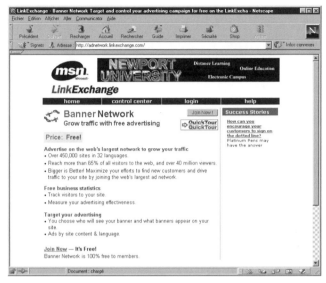

Figure 15.15 : Autre service d'échange de bannières, américain, celui-ci : LinkExchange.

Contrôle du référencement

C'est ici qu'apparaît l'intérêt des compteurs d'accès dont nous vous avons entretenu au début du Chapitre 10. Dans un délai d'une à deux semaines, si vous avez pris la précaution de placer un de ces compteurs dans votre page, vous devriez constater un accroissement du nombre de *hits* (accès) significatif. N'oubliez pas que ces compteurs n'ont pas une valeur scientifique, mais qu'ils vous indiquent plutôt une tendance. Tous les hébergeurs vous proposent ce service. C'est pourquoi, si le vôtre est en France, n'allez pas chercher un compteur offert par un serveur américain en raison des problèmes d'accès dus à la saturation de la liaison transatlantique.

Partie II

L'éditeur HTML FrontPage Express de Microsoft

Chapitre 16

Présentation de FrontPage Express

Qu'est-ce que FrontPage Express ?

FrontPage Express est le petit frère de FrontPage, l'éditeur HTML commercialisé par Microsoft. Cette similitude d'appellation laisse à penser à une étroite parenté entre les deux produits, ce que confirme l'expérience. Il fait partie, au même titre que Outlook Express, du package Internet Explorer, et il coûte le même prix, c'est-à-dire rien : il est gratuit ! Voici comment Microsoft présente FrontPage Express :

FrontPage Express est un éditeur de pages Web qui vous donne accès à toute la puissance du langage HTML (HyperText Markup Language). Vous pouvez utiliser FrontPage Express pour créer des pages Web au format HTML tout en travaillant dans un affichage "tel écrit tel écran" (ou WYSIWYG) qui vous permet de visualiser la mise en forme et la disposition réelles de votre page.

Info

En anglais, *front page* est une expression qui signifie "la une" en parlant d'un journal.

La version que nous avons utilisée pour cette étude accompagne Internet Explorer 5.0 et porte le numéro 2.02.1131.

Avantages de FrontPage Express

Les principaux avantages de ce logiciel mis en avant par Microsoft sont les suivants :

- Créer des balises HTML à partir d'une barre d'outils sans avoir à les taper.

- Sélectionner du texte ou des paragraphes pour appliquer une mise en forme en cliquant simplement sur un bouton de cette barre d'outils.

- Insérer des images personnelles ou empruntées (avec l'autorisation de leur légitime propriétaire) dans vos pages. (A la différence de Front-Page — le grand frère — aucune collection de cliparts n'est incluse dans cet éditeur.)

- Enregistrer votre travail directement sur le Web (à l'aide de l'Assistant de publication de sites Web) ou dans un fichier.

- Ouvrir des pages Web existantes directement à partir du Web (si vous avez installé l'Assistant de publication de sites Web) ou d'un fichier situé sur votre ordinateur ou sur un réseau.

Et bien entendu, si, séduit par la puissance et la simplicité du logiciel, vous décidez de passer à la vitesse supérieure, vous retrouverez pratiquement les mêmes commandes (avec d'autres en plus, cela va sans dire) dans FrontPage, produit commercial dont le prix conseillé est un peu au-dessus de 1 000 francs TTC.

Un dernier point intéressant à connaître : FrontPage Express a hérité de son aîné la particularité d'avoir plusieurs chemins pour accéder à la même fonction : outil de la barre d'outils, rubrique de menu et raccourci clavier.

Inconvénients de FrontPage Express

Ne vous attendez pas à avoir le beurre et l'argent du beurre. Ce FrontPage "décaféiné", s'il a l'aspect extérieur de FrontPage, n'en a pas l'arôme et il lui manque pas mal de choses. En particulier, l'aide en ligne est davantage un catalogue qu'une véritable aide digne de ce nom. Il en résulte que l'auteur Web est laissé à lui-même, tâtonnant çà et là, à la recherche de ce qu'il pourrait bien faire pour réaliser la mise en page qu'il souhaite ou incorporer tel ou tel objet HTML.

Nous aurons l'occasion de déplorer ces lacunes plus loin, dans ce même chapitre et ceux qui suivent. Soucieux de ne pas laisser notre lecteur dans l'ignorance, nous essaierons de lui en donner plus que Microsoft en le faisant bénéficier du résultat de nombreux essais, tous effectués avec les plus récentes versions distribuées d'Internet Explorer et de Netscape Navigator (respectivement 5.0 et 4.7).

L'un des défauts les plus gênants de FrontPage Express est sans doute son ignorance totale des frames. Rien n'a été prévu pour créer des cadres. Si vous tenez absolument à adopter cette structure pour vos pages, vous devrez donc tout coder à la main, comme nous le verrons au Chapitre 19.

FrontPage Express a repris de son aîné les *WebBots*, sortes de programmes annexes installés sur le serveur, absolument étrangers à toutes les spécifications HTML existantes ou ayant existé. Nous en dirons brièvement quelques mots au Chapitre 21. Sans nier les avantages que cela peut apporter dans certains cas, ce refus délibéré de respecter un standard pose plus de problèmes qu'il n'en résout pour les présentations Web qui les utiliseraient, ne serait-ce qu'en raison de la nécessité d'avoir installé sur le site serveur les extensions spéciales FrontPage, ce que refusent beaucoup d'hébergeurs de pages personnelles.

Il faut aussi savoir que l'ébranchage de FrontPage a été fait de manière boiteuse, laissant subsister des gadgets et des fonctionnalités débouchant sur des impasses (la validation des formulaires, par exemple). Notre étude de FrontPage Express ne sera donc pas exhaustive. Nous laisserons dans l'ombre un certain nombre d'options de menus et de boîtes de dialogue qui ne sont pas réellement utiles, mais compliquent plutôt son utilisation.

> **Info**
>
> En particulier, nous n'utiliserons pas ses possibilités de transfert direct des fichiers d'une présentation Web vers le serveur, car sa mise en œuvre nous paraît bien plus compliquée que le recours direct à un client FTP spécialisé, sujet qui sera traité complètement dans la Partie III, aux Chapitres 22 à 25.

Quant au code HTML créé par FrontPage Express, mieux vaut parfois se voiler la face...

A cheval donné on ne regarde pas les dents

Au vu de ces inconvénients, le lecteur pourrait se demander les raisons qui nous ont poussé à choisir cet éditeur. A cette question il y a principalement deux réponses : d'abord, il est gratuit ; ensuite, pour peu qu'on laisse de côté certaines des fonctionnalités d'intérêt douteux que nous venons de signaler, son emploi est simple, presque intuitif, et, surtout, il est WYSIWYG. Pour tout dire, il nous semble être l'outil idéal pour se familiariser avec la création de pages HTML. Lorsqu'il aura acquis une certaine expérience, le lecteur pourra alors choisir plus judicieusement un autre éditeur, peut-être moins WYSIWYG, mais plus riche d'outils réellement utiles et moins encombrés de gadgets inutiles (nous pensons là aux WebBots).

Comment se procurer FrontPage Express

FrontPage Express, nous l'avons dit, est un des composants d'Internet Explorer à partir de sa version 4. On trouve ce navigateur dans la plupart des CD-ROM encartés dans des revues d'informatique telles que *NetSurf* ou *.net*. Il suffit alors de se laisser guider par le menu de sélection proposé par le CD-ROM pour aboutir au répertoire approprié et, généralement, à l'assistant d'installation.

Son plus grand avantage est *théoriquement* de permettre de tout ignorer de HTML. Dans ce cas, à quoi bon toute la première partie de ce livre, allez-vous vous (nous) demander ? Si nous avons mis le mot "théoriquement" en italique, c'est parce que nous verrons qu'il est de temps en temps nécessaire de mettre les mains dans le cambouis et de fouiller dans le code HTML généré. Que ce soit pour rectifier un détail, pour corriger un bogue de FrontPage Express ou pour ajuster plus finement une mise en page qu'on n'arrive pas à réaliser avec les options proposées. Ou encore parce que ces manipulations directes permettent de gagner un temps certain lorsque, par suite de l'insuffisance de l'aide en ligne, on ne sait pas quelle option des menus de FrontPage activer pour faire ce qu'on a envie de voir.

Installation de FrontPage Express

Lorsqu'on a choisi l'option par défaut de l'installation d'Internet Explorer, FrontPage Express est ignoré. C'est donc une installation complète qu'il faut demander (voir Figure 16.1).

Figure 16.1 : Option à choisir pour installer FrontPage Express.

L'installation

Ensuite, il suffit de prendre patience, car il n'est pas possible d'installer FrontPage Express tout seul, vu la façon dont il est imbriqué avec la configuration globale d'Internet Explorer. On sait quelle est la position de Microsoft sur ce dernier logiciel : c'est un composant clé étroitement lié à Windows lui-même. Si vous acceptez la proposition initiale de l'Assistant d'installation pour loger Internet Explorer (`C:\Program Files`), FrontPage Express sera installé dans le sous-répertoire Microsoft FrontPage Express. L'exécutif (fpxpress.exe) lui-même étant situé dans le sous répertoire `bin`, donc, précisément, en `C:\Program Files\Microsoft FrontPage Express\bin`.

La configuration

Cette section sera brève, car il n'existe pas réellement d'options de configuration pour FrontPage Express. Le seul choix qui vous soit offert est d'afficher ou non certaines barres d'outils, comme nous allons le voir dans la section suivante. Nous ferons ensuite le tour du propriétaire en jetant un coup d'œil aux barres d'outils, aux rubriques de menu et aux deux boîtes à listes déroulantes.

Les barres d'outils de FrontPage Express

Lorsqu'on lance FrontPage Express, on a devant les yeux l'écran reproduit sur la Figure 16.2. On y remarque d'emblée de nombreuses icônes réparties en plusieurs groupes et qu'on peut éventuellement masquer à l'aide du menu Affichage. Nous allons les présenter une par une.

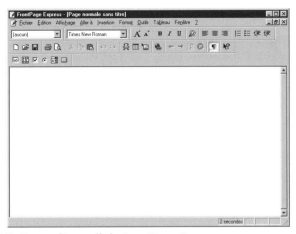

Figure 16.2 : Ecran d'accueil de FrontPage Express.

Barre d'outils standard

Elle est reproduite sur la Figure 16.3 où nous avons ajouté les infobulles explicatives qui apparaissent lorsqu'on immobilise le pointeur de la souris sur l'une des icônes. On y remarque plusieurs groupes, que nous allons énumérer, en ajoutant les raccourcis clavier correspondants lorsqu'ils existent :

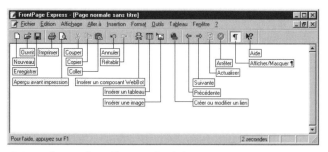

Figure 16.3 : La barre d'outils standard de FrontPage Express.

- Manipulation de fichiers : Nouveau (^N), Ouvrir (^O), Enregistrer (^S).

- Impression : Imprimer (^P), Aperçu avant impression.

- Edition : Couper (^X), Copier (^C), Coller (^V), Annuler (^Z), Rétablir (^Y) — ces deux derniers s'appliquant aux modifications récentes.

- Insertion d'objets HTML : Composant WebBot, Tableau, Image.

- Création ou édition de liens (^K).

- Affichage d'une autre page (Précédente, Suivante). FrontPage Express permet, en effet, d'ouvrir plusieurs pages, mais n'en affiche qu'une à la fois.

- Actualiser (mettre à jour le contenu de la page lorsque, à la suite de modifications répétées, ce qui s'y trouve commence à être quelque peu incohérent). Cet outil correspond à la rubrique de même nom du menu Affichage.

- Arrêter (mettre fin à l'opération en cours).

- Afficher/Cacher : faire apparaître à l'écran certaines marques d'édition fins de paragraphes, contours de formulaires, limites de tableaux et sauts de ligne du type *soft returns* correspondant à un appui sur <Entrée>-<Maj> (qui se traduit dans le code HTML par une balise
[1]). Les Figures 16.4 et 16.5 vous montrent la différence de présentation de la fenêtre d'édition en fonction de l'état de cette commande. Cet outil correspond à la rubrique Marques de format du menu Affichage.

Figure 16.4 : Avec les marques affichées (bouton enfoncé).

- Aide. En cliquant sur cette icône, le pointeur de la souris se change en un point d'interrogation. Avec la plupart des logiciels Microsoft, en cliquant alors avec ce pointeur sur une icône, un menu ou un élément du document, on affiche une aide contextuelle. Ici, point. Dans tous les cas, ce qui est affiché est ce qui est reproduit sur la Figure 16.6. Veut-on une aide plus précise ? On essaie alors la rubrique Index, puis, en désespoir de cause, sa voisine : Rechercher. Ce qu'on obtiendra, la plupart du temps, c'est la boîte de message reproduite sur la Figure 16.7, plutôt décourageante.

---

1. Vous voyez qu'il n'est pas mauvais de connaître un peu de HTML pour comprendre comment utiliser FrontPage Express !

Figure 16.5 : Avec les marques cachées (bouton non enfoncé).

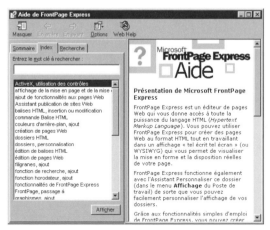

Figure 16.6 : L'aide en ligne de FrontPage Express est plutôt laconique.

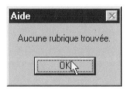

Figure 16.7 : Habituez-vous à voir ce message en réponse à une demande d'aide en ligne.

Barre d'outils de mise en forme

C'est celle qui sert à la mise en forme (gras, italique...) du texte et à la composition des listes. La Figure 16.8 montre comment elle se présente. On y trouve, de gauche à droite :

- Un grand "A" qui permet d'utiliser une police de taille supérieure. Nous disons bien "taille" et non "corps", car il faut se rappeler que HTML distingue 7 tailles arbitraires de police numérotées de 1 à 7, de la plus petite à la plus grande (voir Chapitre 3).

- Un petit "A" qui permet d'utiliser une police de taille inférieure.

- Un "B" qui commande la mise en gras (*bold*, en anglais).

- Un "I" qui commande la mise en italique.

- Un "U" souligné qui commande le soulignement du texte.

- Une icône bizarre qu'on peut assimiler à une palette et qui commande le choix de la couleur du texte.

- Trois groupes de lignes correspondant au positionnement du texte : respectivement à gauche, au centre et à droite.

- Quatre icônes utilisées pour la composition et l'imbrication de listes et dont nous détaillerons l'utilisation au Chapitre 17.

Figure 16.8 : La barre d'outils de mise en forme.

Barre d'outils de formulaires

Info

Aucun outil ou menu contextuel ne permet de justifier un paragraphe, bien que la valeur `justify` de l'attribut `ALIGN` soit explicitement reconnue dans la spécification HTML 4.01. Il faudra soit utiliser une propriété de feuille de styles, soit aller manipuler directement le code HTML pour y parvenir. De même pour le texte barré, peu souvent utilisé, il est vrai.

La Figure 16.9 présente la barre d'outils de formulaires où l'on retrouve les objets HTML les plus courants d'un formulaire. Nous en détaillerons l'utilisation au Chapitre 20.

> **Info**
>
> "Case d'option" est le nom donné par Microsoft France à ce qu'on appelle ordinairement "bouton radio".

Figure 16.9 : La barre d'outils des formulaires.

Barre d'état

C'est celle qui est située au bas de la fenêtre. Son principal intérêt est de fournir une véritable aide contextuelle, en français de surcroît, comme le montre l'exemple reproduit sur la Figure 16.10. Le seul avantage qu'on peut trouver à la masquer est d'avoir un peu de place en hauteur dans la fenêtre d'édition.

Figure 16.10 : La barre d'état.

Et les frames ? Et le multimédia ?

Pour ceux-là, point d'outil. Il faudra en passer par le menu Insertion. Nous verrons comment les gérer aux Chapitres 18 à 20.

Les menus de FrontPage Express

Comme tout logiciel, FrontPage Express possède une barre de menus dans laquelle on retrouve des fonctions équivalentes à celles des barres d'outils et (heureusement !) d'autres en plus. Si nous l'étudions après les barres d'outils, c'est parce que nous considérons que l'utilisation de ces dernières est à la fois plus naturelle et plus facile que celle des menus.

Le menu Fichier

Il comporte les rubriques habituelles relatives aux manipulations de fichiers et à l'impression (voir Figure 16.11) sur lesquelles nous n'insisterons pas, à l'exception de deux d'entre elles :

- **Enregistrer tout.** Enregistre tous les fichiers ouverts.

- **Propriétés de la page.** Lorsqu'on clique sur cette rubrique, la fenêtre à quatre volets des propriétés de la page va être affichée comme le montre la Figure 16.12. Nous aurons l'occasion de revenir sur son interprétation un peu plus loin, dans ce même chapitre.

Figure 16.11 : Le menu Fichier de FrontPage Express.

Surprise

Dans la rubrique "Direction de lecture du document", on n'est pas peu surpris de lire : "DG Droite à gauche, paragraphes alignés à droite", même pour une page dont les paragraphes sont normalement alignés à gauche ! Nous n'en voyons pas la raison.

Astuce

Il est plus facile de se servir des rubriques du menu contextuel qui s'affiche lorsqu'on clique du bouton droit de la souris n'importe où dans la page.

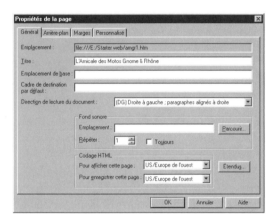

Figure 16.12 : La boîte des propriétés de la page.

En bas du menu se trouve la liste des fichiers le plus récemment ouverts.

Le menu Edition

Il est reproduit sur la Figure 16.13 et sa configuration est classique (couper, copier, coller, rétablir, annuler, rechercher...), à l'exception de trois rubriques :

- **Signet.** Encore un méfait du vocabulaire Microsoft : c'est ce qu'on appelle ordinairement un ancrage (*anchor* en anglais). Cette rubrique permet d'insérer une étiquette locale dans une page Web. Cela correspond à ce qu'on obtiendrait avec la commande :

```
<A NAME="xxxx">
```

Info

Dans le vocabulaire habituel de HTML, un signet, c'est la mémorisation de l'URL d'une page (en anglais : *bookmark*) que Microsoft appelle *favori*.

Figure 16.13 : Le menu Edition de FrontPage Express.

- **Lien.** Insère un appel de lien à l'endroit où se trouve le pointeur de la souris. (Raccourci clavier : ^K.)

- **Propriétés de la police.** Comme son nom l'indique, cela permet de modifier la police de caractères (type, corps, graisse, couleur...) du texte sélectionné. (Raccourci clavier : <Alt>-<Entrée>.) On retrouve la même chose à la rubrique Polices du menu Format.

> **Astuce**
>
> On peut aussi recourir à la rubrique correspondante du menu contextuel qui s'affiche lorsqu'on clique du bouton droit de la souris n'importe où dans la page.

Le menu Affichage

Nous l'avons déjà rencontré à propos des barres d'outils. Outre la commande d'affichage des diverses barres d'outils (voir plus haut), on trouve les deux rubriques suivantes :

- **Actualiser.** Réafficher la page "proprement". Correspond à l'outil de même nom de la barre d'outils standard.

- **HTML.** Affiche dans une fenêtre, avec plusieurs couleurs (sous le contrôle de la case à cocher Afficher le codage en couleurs), le code HTML de la page. (Raccourci clavier : ^H/H.) La Figure 16.14 en montre un exemple. Il est possible d'éditer directement le code HTML dans cette fenêtre. En cliquant sur OK, on valide ces informations ; en cliquant sur Annuler, on les annule. Quant au bouton Aide, nous ne vous en apprendrons rien en vous disant qu'il se contente d'afficher la fenêtre générale déjà rencontrée plus haut et qui est reproduite sur la Figure 16.6.

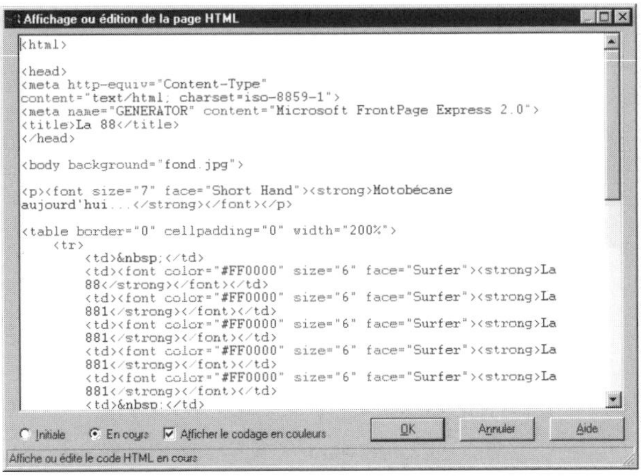

```
Affichage ou édition de la page HTML

<html>

<head>
<meta http-equiv="Content-Type"
content="text/html; charset=iso-8859-1">
<meta name="GENERATOR" content="Microsoft FrontPage Express 2.0">
<title>La 88</title>
</head>

<body background="fond.jpg">

<p><font size="7" face="Short Hand"><strong>Motobécane
aujourd'hui...</strong></font></p>

<table border="0" cellpadding="0" width="200%">
    <tr>
        <td> </td>
        <td><font color="#FF0000" size="6" face="Surfer"><strong>La
        88</strong></font></td>
        <td><font color="#FF0000" size="6" face="Surfer"><strong>La
        881</strong></font></td>
        <td><font color="#FF0000" size="6" face="Surfer"><strong>La
        881</strong></font></td>
        <td><font color="#FF0000" size="6" face="Surfer"><strong>La
        881</strong></font></td>
        <td> </td>
```

○ Initiale   ● En cours   ☑ Afficher le codage en couleurs   OK   Annuler   Aide

Affiche ou édite le code HTML en cours

Figure 16.14 : Vue du code HTML généré par FrontPage Express.

Astuce

On peut aussi refermer cette fenêtre du code HTML sans valider d'éventuelles modifications en appuyant sur la touche <Echap>.

Le menu Aller à

Il comporte cinq rubriques dont les deux premières (Précédent et Suivant) correspondent aux outils de la barre d'outils standard que nous avons vus plus haut. Les trois autres : Courrier, News et Carnet d'adresses correspondent aux logiciels qui ont été déclarés pour ces trois fonctions étrangères à l'édition HTML. Par défaut, c'est Outlook Express qui sera appelé, mais rien n'empêche de déclarer autre chose dans Windows. Par exemple, qu'Eudora est votre mailer, et WinVn votre lecteur de news, auquel cas ce seront eux qui seront appelés.

Astuce

On peut légitimement s'interroger sur la présence de ces trois rubriques de menu dans un éditeur HTML. Nous n'en dirons rien de plus ici.

Le menu Insertion

Ce menu joue un grand rôle dans l'édition d'une page HTML. Comme on peut le voir sur la Figure 16.15, il permet d'insérer à l'endroit où se trouve le pointeur de la souris un grand nombre d'objets HTML. Plutôt que de passer en revue ses rubriques ici, une par une, nous les étudierons dans d'autres chapitres, "en situation".

Figure 16.15 : Le menu Insertion de FrontPage Express.

Le menu Format

Ce menu comporte cinq rubriques décomposées en deux groupes : Polices, Paragraphes, Puces et numéros, d'une part ; et Arrière-plan et Supprimer la mise en forme, d'autre part. Dans le premier groupe, on trouve des commandes qui permettent d'agir sur la présentation du texte en général.

- **Polices.** Elle correspond à ce que nous avons déjà rencontré à la rubrique Propriétés de la police du menu Edition et au raccourci clavier <Alt>-<Entrée>.

- **Paragraphe.** Elle concerne l'alignement horizontal des paragraphes (en appui à gauche ou à droite ou centré), les différents niveaux de titres et sous-titres (correspondant aux balises <H1> à <H6>), le texte formaté (correspondant à la balise <PRE>) et le bloc adresse qu'on trouve généralement en fin de page (correspondant à la balise <ADDRESS>).

- **Puces et numéros.** Elle régit l'écriture des lites à puces et des listes numérotées (balises <UL> et <OL>). Pour les listes de définition, il faut recourir à la liste déroulante en haut et à gauche de la fenêtre de FrontPage Express. Nous reviendrons sur ce qui concerne les listes en général au Chapitre 17.

- **Arrière-plan.** Elle affiche une boîte de dialogue à quatre onglets qui permet de définir la couleur de l'arrière-plan, l'image qui servira de toile de fond, un fond sonore, le cadre de destination (en cas d'utilisation dans une structure de frames), une marge supérieure et une marge à gauche ainsi que des méta variables HTTP-EQUIV. Nous y viendrons en détail en temps utile.

- **Supprimer la mise en forme**. Elle supprime toute mise en forme (police, couleur, graisse...) pour le texte sélectionné. Plus précisément, les balises `<B>`, `<I>`, `<FONT>`..., lorsqu'elles existaient, disparaissent.

Le menu Outils

Il comporte peu de rubriques et on a du mal à comprendre pourquoi elles ont été placées là. En effet, on trouve :

- **Précédent et Suivant.** Elles permettent, tout comme les outils appropriés de la barre d'outils, d'afficher l'une des pages couramment ouvertes.

- **Suivre le lien.** Lorsque le pointeur de la souris se trouve sur un appel de lien, cette rubrique permet, *en principe*, d'afficher la page correspondante. Nous verrons qu'il n'en est pas toujours ainsi au Chapitre 19 qui traite des liens.

- **Options de police. A** notre avis, cette rubrique aurait dû figurer dans le menu contextuel de la page, car elle propose, comme le montre la Figure 16.16, le choix des deux polices générales (proportionnelle et à pas fixe) et de l'alphabet utilisé.

Figure 16.16 : La boîte de dialogue Options de police.

Cette dernière rubrique est un leurre. En effet, quels que soient les choix effectués parmi les options proposées ici, et bien que ce qui est affiché dans la fenêtre d'édition de FrontPage Express tienne compte de ces options comme le prouve la Figure 16.17, aucun code particulier n'est inséré dans le fichier HTML. Si on l'affiche le document HTML ainsi obtenu avec un navigateur tel que Internet Explorer, la Figure 16.18 montre que les polices d'affichage n'ont pas changé. D'ailleurs, s'il est possible de modifier la police de caractères courante dans une page Web, aucun élément HTML n'existe pour modifier globalement la police à pas fixe utilisée. De qui se moque-t-on ?

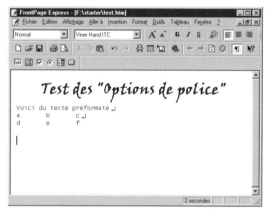

Figure 16.17 : Ce que montre FrontPage Express.

Figure 16.18 : Ce qu'il en est en réalité (affiché par Internet Explorer).

> **Info**
>
> Cela n'a rien d'étonnant, car s'il existe bien une balise (<BASEFONT>) pour définir la police courante (proportionnelle), rien n'est prévu dans HTML (toutes versions confondues) pour modifier la police à pas fixe utilisée par certaines balises comme <PRE> ou <CODE>.

En résumé, vous pouvez oublier le menu Outils sans rien perdre des fonctionnalités de FrontPage Express.

Le menu Tableau

Il complète l'outil Insérer tableau de la barre d'outils standard. Ses rubriques ne sont actives que lorsque le pointeur de la souris se trouve sur un tableau. Nous l'étudierons en détail au Chapitre 20.

Le menu Fenêtre

C'est le menu classique qu'on trouve dans presque toutes les applications Windows, avec ses rubriques Cascade, Mosaïque, Réorganiser les icônes, suivi de la liste des fichiers HTML couramment ouverts. Si les deux premières correspondent bien à ce qu'on est en droit d'attendre comme le prouvent respectivement les Figures 16.19 et 16.20, Réorganiser les icônes (à propos de laquelle la barre d'état explique "Arranger les icônes en bas de la fenêtre") ne sert à rien. Pour une bonne raison : il n'y a pas d'icônes en bas de la fenêtre ! Décidément, FrontPage Express n'a pas fini de nous surprendre ! Il s'agit probablement ici d'un résidu de la version mère (FrontPage tout court).

Ce menu peut se révéler très utile lorsqu'on édite concurremment plusieurs pages, car on peut ainsi afficher l'une ou l'autre de ces pages sans avoir à les faire défiler avec les outils de la barre d'outils standard ou les rubriques Précédent et Suivant du menu Outils.

> **Astuce**
>
> Pour passer d'une page à l'autre, de façon cyclique, on peut, comme dans la plupart des logiciels tournant sous Windows, taper ^F6.

Figure 16.19 : Affichage des pages ouvertes en cascade.

Figure 16.20 : Affichage des pages ouvertes sous forme de mosaïque.

Les menus contextuels

FrontPage Express exploite à fond la technique des menus contextuels. En règle générale, pour modifier un objet HTML de la page affichée, il suffit de cliquer dessus avec le bouton droit de la souris. Le menu qui s'affichera alors dépend du type d'objet concerné. Par exemple, dans un paragraphe, on obtiendra les choix proposés par la Figure 16.21.

**Figure 16.21 : Exemple de menu contextuel
(ici appliqué à un paragraphe).**

Dans presque toutes les boîtes de dialogue des menus contextuels on trouvera un bouton Etendus qui permet d'ajouter un couple `attribut=valeur` à la balise en cours de création. Nous en verrons des applications en quelques rares occasions.

Astuce

Au risque de nous répéter, remarquons qu'ici encore, pour bien utiliser les fonctionnalités de cet éditeur — qui se veut WYSIWYG — il convient de bien connaître HTML. Qu'on ne prenne pas cette observation comme une critique. Pour nous, c'est au contraire un gros avantage, car cette symbiose permet de définir plus finement certains objets HTML de la page en cours d'édition et de pallier certaines déficiences de FrontPage Express.

Les deux boîtes à liste de FrontPage Express

Elles rappellent leurs sœurs de Word pour Windows : la première (Changer le style) définit le style courant du texte où se trouve le pointeur de la souris et la seconde (Changer la police) spécifie la police de caractères utilisée ou à utiliser à cet endroit. Si, pour cette dernière, la signification est évidente, pour les "styles", il faut préciser ce qu'on entend par là.

Plutôt que de styles, il conviendrait de dire "signification" ou "mise en forme", ce qui éviterait toute confusion avec les feuilles de styles. En effet, il ne s'agit ici que de balises. La Figure 16.22 montre leur emplacement.

Figure 16.22 : Les deux boîtes à listes déroulantes de FrontPage Express.

A part les rubriques Normal, Adresse, Liste à puces, Liste numérotée et Titre 1 à Titre 6 qui parlent d'elles-mêmes, voici la correspondance des quatre autres :

- **Terme défini et Définition.** Elles correspondent respectivement aux balises `<DT>` et `<DD>` des listes de définition (ou de glossaire). Nous verrons comment les utiliser au Chapitre 17.

- **Formaté.** Elle correspond à un affichage avec une police à pas fixe en respectant les multiples séparateurs consécutifs ou non tels que l'espace, la tabulation et le retour chariot. Bref, c'est le conteneur `<PRE> ... </PRE>`.

- **Liste de répertoires.** C'est un archaïsme correspondant à la balise `<DIR>` considérée comme obsolète depuis la spécification HTML 4.0. Il est donc vivement conseillé de l'oublier.

Chapitre 17

Le texte et les listes

Nous savons que l'essentiel d'une page, c'est presque toujours le texte qu'elle contient. Aussi la saisie du texte avec sa mise en forme, ses titres et sous titres peut-elle être considérée comme l'opération de base de la création d'une nouvelle page.

Création d'une nouvelle page

Il ne suffit pas de créer simplement une page, encore faut-il définir certains éléments particuliers communs à tous les objets de la page.

La création proprement dite

En cliquant sur Fichier/Nouveau (ou en tapant ^N), on affiche la boîte de dialogue reproduite sur la Figure 17.1 qui donne le choix entre une page blanche (Page normale) et cinq Assistants. Pour l'instant, nous nous limiterons à la page blanche qui concerne le cas général auquel sera confronté l'auteur Web. Nous étudierons brièvement les Assistants au Chapitre 21.

Figure 17.1 : La boîte de dialogue de création d'une nouvelle page.

En réalité, la page que nous avons créée n'est pas vide. Au niveau HTML, voici le code qui a été généré :

```
<html>

<head>
<meta http-equiv="Content-Type"
content="text/html; charset=iso-8859-1">
<meta name="GENERATOR" content="Microsoft FrontPage
Express 2.0">
<title>Page normale sans titre</title>
</head>

<body bgcolor="#FFFFFF">
</body>
</html>
```

Rien à dire sur ce cadre vide, si ce n'est que, par défaut, le fond de page sera blanc (`bgcolor="#FFFFFF"`) et que le titre de la page est actuellement "Page normale sans titre". Nous allons commencer par compléter ces définitions générales.

Astuce

Si la création d'une page est élémentaire, nous verrons, à la fin de ce chapitre, que sa sauvegarde pose quelques petits problèmes.

Définition des propriétés de la page

Pour modifier le titre de la page (balise <TITLE>), nous allons cliquer du bouton droit de la souris n'importe où dans la solitude de cette page afin d'afficher son menu contextuel. Dans celui-ci, nous cliquerons sur la rubrique Propriétés de la page. S'affiche alors une boîte de dialogue à quatre onglets (voir Figure 17.2) ouverte sur le volet Général.

Le volet Général

Dans ce volet, on retrouve "Page normale sans titre" dans la rubrique Titre. Nous allons modifier ce titre et, pour cela, remplacer ce texte passe-partout par quelque chose qui soit en rapport avec l'objet de la nouvelle page. Sélectionnez (en le balayant avec le pointeur de la souris après avoir cliqué sur le bouton gauche) le titre actuel, puis retapez le nouveau titre par-dessus. Il ne vous reste plus qu'à cliquer sur le bouton OK pour refermer la boîte de dialogue.

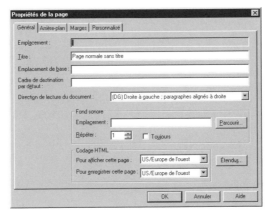

Figure 17.2 : La boîte de dialogue des Propriétés de la page ouverte sur le volet Général.

Si vous voulez ajouter un fond sonore, c'est le moment. Pour cela, cliquez sur le bouton Parcourir et, dans la boîte de sélection de fichier Fond sonore qui s'affiche, choisissez le fichier audio qui convient en spécifiant éventuellement son type dans la fenêtre Type (par défaut, c'est .WAV). C'est la balise `<BGSOUND>` qui va être utilisée ici. Utilisez éventuellement l'option Répéter ou la case à cocher Toujours pour spécifier le nombre de répétitions de l'air.

Astuce

Rappelons que `<BGSOUND>` est une extension Microsoft qui n'est pas comprise par Netscape Navigator. A éviter, donc, si vous voulez que tous vos visiteurs puissent profiter de ce fond sonore.

On ignorera la zone Codage HTML et le bouton Etendus qui permet d'ajouter un couple `"attribut=valeur"`. Toutefois, si on décidait d'utiliser une feuille de styles, cela permettrait, par exemple, d'insérer un appel de fonction du genre `onload="initialiser()"`. A notre (humble) avis, mieux vaut faire ce type d'opération directement dans le code HTML, car on est bien plus sûr de ce que l'on fait (on ne risque pas de se tromper de balise). Nous en verrons un exemple un peu plus loin.

Le volet Arrière-plan

Comme on peut le voir sur la Figure 17.3, il sert, en premier lieu, à définir la couleur et/ou l'image de fond qui seront utilisées dans la page. Ces deux paramètres correspondent respectivement aux attributs BGCOLOR et BACKGROUND de la balise <BODY>. En outre, les trois boîtes à liste déroulantes de droite permettent de modifier la couleur des appels de liens (attributs LINK, ALINK et VLINK). Comme nous l'avons fait remarquer au Chapitre 6, dans la Partie I, il faut être très circonspect dans la modification de ces couleurs ; d'abord pour ne pas risquer de dérouter le visiteur, ensuite pour ne pas créer de confusion de couleur avec celle du fond.

Astuce

Comme on le voit, FrontPage Express ne craint pas de mettre en œuvre des attributs dont l'emploi est maintenant déconseillé par le W3C. Ici, nous sommes bien d'accord avec Microsoft, dans la mesure où ce choix améliore la portabilité de la page.

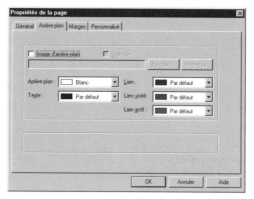

Figure 17.3 : Le volet Arrière-plan de la boîte de dialogue des Propriétés de la page.

Le volet Marges

Ce volet permet théoriquement de définir une marge en haut et une marge à gauche de la page en renseignant deux surprenants attributs, TOPMARGIN et LEFTMARGIN.

> **Attention**
>
> Ces "attributs" sont de pures inventions "microsoftiennes" qui n'ont jamais montré le bout de leur nez ailleurs que dans Internet Explorer et qui ne figurent pas dans les spécifications HTML élaborées par le W3C. A éviter résolument.

Le volet Personnalisé

Il permet de créer des balises <META> propres à la page. Nous y reviendrons au Chapitre 21.

La saisie du texte

Elle s'effectue comme avec un traitement de texte : au kilomètre. De même, les enrichissements d'un ou plusieurs mots isolés s'opèrent en les sélectionnant au préalable puis en cliquant sur l'un des outils de la barre d'outils de mise en forme. Le seul point particulier à voir de plus près concerne les fins de paragraphe.

La saisie proprement dite

Lorsqu'on appuie sur <Entrée>, une ligne vierge est insérée entre le nouveau et l'ancien paragraphe et ce dernier hérite des caractéristiques du précédent. Au niveau du code HTML, chaque paragraphe est placé dans un conteneur <P> ... </P>. Si on veut que des paragraphes successifs soient accolés (sans interposition d'une ligne blanche), il convient de terminer le dernier par un *soft return*, en appuyant sur <Maj> en même temps que sur <Entrée>. Cela aura pour effet de ne pas refermer le paragraphe en cours, mais d'insérer simplement une rupture de ligne (<BR>).

> **Attention**
>
> Comme on pourra s'en convaincre en examinant le code généré, FrontPage Express, comme son grand frère, ignore l'usage des entités de caractères pour représenter les caractères accentués. Bien que la plupart des navigateurs affichent néanmoins correctement des pages ainsi rédigées, quelles que soient les plates-formes utilisées, ce n'est là qu'une tolérance et le résultat n'en est pas inconditionnellement garanti.

Si on dispose déjà du texte sous forme informatique, rien n'empêche de l'insérer dans la fenêtre de FrontPage Express. Mais, selon la façon dont on va procéder à cette insertion, le résultat pourra être très différent.

Insertion d'un fichier texte

Si ce texte existe par exemple sous forme de fichier texte, on peut cliquer sur Insertion/Fichier puis le sélectionner dans la boîte de sélection de fichier qui apparaît. Il faut choisir le type Fichiers Texte dans la boîte déroulante Type. Cliquez ensuite sur Ouvrir et une boîte de dialogue (voir Figure 17.4) s'affiche, proposant plusieurs formes d'insertion dont l'appellation ne correspond que de loin à la réalité :

- **Un paragraphe formaté.** Le texte sera alors placé dans un conteneur `<PRE>` ... `</PRE>`, ce qui signifie qu'il sera affiché en tenant compte de tous les séparateurs, avec une police à pas fixe. Ce n'est généralement pas ce qu'on souhaite, à moins qu'il ne s'agisse d'un tableau de chiffres.

- **Plusieurs paragraphes formatés.** On ne remarque aucune différence avec la forme précédente (?).

- **Paragraphes normaux.** Aucun compte ne sera tenu des fins de paragraphe et l'ensemble du texte sera considéré comme un paragraphe unique.

- **Paragraphes normaux avec sauts de ligne.** La mise en forme initiale sera à peu près respectée, à cela près que ce sont des ruptures de ligne (`<BR>`) qui seront insérées entre les paragraphes successifs. C'est, en général, cette forme qu'il faut choisir.

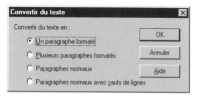

Figure 17.4 : Il existe quatre façons d'insérer un fichier texte.

Insertion d'un fichier HTML

Procédez comme pour un fichier texte, mais en choisissant Fichiers HTML dans la boîte déroulante Type de la boîte de sélection de fichier. Aucune boîte de dialogue ne s'affiche avant l'insertion du texte proprement dit. Ce dernier est débarrassé de tout ce qui n'était pas dans son corps (conteneur `<BODY>` ... `</BODY>`).

> **Attention**
>
> Tout ce que contient le document HTML qu'on veut insérer ne sera pas repris : certaines portions seront éliminées par des commentaires, ce qui sera signalé dans la fenêtre de FrontPage Express par une petite boîte jaune contenant "<!>". Il est donc prudent de se limiter ainsi à des documents HTML ne contenant que du texte. Et, surtout, de vérifier de près ce qui a été inséré.

Par couper-coller

Si le texte à insérer se trouve dans la fenêtre d'un éditeur de texte, HTML ou non (le Bloc-notes, par exemple), un simple couper-coller le transportera facilement dans la fenêtre de FrontPage Express. Il suffit de cliquer sur Edition/Coller ou de taper ^V après avoir placé le pointeur de la souris à l'endroit de l'insertion. Il ne faut surtout pas procéder de cette façon à partir d'un traitement de texte. La Figure 17.5 montre ce qu'on obtient en effectuant un couper-coller de cette dernière phrase à partir de Word pour Windows. Sans commentaire !

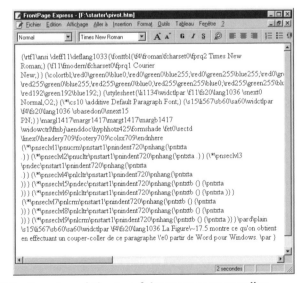

Figure 17.5 : Ce qu'on obtient en faisant un couper-coller à partir de Word pour Windows.

Annulation d'une erreur

Il est presque toujours possible d'annuler la dernière action en cliquant sur Edition/Annuler (c'est la première rubrique) ou, plus simplement, en tapant ^Z. Cela marche très bien pour une insertion ou un effacement, mais pas pour une saisie.

Caractéristiques de la police utilisée

Il y a deux façons de définir une police et ses caractéristiques (type, couleur, taille et graisse). Soit *a priori*, avant de débuter un paragraphe, soit après coup, sur un texte déjà saisi et qu'on sélectionne. D'un point de vue pratique et logique, c'est cette seconde méthode qui est préférable.

Choix préalable d'une police

Par défaut, la police de caractères utilisée pour la saisie du texte est la classique Times Roman. Nous avons vu au Chapitre 16 qu'il était inutile de tenter de la modifier avec le menu Outils. Mais rien n'empêche de sélectionner l'une des polices proposées dans la seconde boîte à liste, placées sous la barre de menus de FrontPage Express (voir Figure 17.6).

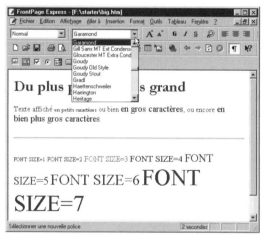

Figure 17.6 : Choix de polices de caractères proposé par FrontPage Express.

Pour modifier la couleur d'affichage des caractères, le plus simple est d'utiliser l'outil approprié de la barre d'outils de mise en forme (voir Figure 16.8, au chapitre précédent). Pour agir sur leur taille et leur graisse, on se servira des outils qui se trouvent à la gauche de cette icône.

Choix ultérieur de la police

On peut songer à utiliser le menu contextuel du paragraphe en cliquant dedans du bouton droit de la souris. Il faut, dans ce cas, commencer par présélectionner la partie du texte à mettre en forme. La Figure 17.7 montre comment on va procéder pour mettre en italique le titre du roman d'où est extrait notre paragraphe. Comme on le voit, la boîte de dialogue permet d'agir sur tous les paramètres de la police.

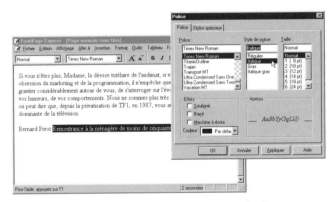

Figure 17.7 : Comment mettre en italique une partie d'un paragraphe.

La mise en forme

Selon le type de mise en forme qu'on souhaite effectuer, on utilisera soit la boîte à liste Changer le style, soit un des outils d'alignement de la barre d'outils de mise en forme.

Changer de style

Cette façon de faire est à utiliser pour les titres et sous-titres ainsi que pour un bloc Adresse et pour les listes. Après avoir cliqué dans le texte à modifier, choisissez le nouveau "style" parmi ceux qui sont proposés (voir Figure 17.8). Rappelons que le mot "style" employé ici n'a rien à voir avec les feuilles de styles.

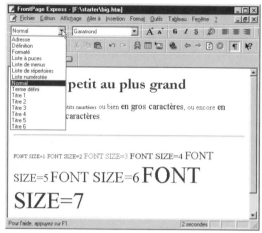

Figure 17.8 : "Styles" proposés par FrontPage Express.

Modifier l'alignement d'un paragraphe

Cliquez dans le paragraphe à modifier et choisissez le nouvel alignement dans les trois que propose la barre d'outils de mise en forme. Nous avons vu au chapitre précédent que celle-ci n'autorise pas la justification d'un paragraphe (l'aligner à la fois sur les deux marges latérales). Serait-ce le moment d'utiliser le bouton Etendus proposé par la boîte de dialogue des Propriétés du paragraphe ? Après avoir cliqué sur ce bouton, on voit s'afficher la boîte de dialogue Attributs étendus. Cliquez alors sur le bouton Ajouter et, dans la double boîte de saisie Paire Nom/Valeur qui s'affiche, tapez respectivement `align` et `justify` (voir Figure 17.9). Cliquez sur le bouton OK avec la conscience du devoir accompli.

Hélas, ne voilà-t-il pas que surgit brutalement la boîte de message reproduite sur la Figure 17.10, dans laquelle on peut lire, en particulier : "Sa valeur doit être modifiée depuis la boîte de dialogue de propriété pour l'élément en cours." Que faut-il entendre par là, sinon que FrontPage Express ne veut rien savoir ?

Qu'à cela ne tienne, nous songeons alors à opérer directement dans le code HTML qu'on peut afficher en cliquant sur Afficher/HTML (ou en tapant <Alt>-H suivi de H) comme nous le verrons un peu plus loin. Mais, ici encore, bien que notre modification directe du code semble acceptée, elle disparaît aussitôt que l'on revient à la fenêtre normale et il est donc impossible de la sauvegarder.

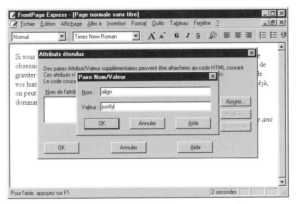

Figure 17.9 : Tentative de justification d'un paragraphe.

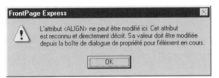

Figure 17.10 : FrontPage Express refuse d'entériner la valeur justify pour l'attribut ALIGN.

Rassurez-vous, il existe une solution ! Mais, une fois encore, elle passe par une bonne connaissance des balises HTML. Nous allons placer le paragraphe en cause dans un conteneur `<DIV ALIGN="justify">` ... `</DIV>`. Les choses se compliquent, car aucune commande n'existe pour créer cette balise sauf la commande générique Insertion/Balise HTML. Après avoir placé le pointeur de la souris au début du paragraphe, cliquez sur cette rubrique du menu Insertion. La boîte de dialogue Balise HTML nous est proposée, dans laquelle vous allez taper `<DIV ALIGN="justify">` (voir Figure 17.11). Un clic sur le bouton OK et le tour est joué. Il ne vous reste plus qu'à insérer la balise terminale `</DIV>` au bout du paragraphe. La présence de deux balises "inconnues" est maintenant signalée dans la fenêtre de FrontPage Express comme on peut le voir sur la Figure 17.12, mais le résultat, affiché par un bon navigateur standard, est satisfaisant[1].

---

1. Qu'eussions-nous fait si nous n'avions pas eu une bonne connaissance de HTML ?

Figure 17.11 : Insertion d'une balise non reconnue par FrontPage Express.

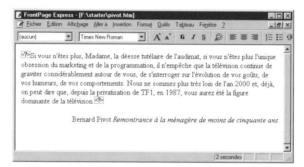

Figure 17.12 : La présence de balises "inconnues" est signalée dans la fenêtre d'édition.

Les listes

Nous avons vu au chapitre précédent que, sur les trois types de listes couramment utilisées, FrontPage Express ne proposait d'outil que pour deux d'entre elles, et qu'il fallait recourir à la boîte déroulante Changer de style pour accéder aux listes de définitions. Nous allons voir comment mettre en œuvre ces moyens (nous ignorerons volontairement les listes de répertoires, maintenant officiellement considérées comme périmées). La Figure 17.13 montre ce que nous allons chercher à obtenir.

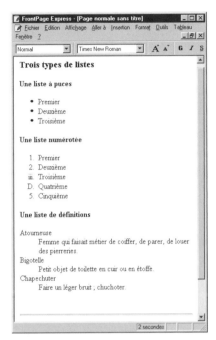

Figure 17.13 : Les trois types de liste courants.

Les listes à puces

Pour créer une liste à puces, commencez par vérifier que la barre d'outils de mise en forme est bien affichée (sinon, cliquez sur Affichage/Barre d'outils de mise en forme). Ensuite, placez le pointeur de la souris à l'endroit où doit apparaître la liste (en début de ligne) et cliquez sur l'outil Liste à puces (voir Figure 16.8). Un gros point noir apparaît à l'endroit où était le pointeur.

Tapez votre premier article suivi de <Entrée>, puis le second, suivi de <Entrée>, et ainsi de suite jusqu'au dernier. Pour sortir de la mise en forme de liste, vous avez trois solutions :

- taper **deux** fois sur <Entrée> après le dernier article ;
- taper une seule fois sur <Entrée> puis cliquer derechef sur l'outil Liste à puces ;
- taper une seule fois sur <Entrée> puis cliquer sur l'outil Diminuer l'indentation (voir Figure 16.8).

Modification du type de puce

Par défaut, la puce est un gros point noir. Pour modifier sa forme, cliquez sur l'élément de la liste à modifier avec le bouton droit de la souris et choisissez Propriétés de l'élément liste dans le menu contextuel qui s'affiche. La boîte de dialogue reproduite sur la Figure 17.14 s'affiche, vous proposant trois formes de puces et... rien du tout. Seule la puce de l'article sur lequel était le pointeur sera modifiée. Pour modifier toutes les puces de la liste, c'est sur l'entrée Propriétés de la liste du menu contextuel qu'il faut cliquer. Cette fois, tout sera changé **sauf** les articles dont vous auriez modifié individuellement la puce. Voici un exemple du code généré dans un tel cas :

```
<ul type="circle">
    <li>Premier</li>
    <li type="square">Deuxième</li>
    <li>Troisième</li>
</ul>
```

Info

Remarquons, en passant, la présence d'une balise terminale `</LI>` inutile, mais tolérée ([...] *whose end tag may be omitted*, dit le W3C).

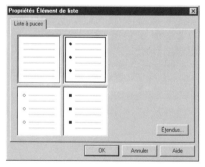

Figure 17.14 : La boîte de dialogue des Propriétés Elément de liste pour une liste à puces.

Les listes numérotées

Le processus de création d'une liste numérotée est identique à celui de la liste à puces. Après avoir vérifié que la barre d'outils de mise en forme est bien affichée (sinon, cliquez sur Affichage/Barre d'outils de mise en forme), placez le pointeur de la souris à l'endroit où doit apparaître la liste (en début de ligne) et cliquez sur l'outil Liste numérotée (voir Figure 16.8). Le chiffre 1 apparaît à l'endroit où était le pointeur.

Tapez votre premier article, suivi de <Entrée> ; puis le deuxième, suivi de <Entrée>, et ainsi de suite jusqu'au dernier. Pour sortir de la mise en forme de liste, vous avez trois solutions :

- taper **deux** fois sur <Entrée> après le dernier article ;
- taper une seule fois sur <Entrée> puis cliquer derechef sur l'outil Liste à puces ;
- taper une seule fois sur <Entrée> puis cliquer sur l'outil Diminuer l'indentation (voir Figure 16.8).

Modification du type de sérialisation

Pour modifier le type de la sérialisation, cliquez sur l'élément de la liste à modifier du bouton droit de la souris et choisissez Propriétés de l'élément liste dans le menu contextuel qui s'affiche. La boîte de dialogue reproduite sur la Figure 17.15 s'affiche, vous proposant cinq types de numérotation et... rien du tout. Seul le numéro de l'article sur lequel était le pointeur sera modifié. Pour modifier toute la liste, c'est sur l'entrée Propriétés de la liste du menu contextuel qu'il faut cliquer. Cette fois, tout sera changé **sauf** les articles dont vous auriez modifié individuellement le numéro. Voici un exemple du code généré dans un tel cas. On y remarque toujours la présence superflue d'une balise terminale </LI> :

```
<ol>
    <li>Premier</li>
    <li>Deuxième</li>
    <li type="i">Troisième</li>
    <li type="A">Quatrième</li>
    <li>Cinquième</li>
</ol>
```

Modification de la valeur de la numérotation

Procédez comme pour changer le type de sérialisation, mais, cette fois, intéressez-vous à la rubrique Démarrer à et affichez-y la valeur que vous voulez donner au numéro de l'élément de la liste sur lequel vous travaillez. La conversion s'effectuera automatiquement entre le chiffre affiché et le type de sérialisation (si vous avez choisi le type "A" et que vous affichiez 5, l'entrée de la liste prendra le "numéro" E). Toute la suite de la liste sera ainsi renumérotée. Comme le montre la Figure 17.16, les nouveaux numéros sont superposés aux anciens, ce qui rend la lecture difficile. Cependant, le code généré est correct et, pour avoir une vue normale de votre fenêtre d'édition, renvoyez FrontPage Express dans la barre des tâches puis rappelez-le : son contenu sera automatiquement actualisé.

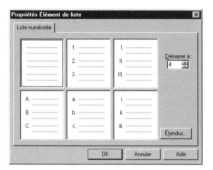

Figure 17.15 : La boîte de dialogue des Propriétés de l'élément liste pour une liste numérotée.

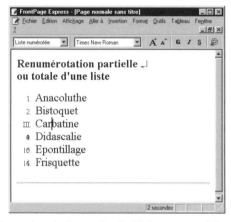

Figure 17.16 : La mise à jour de l'affichage se fait mal quand on renumérote une liste.

Astuce

Si vous voulez limiter le changement de numéro au seul élément que vous venez de traiter, faites la même opération sur l'élément suivant en lui réattribuant son ancien numéro.

Les listes de définitions

Ici, nous ne disposons plus d'outil dans la barre d'outils de mise en forme, ce qui va modifier le processus de création. Placez le pointeur de la souris à l'endroit où elle doit apparaître (en début de ligne) et cliquez sur la petite flèche à droite de la boîte à liste Changer le style (voir Figure 17.8). Cliquez ensuite sur la rubrique Terme défini.

Tapez alors le premier terme à définir, suivi de <Entrée> et, immédiatement après, sa définition (le pointeur de la souris s'est placé automatiquement à la bonne position). Continuez ainsi en alternant terme à définir et définition. Pour sortir de la mise en forme de liste, vous avez trois solutions :

- taper **deux** fois sur <Entrée> après le dernier article ;
- taper une seule fois sur <Entrée> puis cliquer derechef sur l'outil Liste à puces ;
- taper une seule fois sur <Entrée> puis cliquer sur l'outil Diminuer l'indentation (voir Figure 16.8).

Voici le code HTML généré par FrontPage Express :

```
<dl>
    <dt>Atourneuse</dt>
    <dd>Femme qui faisait métier de coiffer, de parer, de
➡louer
        des pierreries.</dd>
    <dt>Bigotelle</dt>
    <dd>Petit objet de toilette en cuir ou en étoffe.</dd>
    <dt>Chapechuter</dt>
    <dd>Faire un léger bruit ; chuchoter.</dd>
</dl>
```

Info

Remarquons en passant la présence des balises terminales </DT> et </DD> inutiles, mais tolérées (*End tag : optional*, dit le W3C).

Aucune possibilité de changement n'existe pour ce type de liste puisque les entrées ne sont pas repérées individuellement par une puce ou un numéro. Aussi, dans le menu contextuel, n'y a-t-il pas d'entrée Elément de la liste. Quant à la case à cocher Disposition compacte que vous verrez s'afficher dans la boîte de dialogue correspondant aux Propriétés de la liste, comme nous l'avons signalé au Chapitre 4, c'est une survivance d'un passé révolu : cet attribut n'est reconnu par aucun navigateur.

Imbrication de listes

Pour imbriquer des listes, il faut utiliser les deux outils Augmenter l'indentation et Diminuer l'indentation de la barre d'outils de mise en forme. Dans la pratique, seules les listes à puces et les listes numérotées sont imbriquées (avec un possible mélange des deux types). Nous allons voir comment réaliser la présentation illustrée par la Figure 17.17 qui affiche le chef-lieu de département et les chefs-lieux d'arrondissement pour les trois premiers départements.

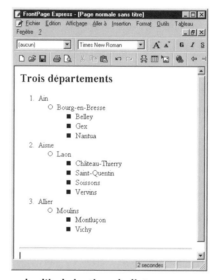

Figure 17.17 : Exemple d'imbrication de listes.

La barre d'outils de mise en forme étant affichée, placez le pointeur de la souris en début de ligne puis exécutez les étapes suivantes :

1. Cliquez sur l'outil Liste numérotée et, à droite du 1 qui s'affiche, tapez "Ain" suivi de <Entrée>.

2. Cliquez **deux fois** sur l'outil Augmenter l'indentation puis une fois sur l'outil Liste à puces. Apparaît alors, en retrait, une puce en forme de disque creux. Tapez "Bourg-en-Bresse" puis <Entrée>.

3. Cliquez **deux fois** sur l'outil Augmenter l'indentation. Apparaît une puce carrée à droite de laquelle vous tapez "Belley" puis <Entrée>.

4. Tapez "Gex" puis <Entrée>.

5. Tapez "Nantua" puis <Entrée>.

6. Cliquez **quatre fois** sur l'outil Diminuer l'indentation. Le chiffre 2 apparaît aligné verticalement avec le 1. Tapez "Aisne" suivi de <Entrée>.

7. Continuez ainsi en répétant les étapes 2 à 5 pour la suite de la liste.

8. Pour sortir de la liste, cliquez **cinq fois** sur l'outil Diminuer l'indentation.

Toute cette procédure ressemble un peu à une recette de cuisine, mais vous êtes guidé dans la séquence des opérations par le déplacement du pointeur d'insertion et le type de puce ou de numéro qui s'affiche, ce qui fait qu'avec un peu d'entraînement, ces opérations s'enchaînent sans difficulté.

Un cas intéressant

Supposons que vous ayez commencé votre liste en tout début de page et que, une fois que vous avez terminé, vous souhaitiez insérer quelque chose *avant* cette liste. Comme il n'y a rien avant le début de la liste, vous ne pouvez placer le pointeur que *dans* le premier terme de la liste.

Cas des listes simples

Voici la procédure à appliquer dans le cas où votre liste est simple (elle ne comporte pas d'imbrications). Nous prendrons l'exemple d'une liste numérotée :

1. Placez le pointeur de la souris devant le premier mot de l'entrée de la liste qui porte le numéro 1, et appuyez sur <Entrée>.

2. Le texte de la première entrée descend d'une ligne et prend le numéro 2 tandis qu'une entrée vide portant le numéro 1 apparaît au-dessus.

3. Placez le pointeur de la souris sur la ligne du dessus portant maintenant le numéro 1 et cliquez sur l'outil Diminuer l'indentation.

Le chiffre 1 disparaît et la liste se renumérote comme avant. Vous pouvez maintenant insérer ce que vous voulez à partir de cette ligne blanche. FrontPage Express y a placé le code `<p> </p>` qui peut accepter n'importe quel objet HTML.

Cas des listes imbriquées

Dans le cas de listes imbriquées comme celle qui est affichée par la Figure 17.17, pour une raison inconnue (un autre bogue, peut-être ?), la procédure ci-dessus ne marche pas et les essais qu'on pourrait être amené à faire ne serviraient qu'à semer une indescriptible pagaille dans la liste, pagaille dans laquelle aucune commande, aucun outil ne pourrait remettre de l'ordre. Comme l'aide en ligne est totalement muette sur ce point, comme sur bien d'autres (ne dites pas que ça vous étonne !), nous avons mis au point la méthode simple exposée ci-dessous :

1. Affichez le code HTML de la page en cliquant sur Affi-chage/HTML ou en tapant successivement <Alt>-H suivi de H.

2. Repérez le début du code de la liste. Il se trouve immédiatement après la balise `<BODY>`.

3. Insérez à cet endroit la commande HTML suivante :

```
<P> </P>
```

4. Cliquez sur le bouton OK.

La fenêtre d'édition s'affiche à nouveau et une ligne blanche est apparue en tête de la liste que vous pourrez utiliser à votre convenance pour insé-rer ce que vous voulez.

Insertion d'objets simples

Un filet

Pour insérer un filet horizontal dans une page, il suffit de placer le poin-teur de la souris en tête de la ligne puis de cliquer sur Insertion/Ligne horizontale. On peut modifier l'aspect de cette ligne à l'aide de son menu contextuel en cliquant sur la rubrique Propriétés de la ligne horizontale. La boîte de dialogue reproduite sur la Figure 17.18 s'affiche alors. Les options proposées correspondent aux attributs de la balise `<HR>` qui ont été décrits au Chapitre 3.

Figure 17.18 : La boîte de dialogue des propriétés de la ligne horizontale.

> **Note**
>
> Seul Internet Explorer tient compte de la couleur éventuellement spécifiée pour le filet. L'attribut `color` généré par FrontPage Express n'existe pas dans la spécification HTML 4.01 et les autres attributs de la balise `<HR>` sont signalés comme "deprecated".

Commentaire

Rappelons que les commentaires ne sont pas affichés par les navigateurs. Mais ils sont visibles dans la fenêtre d'édition de FrontPage Express, affichés dans le même style que celui de la ligne où ils se trouvent et en violet. Pour insérer un commentaire, cliquez sur Insertion/Commentaire. La boîte de saisie reproduite sur la Figure 17.19 s'affiche, tapez alors le commentaire dans la fenêtre et terminez en cliquant sur le bouton OK. La Figure 17.20 montre comment se présente alors la fenêtre d'édition.

Figure 17.19 : Boîte de saisie d'un commentaire.

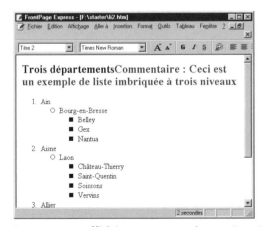

Figure 17.20 : Comment est affiché un commentaire par FrontPage Express.

Symbole particulier

Pour insérer dans le texte un caractère particulier qui n'existe pas sur le clavier ou dont on ignore quelle combinaison de touche utiliser pour le produire, il suffit, après avoir placé le pointeur de la souris à l'endroit voulu dans le texte, de cliquer sur Insertion/Symbole. Une table de caractères s'affiche alors (voir Figure 17.21) dans laquelle vous choisissez le caractère que vous voulez insérer. Cliquez ensuite successivement sur Insérer puis sur Fermer.

Figure 17.21 : Boîte d'insertion d'un symbole.

Attention

Le caractère est inséré tel quel dans le code HTML et non, comme il devrait l'être, sous forme d'une entité de caractère (nous avons vu que ceux-ci étaient presque totalement ignorés par FrontPage Express). Aucune garantie n'est donc donnée quand à la portabilité de la page sur n'importe quelle plate-forme.

Cas particulier de l'euro

Le caractère Euro (€) ne figure pas dans cette table de caractères. Si vous voulez néanmoins l'afficher, vous devrez utiliser Windows 98 ou, sous Windows 95, avoir installé les corrections de Microsoft pour Windows 95 (fichier **w95euroFR.exe** du CD-ROM Microsoft Euro 2000)[1].

Le W3C a défini dans la spécification de HTML 4.01 une nouvelle entité de caractères pour l'euro :

```
<!ENTITY euro CDATA "&#8364;" -- euro sign, U+20AC NEW -->
```

---

1. Vous pouvez aussi télécharger ce fichier à partir du site Microsoft **http://www .microsoft.com/windows95/downloads/contents/wurecommended/ S_WUFeatured/w95EuroPatch/w95europatchread.asp**.

Cette entité est reconnue par Netscape Navigator et par Internet Explorer dans les conditions exposées au paragraphe précédent. Dès lors, vous pourrez l'insérer dans votre page HTML au moyen de la commande Insertion/Balise HTML puis en tapant **€** dans la fenêtre Balise HTML (revoir la Figure 17.11).

Vous pourriez aussi songer à taper <Ctrl>+<Alt>+<E> ou, tout en maintenant enfoncée la touche <Alt Gr> (celle qui est à droite de la barre d'espace), à taper successivement **au pavé numérique** <0>, <1>, <2> et <8>. FrontPage Express générera alors l'entité numérique **€**. Malheureusement, si Internet Explorer s'en tire bien, Netscape Navigator ne reconnaît pas cette entité et se contente d'afficher son code comme le montre la Figure 17.22. (Rappelons que, par suite d'un bogue de Internet Explorer 5.0, ce navigateur s'identifie sous la fausse appellation de "4.0".) Quant à Opera 3.60, s'il affiche bien le symbole de l'euro pour **€** vous n'obtiendrez qu'un crochet de négation pour **€**.

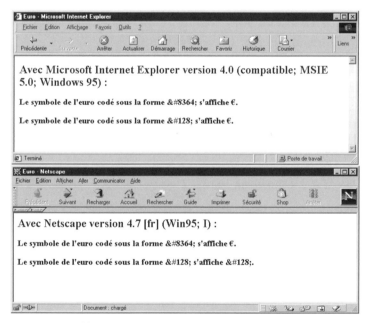

Figure 17.22 : L'affichage du symbole de l'euro par Internet Explorer 5.0 et Netscape Navigator 4.7.

Voici le document HTML (écrit à la main) qui a été utilisé pour afficher cette figure. Il a été visualisé par chacun des deux navigateurs et la copie d'écran a réuni les deux présentations :

```
<HTML>

<HEAD>
<TITLE>Euro</TITLE>
<SCRIPT LANGUAGE="JavaScript">
document.write("<H2>Avec " + navigator.appName + "
➥version " +
                navigator.appVersion + " :</H2>")
</SCRIPT>
</HEAD>

<BODY>
<H3>Le symbole de l'euro codé sous la forme &amp;#8364;
➥s'affiche &#8364;.</H3>
<H3>Le symbole de l'euro codé sous la forme &amp;#128;
➥s'affiche &#128;.</H3>
</BODY>

</HTML>
```

Sauvegarde d'une page

Une fois terminée l'édition d'une page, il faut évidemment la sauvegarder. Pour cela, voici comment procéder :

1. Cliquez sur Fichier/Enregistrer sous.
2. Dans la boîte de dialogue qui s'affiche (voir Figure 17.23), tapez éventuellement (si vous ne l'avez pas déjà fait) le titre (balise <TITLE>) à donner à la page dans la boîte de saisie Titre de la Page.
3. Cliquez ensuite sur le bouton Comme fichier.
4. Dans la boîte de sélection de fichier Enregistrer en tant que fichier, sélectionnez le disque et le répertoire où vous voulez sauvegarder votre page.
5. Cliquez sur le bouton Enregistrer.

Astuce

Il est conseillé de modifier le nom que FrontPage Express a attribué à votre page et qu'il a confectionné à partir du titre que vous venez de lui donner.

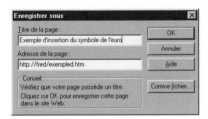

Figure 17.23 : La boîte de dialogue Enregistrer sous.

En cours d'édition, il est prudent de faire de temps en temps des sauvegardes. Non pas que FrontPage Express ait des tendances à se planter. Par bonheur, il n'a pas ce défaut. Mais, en ce qui concerne Windows, on sait que c'est une autre histoire... D'autre part, comme avec tous les éditeurs WYSIWYG, vous risquez de vous trouver embringué dans des complications dont vous ne parvenez plus à vous sortir et qui viennent gâcher la (presque) excellente présentation que vous veniez de réaliser. Dans ce cas, fermez votre fichier en cliquant sur Fichier/Fermer et ouvrez la sauvegarde précédente en cliquant sur Fichier/Ouvrir.

Chapitre 18

Insertion d'objets divers

Comme nous l'avons vu au Chapitre 16, c'est le menu d'insertion qui est le plus copieux. C'est avec lui qu'on peut disposer dans sa page tous les éléments qui ne relèvent pas directement du texte. Certaines de ses rubriques sont importantes : nous les développerons. D'autres sont accessoires : nous ne nous y attarderons pas.

Les images

Pour insérer une image dans une page, il faut commencer par cliquer sur Insertion/Image (ou taper <Alt>-I suivi de I).

Sans effet de mise en page

Une boîte de dialogue à deux volets intitulée Image s'ouvre sur le volet Autre emplacement reproduit sur la Figure 18.1. En réalité, ce nom ne correspond à rien car, dans presque tous les cas, les images insérées seront situées sur le même site que la page. Le second volet, Images clipart, est un reliquat de FrontPage et il ne sert à rien car, comme nous l'avons dit dans le Chapitre 16, FrontPage Express est livré sans collection de cliparts.

En cliquant sur le bouton Parcourir, une boîte de sélection de fichier s'ouvre. Par défaut, elle va permettre de choisir des fichiers d'images de type GIF ou JPEG. Nous verrons qu'on peut insérer des images d'autres formats. Une fois l'image sélectionnée, un clic sur le bouton Ouvrir va la placer dans la page sans précaution spéciale. Comme le montre la Figure 18.2, l'effet obtenu n'est pas heureux. Pour l'améliorer, nous allons donc cliquer du bouton droit de la souris sur l'image et, dans le menu contextuel qui apparaît, sélectionner Propriétés de l'image. La boîte de dialogue correspondante s'ouvre sur le volet Général que montre la Figure 18.3.

La zone Type nous informe que notre image est du type JPEG (ce dont nous nous doutions un peu en raison de l'extension .jpg), avec une qualité standard de 75 %. Dans la zone Autres représentations, on voit deux boîte de saisie. Il faut ignorer la première, Basse résolution, qui correspond à l'attribut LOWSRC, car son utilisation ne ferait que ralentir le chargement de l'image. En revanche, les bons auteurs Web renseignent toujours la boîte de saisie Texte qui correspond à l'attribut ALT. C'est le texte qui sera affiché lorsque le visiteur de la page aura désactivé le chargement des images. Nous avons vu au Chapitre 15 que cet attribut était considéré comme indispensable — tout au moins sur le plan syntaxique — par la spécification HTML 4. Dans notre exemple, nous y taperons "Un superbe hortensia". Pour l'instant nous ignorerons la zone Liens par défaut (que nous étudierons au Chapitre 19). Voici le code qui est généré si on s'arrête là :

```
<img src="file:///F:/starter/hortensi.jpg"
     alt="un superbe hortensia"
     width="200" height="152">
```

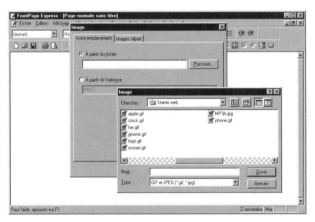

Figure 18.1 : La boîte de dialogue d'insertion d'image.

L'examen de ce code appelle deux remarques :

- FrontPage Express a automatiquement inséré les dimensions de l'image au moyen des attributs height et width.

- Si nous laissons cela dans l'état et que nous chargions cette page sur un serveur Web, il est certain que l'image ne s'affichera pas. En effet, la source indiquée pour l'image fait référence à notre disque local alors que la connexion sera établie sur celui du serveur.

On voit donc qu'il faut s'y prendre autrement pour insérer une image. La première solution qui vient à l'esprit serait de supprimer file:///F:/ starter/ à la main dans le code généré. Le procédé serait peu élégant et probablement source de beaucoup d'erreurs dans une page affichant de nombreuses images.

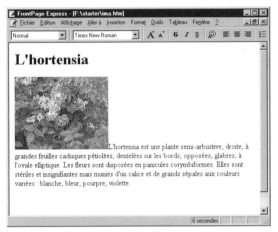

Figure 18.2 : Insérer une image sans précaution dans du texte est rarement une bonne idée.

Figure 18.3 : Le volet Général de la boîte de dialogue Propriétés de l'image.

Voici une meilleure façon de procéder :

- Créez un répertoire pour votre page et ses images[1] et copiez-y les images que vous pensez utiliser. Pour notre exemple, ce sera F:\starter. Pour notre exemple, nous y mettrons donc le fichier **hortensi.jpg**.

- Enregistrez votre page dans ce même répertoire sous le nom, par exemple, de hor.htm.

- Dans le volet Autre emplacement, au lieu de renseigner la boîte de saisie A partir du fichier grâce au bouton Parcourir, cliquez sur le bouton radio en face de A partir de l'adresse. La boîte de saisie correspondante qui, jusqu'ici, était affichée en grisé, devient utilisable.

- Tapez directement le nom de notre fichier d'image (**hortensi.jpg**) dans cette boîte de saisie comme le montre la Figure 18.4.

- Cliquez sur le bouton OK.

Figure 18.4 : Comment il faut indiquer le nom du fichier de l'image à insérer.

Le code HTML généré par FrontPage Express est maintenant :

```
<img src="hortensi.jpg" alt="Un superbe hortensia"
     width="200" height="152">
```

Ce qui est bien conforme à ce que nous espérions.

---

1. Nous reviendrons sur le choix des répertoires d'une présentation Web au Chapitre 22.

Avec recherche de mise en page

Nous allons envelopper l'image par le texte et faire en sorte que celui-ci ne soit pas collé à l'image, mais préserve une petite marge dans les deux directions. Après avoir affiché de la façon habituelle le menu contextuel de l'image, cliquez cette fois sur l'onglet Apparence. La Figure 18.5 montre comment se présente le volet correspondant. Exécutez les étapes suivantes :

Figure 18.5 : Le volet Apparence de la boîte de dialogue des Propriétés de l'image.

1. Dans la boîte à liste déroulante Alignement, cliquez sur Gauche.

2. Dans la case Espacement horizontal tapez 15 et, dans la case Espacement vertical, 10. (Vous pouvez utiliser les petites flèches d'incrémentation au lieu de taper une valeur.)

3. Dans la case Epaisseur de la bordure, faites apparaître la valeur 6 en cliquant six fois sur la petite flèche pointant vers le haut.

4. Cliquez sur le bouton OK.

La page se présente maintenant comme vous le montre la Figure 18.6. (Pour mieux percevoir l'effet d'enveloppement, nous avons sélectionné le texte et cliqué sur le "A" de la barre d'outils de mise en forme pour le faire apparaître plus gros.)

Astuce

A vrai dire, la bordure n'est pas du meilleur effet artistique. Si nous avons choisi d'en définir une, c'est seulement pour vous montrer comment procéder.

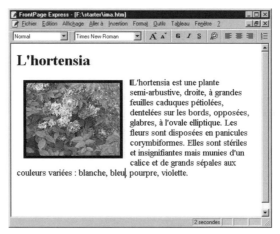

Figure 18.6 : Présentation améliorée de notre page.

Déplacement de l'image dans la page

FrontPage Express sait faire du glisser/déposer. Si l'image n'est pas à un emplacement convenable, il est possible de la déplacer avec la souris. Pour cela, commencez par cliquer dedans du bouton gauche pour la sélectionner. Des poignées apparaissent sur les côtés et sur les coins. Sans relâcher le pointeur, traînez l'image et, une fois qu'elle sera à l'endroit souhaité, là, seulement, relâchez le pointeur. Ne l'attrapez pas par les poignées, car vous la déformeriez dans un sens qui dépend de la poignée sur laquelle vous avez cliqué.

> **Attention**
>
> Cette façon de procéder ne permet pas de modifier l'habillement de l'image par du texte.

Et si votre image n'est pas au bon format ?

Si l'image qu'on veut insérer est d'un autre type non reconnu par les navigateurs (donc autre que GIF, JPEG ou PNG), cela n'a pas d'importance, car elle sera convertie. Lorsqu'elle est insérée, elle est toujours dans son format d'origine. Mais, lorsque vous allez enregistrer le document HTML sur lequel vous travaillez, une boîte de message, semblable à celle reproduite sur la Figure 18.7, va vous proposer d'enregistrer cette image dans le même répertoire que votre page, après l'avoir convertie en format GIF. Cliquez sur le bouton Oui pour accepter.

Figure 18.7 : FrontPage Express est capable de convertir automatiquement une image dans un format reconnu par tous les navigateurs.

En même temps, le code généré va être modifié pour refléter le nouvelle extension du fichier d'image.

Selon la taille de l'image, FrontPage Express peut décider de la convertir au format JPEG. Au moment d'enregistrer la page, vous recevrez un message du type de celui qui est reproduit sur la Figure 18.8. Cliquez évidemment sur le bouton Remplacer.

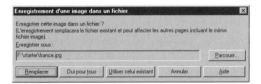

Figure 18.8 : FrontPage peut décider de faire une conversion au format JPEG.

Les animations

On insère une animation (une *vidéo*, dit Microsoft) presque comme s'il s'agissait d'une image.

Pour ceux qui ne se posent pas de questions

Au lieu de cliquer sur Insertion/Image, cliquez sur Insertion/Vidéo (ou vous tapez <Alt>-I/V). Cette fois, seul le volet (vide) Autre emplacement vous est proposé comme vous le montre la Figure 18.9.

Vous pouvez ensuite cliquer sur Propriétés de l'image dans le menu contextuel (il n'existe pas de rubrique Propriétés de la vidéo). La même boîte de dialogue que celle des images (reproduite sur la Figure 18.3) s'affiche et vous disposez des mêmes commandes. Mais en outre, cette fois, vous pouvez utiliser le volet Vidéo qui vous propose des commandes supplémentaires de répétition et de démarrage suffisamment explicites pour qu'il ne soit pas nécessaire de s'y attarder.

Figure 18.9 : L'unique volet de la boîte de dialogue Vidéo.

Figure 18.10 : Le volet Vidéo de la boîte de dialogue Propriétés de l'image.

Si vous examinez le code généré par FrontPage Express, vous découvrez (à votre consternation) qu'il est fait usage de l'attribut DYNSRC qui n'est reconnu que par Internet Explorer :

```
img dynsrc="papi.avi" start="fileopen">
```

Astuce

L'attribut start définit les conditions de démarrage de l'animation.

Avec un peu plus de raffinement

Si vous acceptez de priver ainsi une bonne moitié de vos visiteurs du spectacle de votre animation, au moins donnez-leur un lot de consolation : une image fixe lorsque leur navigateur ne reconnaît pas DYNSRC. Pour cela, dans le volet Général, utilisez la rubrique Source de l'image et indiquez, à l'aide du bouton Parcourir, le nom d'un fichier d'image. Le code HTML généré se présente maintenant ainsi :

```
<img dynsrc="papi.avi" src="cactus.gif" start="fileopen">
```

Comme l'insertion de la vidéo s'est effectuée à l'aide de la boîte de saisie A partir de l'adresse, et non avec A partir du fichier, aucune indication de dimension (attributs width et height) ne figure dans le code généré. De ce fait, quelle que soit celle des deux images (animée ou fixe) qui sera affichée, ses proportions seront respectées comme le montre la Figure 18.11. (Nous avons choisi à dessein une image très différente dans les deux cas.)

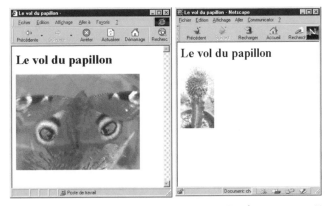

Figure 18.11 : La même page vue par Internet Explorer et par Netscape Navigator.

Pour ceux qui veulent être vus par le plus grand nombre

Heureusement, il existe d'autres moyens d'être vu par tout le monde. Mais pour les utiliser, encore faut-il savoir un peu de HTML ! Nous verrons au Chapitre 19 comment créer un lien vers une animation. Pour l'instant, nous allons tout simplement insérer une balise <OBJECT> à l'aide de la commande Insertion/Balise HTML que nous avons déjà utilisée ailleurs.

Après avoir cliqué sur cette rubrique, nous allons taper ce qui suit comme le montre la Figure 18.12 :

```
<OBJECT DATA="papi.avi"
        type="video/x-msvideo"
        WIDTH="320" HEIGHT="240">
Votre navigateur ne supporte pas la balise
&lt;OBJECT&gt; !
</OBJECT>
```

Figure 18.12 : Insertion manuelle d'une balise et du texte associé.

Attention

Ici, il faut indiquer les dimensions de la fenêtre d'affichage de l'animation, faute de quoi elle risquerait d'être affichée dans un cadre trop petit.

Astuce

Dans cette balise, il est indispensable de coder les chevrons du texte qui sera affiché par les navigateurs ne reconnaissant pas <OBJECT> sous forme d'entités de caractères, faute de quoi le navigateur les interpréterait comme une balise. Ne comptez pas sur FrontPage Express pour le faire pour vous : ici, il est tenu de respecter *à la lettre* tout ce que vous tapez.

Avec cette balise, il est possible d'insérer d'autres formats d'animations, comme MPEG et QuickTime ; la seule question qu'on doive se poser étant alors : "Le visiteur aura-t-il le plug-in nécessaire pour les voir ?" Mais nous sortons ici du mode d'emploi de FrontPage Express !

Ne vous effrayez pas de l'emballage que FrontPage Express place autour de la balise :

```
<!--webbot bot="HTMLMarkup" startspan -->
<OBJECT data="papi.avi" type="video/x-msvideo"
```

```
       WIDTH="500" HEIGHT="400">
       Votre navigateur ne supporte pas la balise
   ➥&lt;OBJECT&gt; !
</OBJECT>
<!--webbot bot="HTMLMarkup" endspan -->
```

Cela ne gêne en rien les navigateurs ne reconnaissant pas les WebBots (c'est-à-dire tous, en dehors d'Internet Explorer). Nous reparlerons de ces fameux WebBots au Chapitre 21.

La musique, les bruits et les sons

La rubrique Fond sonore du menu Insertion nous permet de créer un fond sonore qui ne sera pas sous le contrôle du visiteur, la seule chose qu'il puisse faire étant alors de l'interrompre en cliquant sur le bouton Arrêter de la barre d'outils de son navigateur (sauf s'il utilise Opera 3.60). On obtient ici le même effet qu'en utilisant le champ Fond sonore de la boîte de dialogue des Propriétés de la page que nous avons vue au début du Chapitre 17 (voir la Figure 17.2). Si on veut supprimer ce fond sonore dans la page HTML, le seul moyen à notre disposition est d'en supprimer la référence dans cette boîte de dialogue. C'est une balise <BGSOUND> qui est utilisée par FrontPage Express avec l'inconvénient déjà signalé de n'être pas comprise par Netscape Navigator.

FrontPage Express ne vous propose aucun moyen direct permettant à votre visiteur d'agir facilement sur la musique de votre page Web. Aussi faut-il ruser et insérer au moyen de la rubrique Balise HTML du menu Insertion du code HTML écrit à la main et faisant appel à la balise <OBJECT>. Voici un exemple de la façon dont vous pouvez inclure un fichier audio de type MIDI :

```
<OBJECT DATA="Cleopha.mid"
        type="audio/midi"
        WIDTH="300" HEIGHT="60" ALIGN="middle">
        Non, votre navigateur ne supporte pas la balise
        &lt;OBJECT&gt;  !
</OBJECT>
```

"audio/midi" est le type MIME des fichiers MIDI. Les dimensions de la fenêtre d'affichage indiquées conviennent à Internet Explorer et à Netscape Navigator comme le prouve la Figure 18.13. Opera, quant à lui, ne reconnaît pas <OBJECT>.

Pour un fichier WAV, la technique est identique, à cela près que le type MIME à spécifier est audio/x-wav.

Les applets Java

Pour insérer une applet Java, cliquez sur Insertion/Autres composants/Applet Java. La boîte de dialogue reproduite sur la Figure 18.14 s'affiche, qu'il vous "suffit" de renseigner. Sans doute, comme nous, vous demanderez-vous pourquoi aucun bouton Parcourir n'a été prévu ici pour faciliter l'insertion d'une applet. Vous devrez donc connaître l'emplacement exact ainsi que le mode d'emploi détaillé de votre applet. Si vous en êtes l'auteur, pas de problème. Sinon, il faut vous adresser à celui qui vous l'a fournie.

Les contrôles ActiveX

On s'en serait douté, Microsoft a privilégié cette catégorie d'objets puisqu'il en est l'auteur. En cliquant sur Insertion/Autres composants/Contrôle ActiveX, on fait apparaître la boîte de dialogue reproduite sur la Figure 18.15. La boîte à liste déroulante Choisir un contrôle propose un choix imposant. Pour peu qu'on en connaisse le mode d'emploi précis (ne comptez pas sur le bouton Aide pour cela !), on ne sera pas en peine.

En cliquant sur le bouton Propriétés, on pourra définir les paramètres nécessaires au contrôle. Ici, comme pour les applets, il est indispensable de disposer du mode d'emploi complet du contrôle.

Figure 18.13 : Incorporation d'un fichier MIDI dans une page vue par (de haut en bas) : Netscape Navigator, Internet Explorer et Opera.

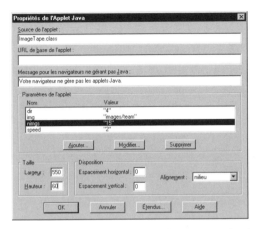

Figure 18.14 : La boîte de dialogue à renseigner pour insérer une applet Java.

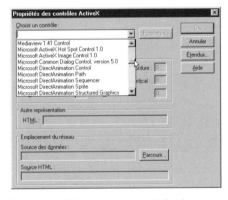

Figure 18.15 : La boîte de dialogue servant à insérer un contrôle ActiveX.

Les plug-in

Une fois de plus, le vocabulaire de Microsoft nous laisse perplexe. Pour en avoir le cœur net, nous cliquons sur Insertion/Autres Composants/Plug-In, ce qui affiche la boîte de dialogue reproduite sur la Figure 18.16. Voici le code généré pour cet exemple par FrontPage Express :

```
<embed src="papi.avi" align="absmiddle" border="0"
width="300" height="400">
<noembed>Non, vous ne verrez rien !</noembed>
```

Figure 18.16 : La boîte de dialogue servant à insérer un plug-in.

La balise <EMBED> est absente de la spécification HTML 4.01 et on ne la trouve même pas dans les rubriques *deprecated elements* et *obsolete elements*. En nous référant à un ouvrage publié il y a environ quatre ans par Laura Lemay (*Teach Yourself Web Publishing With HTML 3.2*), nous avons découvert qu'il s'agirait d'une extension Netscape destinée à incorporer des objets pouvant être affichés ou perçus *à l'aide* de plug-in. Internet Explorer 5.0 la reconnaît, mais Netscape Navigator 4.7 l'ignore, ce qu'on ne peut pas lui reprocher. Dans ces conditions, vous comprenez que mieux vaut s'abstenir d'utiliser ce gadget.

Que peut-on insérer d'autre ?

Le menu Insertion comporte d'autre objets :

- **Bannière et animation PowerPoint.** Nous les passerons sous silence, car il s'agit, une fois de plus, d'objets HTML trop particuliers.

- **Composant WebBot et script.** Nous les étudierons au Chapitre 21.

- **Champs de formulaire.** Nous les étudierons au Chapitre 20, en compagnie des tableaux et des frames.

- **Lien.** Ce sera l'objet du prochain chapitre.

Les liens et les frames

Si nous avons choisi de coupler ces deux sujets, en apparence, dissemblables, dans un même chapitre, c'est parce que nous pensons qu'ils ont des fonctionnalités communes, les frames constituant, à notre avis, une extension de la notion de lien.

Création d'un lien

Pour créer un lien, il faut un *objet d'appel* sur lequel cliquera le visiteur pour charger une autre page ou atteindre un autre endroit de la page courante, lorsque celle-ci est longue. D'une façon générale, on utilise deux sortes d'objets comme appel de lien : du texte ou une image. Ce dernier cas s'apparente à l'usage des icônes présentes dans les barres d'outils.

Liens à partir de texte

La première règle à observer est de bien choisir son texte. Evitez comme la peste les formules passe-partout du genre "Pour en savoir davantage, cliquez ici". Dans une présentation touristique, dites, par exemple, "Pour en savoir davantage sur la côte normande". Dans une notice technique, employez la formule : "Emploi de l'appareil pour dénoyauter les cerises" ; dans le descriptif d'un logiciel : "Comment faire une sauvegarde". Le visiteur verra ainsi que vous avez pris la peine d'étudier votre appel de lien, et cela ne pourra que renforcer la bonne opinion qu'il va avoir de votre page.

Ces *appels de lien* sont l'une des dernières choses qu'on place dans une page. Nous dirons même plus : "dans *les* pages". Car il est évident qu'il faut avoir une bonne idée de l'ensemble d'une présentation pour établir les liens entre ses pages. Quitte à enregistrer des pages vides ou seulement esquissées, qu'on remplira ou qu'on complétera plus tard. Nous prendrons comme exemple une présentation simple dont la Figure 19.1 donne la structure.

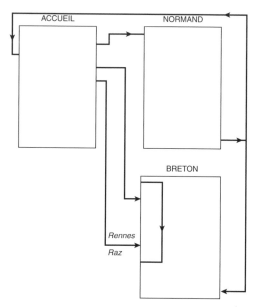

Figure 19.1 : **Structure de la présentation Web qui va nous servir d'exemple.**

Liens externes simples

Une fois choisis les mots du texte qui serviront d'appel de lien, opérez ainsi :

1. Sélectionnez ce texte au moyen de la souris.

2. Cliquez sur l'outil Créer ou modifier un lien (voir Figure 16.3) ou tapez ^K.

3. Dans la boîte de dialogue qui s'ouvre, cliquez sur l'onglet Ouverture des pages, ce qui affiche le volet correspondant reproduit sur la Figure 19.2.

4. Sélectionnez la page à atteindre, repérée par son titre (ici : La côte normande) puis cliquez sur le bouton OK.

A ce moment apparaît la boîte de message reproduite sur la Figure 19.3, vous avertissant "qu'il serait possible que ce fichier ne soit pas accessible..." Ignorez ce message, le code généré est correct :

```
<p>Pour en savoir davantage sur la <a href="normand.htm">
Côte normande</a>.</p>
```

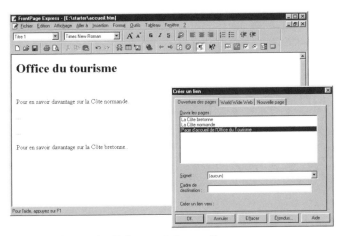

Figure 19.2 : La boîte de dialogue Créer un lien.

Figure 19.3 : Message de FrontPage Express à ignorer définitivement.

Répétez cette opération pour créer l'ancrage Rennes, un peu plus bas dans la même page.

Création d'un ancrage

Nous avons vu au Chapitre 6 qu'il était possible de repérer un endroit quelconque dans une page et de lui apposer une étiquette (un *ancrage*) permettant de l'atteindre directement. Sur la Figure 19.1, nous voyons qu'il existe deux ancrages (Raz et Rennes), marqués en italique. Voici comment définir un ancrage :

1. Chargez la page dans laquelle vous voulez définir un ancrage.

2. Placez le pointeur de la souris à l'endroit où doit être situé cet ancrage. Logiquement, ce sera juste avant un titre ou un soustitre.

3. Cliquez sur Edition/Signet (ou tapez <Alt>-E puis E). La boîte de dialogue reproduite sur la Figure 19.4 apparaît, dans laquelle vous saisissez le nom à donner au signet.

4. Terminez en cliquant sur OK. Un petit symbole apparaît dans la fenêtre d'édition, là où était le pointeur de la souris.

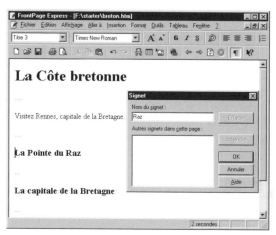

Figure 19.4 : Création d'un ancrage.

Voici quel est le code généré :

```
<h3><a name="Raz"></a>La Pointe du Raz</h3>
```

Attention

Dans les noms donnés aux ancrages, majuscules et minuscules sont différentes.

Lien externe vers un ancrage

Voyons maintenant comment on peut créer le lien qui va de la page d'accueil à l'ancrage Rennes, situé dans la page de la Bretagne. Voici la marche à suivre :

1. Affichez la page d'accueil (à l'aide du menu Fenêtre ou en tapant autant de fois que nécessaire ^F6 puisque nous avons supposé que les trois pages étaient déjà chargées).

2. Cliquez sur l'outil Créer/Modifier un lien ou tapez ^K.

3. Dans le volet Ouverture des pages, cliquez sur La Côte bretonne, dans la fenêtre Ouvrir les pages.

4. Cliquez sur la petite flèche à droite de la boîte à liste Signet. La liste des signets définis dans cette page s'affiche comme le montre la Figure 19.5.

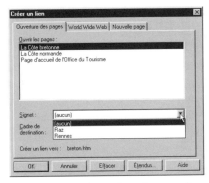

Figure 19.5 : Liste des signets définis dans la page breton.htm.

5. Cliquez sur le signet Rennes.

6. Cliquez sur le bouton OK.

7. Ignorez le message d'avertissement déjà rencontré plus haut (voir Figure 19.3).

Voici quel est le code généré par FrontPage Express :

```
<p>Visitez <a href="breton.htm#Rennes">Rennes</a></p>
```

Lien interne

Nous avons vu sur la Figure 19.1 qu'il existait un lien interne dans la page de la Bretagne. Pour le définir, on opère de la même façon que pour un lien externe, en sélectionnant le mot Rennes dans la page breton.htm, préalablement affichée, puis en cliquant sur Créer ou modifier un lien. Lorsque la boîte de dialogue s'ouvre, vous remarquerez que la bonne page est déjà sélectionnée (puisque c'est celle qui est affichée). Il faut alors sélectionner le signet Rennes et cliquer sur OK. Le code généré ne fait pas apparaître de nom du fichier HTML puisque le lien a lieu dans la même page :

```
<p>Visitez <a href="#Rennes">Rennes</a>, capitale de la
➥Bretagne.</p>
```

Cette fois, nous ne voyons pas s'afficher le message d'avertissement puisque le lien s'effectue à l'intérieur de la page courante.

> **Astuce**
>
> Comme nous le voyons, il n'est pas interdit de créer plusieurs liens vers la même page ou vers le même ancrage.

Lien à partir d'une image

Le processus à suivre est identique, à cela près que ce qu'on sélectionne ici, ce n'est plus un ou plusieurs mots, mais une image. Prenons comme exemple la page reproduite sur la Figure 19.6. On commence par sélectionner l'image qui va servir d'appel de lien d'un simple clic. Elle apparaît alors entourée des huit poignées habituelles. Il ne reste plus qu'à cliquer sur Créer ou modifier un lien (ou à taper ^K) pour afficher la boîte de dialogue que nous avons déjà rencontrée plus haut (voir Figure 19.2).

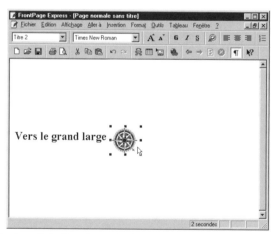

Figure 19.6 : Appel de lien à partir d'une image.

Pour compliquer légèrement, supposons, cette fois, que nous n'avons pas encore créé la page (`voilier.htm`) vers laquelle devrait être créé le lien. C'est alors l'onglet Nouvelle page qu'il faut sélectionner (voir Figure 19.7). Voici comment procéder :

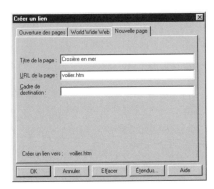

Figure 19.7 : Création d'un lien vers une page qui n'existe pas encore.

1. Tapez le titre à donner à la page : "Croisière en mer", par exemple. Remarquez que la boîte de saisie URL de la page contient maintenant `croisière.htm`.

2. Comme ce nom ne nous convient pas, il faut le remplacer par `voilier.htm`.

3. Cliquez sur OK. La boîte de dialogue Nouvelle page s'affiche, dans laquelle Page normale est présélectionné.

4. Cliquez sur OK. La page à partir de laquelle nous avions créé le lien disparaît, remplacée par une page blanche : celle que nous venons de créer.

5. Revenez à la page précédente en tapant ^F6.

Voici le code qui a été généré par FrontPage Express :

```
<h2>Vers le grand large
  <a href="voilier.htm">
    <img src="boussole.gif" align="absmiddle"
    border="0" width="70" height="64">
  </a>
</h2>
```

On aurait pu utiliser en même temps texte et image en sélectionnant, par exemple, "grand large" et l'image de la boussole, avec la souris comme le montre la Figure 19.8. Le code créé aurait alors été le suivant :

```
<h2>Vers le
  <a href="voilier.htm">grand large
    <img src="boussole.gif" align="absmiddle"
    border="0" width="70" height="64">
  </a>
</h2>
```

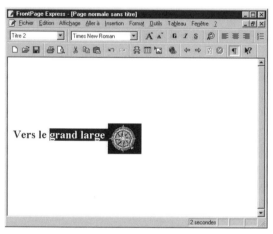

Figure 19.8 : Création d'un appel de lien utilisant à la fois texte et image.

Edition d'un lien

Créer ou modifier un lien, cela revient au même puisque la commande à utiliser porte le nom Créer ou modifier un lien.

Modification

Pour modifier un lien existant, on procède de la même façon que pour le créer. Dans la boîte de dialogue qui va s'afficher, on choisira tout simplement une autre destination.

Suppression

On sélectionne l'appel de lien, puis on clique sur Créer ou modifier un lien. Ensuite, dans la boîte de dialogue qui s'ouvre, il suffit de cliquer sur le bouton Effacer pour que le lien disparaisse.

Les frames

Nous atteignons là les limites de FrontPage Express : "Frames ? Connais pas !" C'est, en effet, en vain qu'on cherchera un outil de création ou d'édition de frames dans ce mini-éditeur. Que ce soit dans les menus ou dans l'aide en ligne, les mots "cadres" ou "frames", sont totalement introuvables. Pour achever de s'en convaincre, il suffit de charger une page contenant des balises comme <FRAMESET>, <FRAME> ou <NOFRAMES> pour voir s'afficher ce que montre la Figure 19.9.

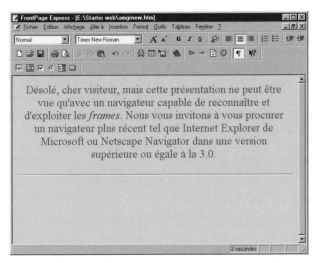

Figure 19.9 : Hélas, FrontPage Express ne connaît pas les frames !

Cette limitation est d'autant plus curieuse qu'à maintes reprises, dans les boîtes de dialogue que nous avons eu l'occasion d'afficher, figurait une boîte de saisie Cadre de destination, prévue pour générer un attribut TARGET définissant une page située dans une structure de frame.

Il est vrai que l'utilisation d'une structure de cadres pour une présentation Web n'est pas tout à fait à la portée du débutant, cible privilégiée de Front-Page Express. La seule solution à votre disposition, pour définir ce type de structure, est de vous reporter au Chapitre 9 et de coder à la main les balises nécessaires en utilisant pour cela Insertion/Balise HTML. La Figure 19.10 montre comment vous pouvez procéder dans une page encore vierge.

Figure 19.10 : Comment suppléer aux lacunes de FrontPage Express concernant les frames.

Dans les liens que vous créerez ensuite entre les différentes pages de votre présentation, vous n'oublierez pas d'utiliser la boîte de saisie Cadre de destination pour spécifier dans lequel de vos cadres doit être chargée la nouvelle page que vous appelez.

Les tableaux
et les formulaires

Rappelons que les tableaux, outre la présentation de colonnes de chiffres bien alignées, jouent un grand rôle dans l'élaboration des mises en pages élaborées.

Les tableaux

Il n'est pas indispen sable d'afficher la barre d'outils de mise en forme pour la génération de la structure générale du tableau (un seul outil concerne les tableaux), mais elle pourra vous servir pour mettre en forme son contenu.

Le cadre du tableau

Pour définir un tableau, il faut savoir combien il contiendra de lignes et de colonnes. Mais si vous ne le savez pas exactement, ce n'est pas grave, car il vous sera toujours possible, ultérieurement, d'enlever ou d'ajouter lignes et colonnes. Il y a une différence importante entre l'outil Insérer un tableau de la barre d'outils de mise en forme et la seule rubrique initialement utilisable du menu Tableau qui porte le même nom, mais qui est bien plus riche de fonctions. Nous allons commencer par le plus simple : l'outil (voir Figure 16.3). Le menu nous permettra ensuite d'affiner notre tableau. Voici la marche à suivre pour créer, par exemple, un tableau de trois lignes et six colonnes :

Astuce

Par prudence, lorsque vous êtes dans une page vierge, commencez par appuyer sur <Entrée> pour créer un premier paragraphe vide. Il sera ensuite bien plus facile de placer à cet endroit un titre, un texte ou ce que vous voudrez. Nous verrons plus loin comment procéder si vous ne prenez pas cette précaution.

1. Placez le pointeur de la souris à l'endroit où vous voulez qu'apparaisse le tableau.

2. Cliquez sur l'outil Insérer un tableau de la barre d'outils de mise en forme. Apparaît alors un petit tableau de quatre lignes et cinq colonnes.

3. Cliquez dans la case du coin supérieur gauche et, sans lâcher le bouton de la souris, faites glisser celle-ci d'un mouvement diagonal, vers la droite et vers le bas. Les cases que vous balayez passent en vidéo inverse. Si vous dépassez le cadre initial, le tableau s'agrandit automatiquement (voir Figure 20.1).

4. Lorsque le tableau a les dimensions souhaitées, relâchez le bouton de la souris.

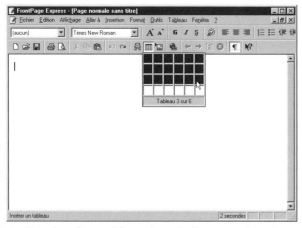

Figure 20.1 : Création d'un tableau de trois lignes et six colonnes.

Si le bouton Afficher/Cacher est enfoncé, vous voyez apparaître en pointillé le dessin du tableau (étriqué, ce qui est normal car, pour l'instant, il est vide). Voici une partie du code généré par FrontPage Express :

```
<table border="0">
  <tr>
    <td> </td>
    <td> </td>
    <td> </td>
```

```
      <td> </td>
      <td> </td>
      <td> </td>
    </tr>
    <tr>

        et ainsi de suite ...

    </tr>
  </table>
```

Le menu contextuel du tableau

Le menu contextuel du tableau va nous permettre de faire bon nombre de modifications. Comme toujours, pour l'afficher, il suffit de cliquer n'importe où dans le tableau avec le bouton droit de la souris. Attention à ne pas vous tromper de rubrique (voir Figure 20.2), la rubrique Propriétés de la cellule est juste au-dessous de celle des Propriétés du tableau.

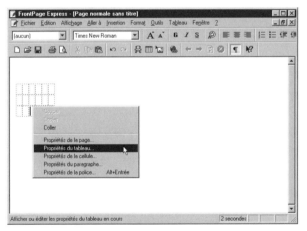

Figure 20.2 : Le menu contextuel attaché à un tableau.

Nous allons voir brièvement comment modifier l'apparence du tableau à l'aide des nombreuses options proposées par la boîte de dialogue Propriétés du tableau (voir Figure 20.3). Dans toutes les manipulations que nous allons effectuer, il est bien entendu qu'on doit terminer en cliquant sur le bouton OK.

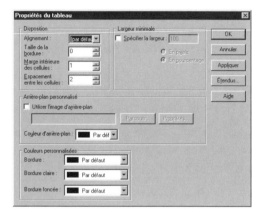

Figure 20.3 : La boîte de dialogue des Propriétés d'un tableau.

La zone Disposition

Elle renferme quatre champs :

- **La boîte à liste déroulante Alignement.** Elle permet de disposer le tableau à gauche, au centre ou à droite de la page.

- **La boîte de saisie Taille de la bordure.** Elle sert à définir l'épaisseur de celle-ci (0, par défaut). On peut saisir directement un chiffre ou utiliser les petites flèches d'incrémentation/décrémentation.

- **La boîte de saisie Marge intérieure des cellules.** Elle correspond à l'attribut CELLPADDING, c'est-à-dire qu'elle définit l'espace libre qui sera ménagé entre le contenu d'une cellule et ses bordures. Par défaut, ce paramètre a une valeur égale à 1 pixel.

- **La boîte de saisie Espacement entre les cellules.** Elle correspond à l'attribut CELLSPACING, c'est-à-dire qu'elle définit l'espace libre qui sera ménagé entre le contenu de cellules voisines. Par défaut, ce paramètre a une valeur égale à 2 pixels.

La zone largeur minimale

C'est par ce moyen qu'on peut imposer une largeur au tableau. Par défaut, aucune contrainte ne lui est imposée et les divers champs sont inactifs (affichés en grisé). Pour les activer, cliquez dans la case à cocher placée devant Spécifier la largeur.

- Cliquez sur l'un des boutons radio En pixels (largeur absolue) ou En pourcentage (largeur relative).

- Tapez ensuite une valeur appropriée dans la case placée devant Spécifier la largeur.

Astuce

Il n'est pas interdit, après avoir cliqué sur le bouton radio En pourcentage, de taper une valeur supérieure à 100. Pour peu que la hauteur de votre page soit de l'ordre de celle d'une page d'écran, vous aurez ainsi une page à faire défiler en largeur plutôt qu'en hauteur. Cependant, ce n'est probablement pas une bonne idée, car cela risque de déconcerter vos visiteurs. Gardez-vous de confondre le beau et l'original.

La zone Arrière-plan personnalisé

Elle vous permet de définir l'arrière-plan du tableau, soit par une couleur (option par défaut), soit par un fond de page matérialisé par une image. Dans le premier cas :

- Cliquez sur la petite flèche à droite de la boîte à liste Couleur d'arrière-plan et choisissez l'une des couleurs proposées par la liste (voir Figure 20.4).

Vous pouvez aussi choisir une image d'arrière-plan qui sera reproduite par effet de mosaïque dans toutes les cellules (et également dans les bordures, avec Internet Explorer). Toutefois, il faut savoir que Opera 3.60 ne reconnaît pas cet attribut pour un tableau, suivant en cela strictement la spécification HTML 4.01. On ne peut donc pas le lui reprocher. Voici la marche à suivre :

1. Cliquez dans la case à cocher placée devant Utiliser l'image d'arrière-plan.

2. Cliquez ensuite sur le bouton Parcourir.

3. Dans la boîte de dialogue Sélectionne l'image d'arrière-plan, cliquez sur le bouton radio à partir de l'adresse.

4. Saisissez alors le nom du fichier d'image, précédé éventuellement de son chemin d'accès (de celui qu'il aura éventuellement sur le disque du serveur s'il n'est pas dans le même répertoire que les documents HTML). Ne laissez pas subsister de nom de protocole. Vous devez voir quelque chose ressemblant à ce que montre la Figure 20.5.

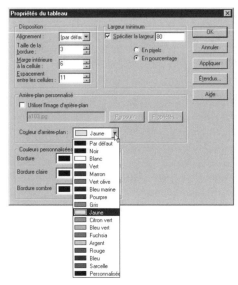

Figure 20.4 : Sélecteur de couleur d'arrière-plan.

Figure 20.5 : Comment indiquer le nom d'un fichier d'image pour l'arrière-plan.

Astuce

Vous pouvez très bien définir à la fois une couleur et une image d'arrière-plan, mais la couleur ne sera visible que si l'image choisie est une image GIF transparente (voir Chapitre 5).

Attention

Si vous utilisez l'autre option pour pointer sur une image d'arrière-plan (en cliquant sur le bouton A partir du fichier), la référence du fichier serait du type `file:///`. Sur votre propre machine, cela marcherait, mais pas sur celle de vos visiteurs.

Il est toujours possible de définir la couleur d'une cellule individuelle. D'une façon générale, mieux vaut éviter d'utiliser une image d'arrière-plan, sauf pour obtenir des effets graphiques particuliers.

La zone Couleurs personnalisées

Elle comporte trois champs :

- **Bordure.** C'est la couleur générale des bordures.

- **Bordure claire.** C'est la couleur des bords extérieurs des bordures supérieure et gauche du tableau (attribut `BORDERCOLORDARK`, exclusivité Internet Explorer).

- **Bordure sombre.** C'est la couleur des bords extérieurs des bordures inférieure et droite du tableau (attribut `BORDERCOLORLIGHT` exclusivité Internet Explorer).

Mieux vaut éviter d'utiliser ces deux derniers paramètres, qui sont ignorés par la plupart des navigateurs, et se contenter du premier, plus généralement reconnu.

La Figure 20.6 montre comment se présente maintenant notre tableau après qu'ont été définies quelques-unes des valeurs proposées par la boîte de dialogue des propriétés du tableau.

Voici le contenu de la balise initiale `<TABLE>` générée par FrontPage (le reste des balises est inchangé) :

```
<table border="3" width="80%"
        cellpadding="6" cellspacing="11" width="80%"
        background="a103.jpg" bordercolor="#FF00FF"
        bordercolordark="#FF0000"
bordercolorlight="#FFFF00">
```

Rien à redire, si ce n'est l'utilisation, qui vient d'être signalée, des deux attributs Microsoft `BORDERCOLORDARK` et `BORDERCOLORLIGHT`,

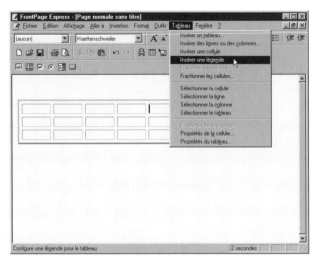

Figure 20.6 : Tableau à la présentation enrichie.

Le titre du tableau

Nous venons de voir que rien n'était prévu dans le menu contextuel pour placer un titre au-dessus ou au-dessous du tableau. Voici comment procéder à cette insertion :

1. Cliquez sur Tableau/Insérer une légende, comme le montre la Figure 20.7. Par défaut, le titre (la légende, comme dit FrontPage Express) sera insérée au-dessus du tableau.

2. Une barre verticale apparaît alors immédiatement au-dessus du tableau et au centre. Tapez le titre que vous voulez donner.

3. Pour faire apparaître le titre au-dessous du tableau, cliquez sur Tableau/Propriétés de la légende ou sur la rubrique de même nom du menu contextuel de la légende. Cliquez sur l'un des deux boutons radio dans la boîte de dialogue qui s'affiche (voir Figure 20.8).

Curieusement, la balise <CAPTION> qui renferme le titre est placée juste avant la balise terminale </TABLE> lorsqu'on choisit de placer le titre au-dessous du tableau, ce qui est en contradiction avec les spécifications du W3C : " *The CAPTION element is only permitted immediately after the TABLE start tag.*"[1]

---

1. "L'élément CAPTION n'est autorisé qu'immédiatement après la balise initiale TABLE."

Figure 20.7 : Comment insérer un titre en haut d'un tableau.

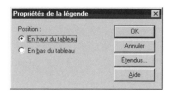

Figure 20.8 : Choix de l'emplacement du titre d'un tableau.

Vous pouvez modifier l'apparence du titre en le sélectionnant avec le pointeur de la souris et en utilisant les outils de la barre de mise en forme (A, I, G...).

Attention

FrontPage Express ne vous permet pas de placer ce titre dans un conteneur du type <Hx>, ce qui est pourtant parfaitement licite et est correctement traduit par tous les navigateurs (même Opera !). Si jamais vous le faisiez directement dans le code au moyen de la commande Affichage/HTML, le titre du tableau viendrait alors occuper la première cellule d'une ligne rajoutée au début du tableau lorsque vous repasseriez en mode WYSIWYG.

Edition des cellules

Pour ce qui suit, afin de mieux voir ce que nous allons placer dans les cellules du tableau, nous n'utiliserons ni couleur ni image d'arrière-plan.

Saisie brute

Pour saisir du texte ou des nombres, placez le pointeur de la souris dans la cellule que vous voulez garnir et tapez. Pour vous déplacer d'une cellule à la voisine, vous pouvez utiliser les touches flèches du clavier ou, pour aller de gauche à droite, la touche <Tab>. Pour aller de droite à gauche, maintenez la touche <Maj> enfoncée puis appuyez sur <Tab>. La Figure 20.9 vous montre un exemple de ce qu'on obtient ainsi.

Avec mise en forme

On peut modifier globalement ou de façon fine l'apparence d'un tableau en agissant sur la présentation du contenu des cellules. S'il s'agit de modifications simples (alignement horizontal, gras, italique, taille du texte...), le plus simple est de sélectionner le ou les éléments à modifier puis d'utiliser les outils de la barre d'outils de mise en forme. Pour des modifications plus fines, on devra utiliser les options du menu Tableau comme indiqué ci-dessous.

- **Une seule ligne.** Pour modifier la présentation de tous les éléments d'une même ligne, placez le pointeur n'importe où dans la ligne et cliquez sur Tableau/Sélectionner la ligne. Vous pouvez aussi placer le pointeur de la souris sur la bordure gauche du tableau. Cliquez lorsqu'il se change en une petite flèche horizontale. La ligne apparaît alors en vidéo inverse et vous pouvez utiliser tous les outils appropriés de la barre d'outils de mise en forme (gras, centrage, grossissement...). La Figure 20.10 vous montre comment se présente la fenêtre d'édition. Bien entendu, lorsqu'on déplacera le pointeur de la souris, l'image réapparaîtra en vidéo normale.

- **Une seule colonne.** On peut opérer de la même façon pour toute une colonne, en choisissant la rubrique Tableau/Sélectionner la colonne après avoir placé le pointeur dans la colonne à modifier. Vous pouvez aussi placer le pointeur de la souris sur la bordure supérieure du tableau. Cliquez lorsqu'il se change en une petite flèche verticale.

- **Le tableau tout entier.** Pour appliquer la même mise en forme à tout le tableau (centrer le contenu de toutes les cellules, par exemple), il faut cliquer sur Tableau/Sélectionner le tableau.

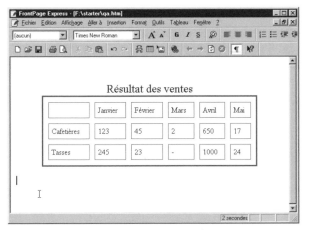

Figure 20.9 : Exemple de saisie sans mise en forme.

Figure 20.10 : Mise en forme de toute une ligne.

- **Une cellule isolée.** Pour modifier l'apparence d'une cellule, on peut utiliser son menu contextuel (rubrique Propriétés de la cellule) ou cliquer sur Tableau/Sélectionner la cellule. La boîte de dialogue qui s'affiche alors est reproduite sur la Figure 20.11.

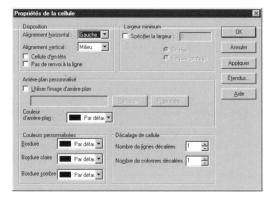

Figure 20.11 : La boîte de dialogue des propriétés d'une cellule.

- **Un groupe de cellules consécutives** :

  - **Cellules dans une même ligne.** Cliquez dans la première cellule à modifier, appuyez sur la touche <Maj> et cliquez dans la dernière cellule.

  - **Cellules dans une même colonne.** Cliquez dans la première cellule à modifier, appuyez simultanément sur les touches <Maj> et <Ctrl> et cliquez dans la dernière cellule.

  - **Cellules consécutives dans plus d'une ligne.** Cliquez dans la première cellule à modifier, appuyez sur la touche <Maj> et cliquez dans la dernière cellule. Toutes les cellules comprises entre la première et la dernière dans lesquelles on aura cliqué seront sélectionnées.

Voici maintenant quelques explications sur certaines des rubriques dont la signification n'est pas évidente :

- **Zone disposition.** La case à cocher placée devant Cellule d'en-tête correspond à la balise <TH>, qui est l'équivalent d'une balise <TD> avec, en plus, un centrage et une mise en gras. La case à cocher placée devant Pas de renvoi à la ligne correspond à l'attribut NOWRAP (voir Chapitre 7).

- **Zone largeur minimum.** En cochant la case placée devant Spécifier la largeur, on peut imposer une largeur minimale à toute la colonne où se trouve la cellule (attribut WIDTH).

- **Arrière-plan personnalisé.** Cette rubrique est identique à celle que nous avons vue plus haut pour définir l'ensemble du tableau.

- **Couleurs personnalisées.** Cette rubrique est identique à celle que nous avons vue plus haut pour définir l'ensemble du tableau.

Centrage du contenu d'une cellule

Le contenu d'une cellule peut être centré horizontalement et/ou verticalement comme le montre la Figure 20.12. Après avoir affiché son menu contextuel, on choisit le type de centrage à l'aide des deux listes déroulantes Alignement horizontal et Alignement vertical de la boîte de dialogue Propriétés d'une cellule que nous venons de voir sur la Figure 20.11. Voici le code généré par FrontPage Express pour ce tableau :

```
<table border="1" width="500" bgcolor="#FFFFB0"
        bordercolor="#0000FF">
  <tr>
    <td valign="top" width="150">En haut</td>
    <td width="150">Au milieu</td>
    <td valign="bottom" width="150">En bas</td>
    <td width="150"><p align="center"><img src="timbre
    ➡.gif"
        width="94" height="126"></p>
    </td>
  </tr>
  <tr>
    <td>A gauche</td>
    <td align="center">Au centre</td>
    <td align="right">A droite</td>
    <td align="center"><p align="center"><img src="vespa
    ➡.gif"
        width="100" height="74"></p>
    </td>
  </tr>
</table>
```

Autre chose dans une cellule

Nous avons vu au Chapitre 7 qu'une cellule de tableau pouvait contenir n'importe quoi, y compris un autre tableau. Après avoir placé le pointeur de la souris dans une cellule, on peut donc utiliser le menu Insertion ou la rubrique Insérer un tableau du menu Tableau pour y placer ce qu'on souhaite.

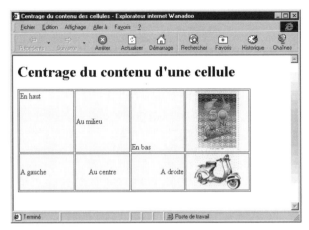

Figure 20.12 : Exemples de centrage du contenu d'une cellule.

Regroupement et subdivision de cellules

On peut regrouper une suite de cellules situées dans une même ligne **ou** une même colonne en une seule. Cela correspond respectivement aux attributs COLSPAN et ROWSPAN. Il faut considérer séparément chacun des deux cas, car le processus de sélection n'est pas le même. Inversement, il est possible de subdiviser une cellule dans les deux directions, mais là, heureusement, la méthode à appliquer est la même.

Regroupement en ligne

C'est le cas le plus simple :

1. Placez le pointeur de la souris dans la cellule de gauche de la rangée.
2. Appuyez sur la touche <Maj> et cliquez dans la cellule de droite de la rangée. Des petits bâtons noirs verticaux apparaissent dans chaque cellule, matérialisant votre sélection.
3. Cliquez alors sur le menu Tableau/Fusionner les cellules.

Le Tableau A de la Figure 20.13 montre un exemple de ce type de fusion où la cellule formée par le regroupement a été dotée d'un arrière-plan en forme de rayures.

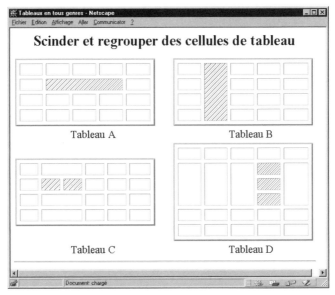

Figure 20.13 : Quatre exemples de regroupement et de scission de cellules.

Regroupement en colonne

Ce cas est plus compliqué. Il opère correctement sur un tableau qui vient d'être créé. Mais, si le tableau a déjà été bien "travaillé" (cellules remplies, modifications des couleurs et/ou des arrière-plans, etc.), on risque de ne pas pouvoir opérer la sélection.

1. Appuyez sur les touches <Maj> et <Ctrl> et cliquez dans la cellule supérieure de la colonne. Elle passe en vidéo inverse.

2. Tout en maintenant enfoncées les touches <Maj> et <Ctrl>, cliquez dans la cellule inférieure de la colonne. Chacune des cellules passe en vidéo inverse, matérialisant votre sélection.

3. Cliquez alors sur le menu Tableau/Fusionner les cellules.

Le Tableau B de la Figure 20.13 montre un exemple de ce type de fusion où la cellule formée par le regroupement a été dotée d'un arrière-plan en forme de rayures.

Subdivision d'une cellule en ligne ou en colonne

Cette opération implique une réorganisation de la structure du tableau, mais l'utilisateur ne s'en aperçoit heureusement pas. On opère de la même façon, à un détail près, dans les deux cas :

1. Cliquez dans la cellule à subdiviser. Un petit bâton vertical apparaît.
2. Cliquez sur Tableau/Fractionner les cellules. La boîte de dialogue reproduite sur la Figure 20.14 s'affiche.
3. Selon le sens de la subdivision à opérer, cliquez sur l'un des deux boutons radio. Le petit dessin au centre de la boîte de dialogue indique le type de subdivision qui va être effectué.
4. Choisissez le facteur de subdivision dans la case Nombre de colonnes (ou Nombre de lignes, selon le sens de la subdivision).
5. Cliquez sur le bouton OK.

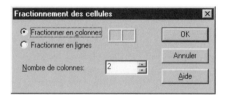

Figure 20.14 : Subdivision d'une cellule en ligne ou en colonne.

Les Tableaux C et D de la Figure 20.13 montrent ce qu'on obtient. La dilatation des cellules provient du fait que chaque cellule ainsi subdivisée doit avoir une taille minimale.

Position d'un tableau

Voici deux astuces qui peuvent vous être utiles lors de la création ou de l'édition de tableaux.

Déplacement d'un tableau

Pour modifier une mise en page, vous pouvez être amené à déplacer un tableau. Après avoir placé le pointeur de la souris n'importe où dans le tableau, cliquez sur Tableau/Sélectionner le tableau. L'ensemble du tableau passe en vidéo inverse. Vous pouvez le couper (Edition/Couper, ou plus simplement ^X) puis amener le pointeur de la souris là où vous voulez que soit situé le tableau et le coller à cet endroit (Edition/Coller, ou plus simplement ^V).

Deux tableaux de front

Normalement, il n'est pas possible de juxtaposer horizontalement deux tableaux : ils se mettront automatiquement l'un au-dessous de l'autre. Mais il existe une astuce bien simple pour y parvenir et c'est précisément celle que nous avons utilisée pour réaliser la Figure 20.13 : placer les deux tableaux dans un tableau sans bordure. Dans notre cas, ce "tableau conteneur" avait deux lignes et deux colonnes. Dans la première cellule, nous avons créé un tableau que nous avons ensuite copié, comme c'est indiqué dans le paragraphe précédent dans les trois autres cellules. Et c'est ainsi que nous avons réalisé nos quatre tableaux de démonstration (A, B, C et D).

> **Astuce**
>
> Pour insérer un tableau dans un tableau, il suffit que le pointeur de la souris soit dans la cellule choisie du premier lorsqu'on clique sur Tableau/Insérer un tableau ou qu'on clique sur l'outil Tableau.

Ajout de cellules

Vous pouvez à tout moment ajouter une cellule à l'intérieur d'un tableau. C'est à cela que sert le menu Tableau/Insérer une cellule. La nouvelle cellule va allonger la ligne où elle se trouve en repoussant éventuellement les cellules qui sont à sa droite. La Figure 20.15 montre comment se présente un tableau ainsi allongé lorsque le pointeur de la souris se trouvait dans la cellule maintenant vierge.

Figure 20.15 : Ajouter une cellule allonge la ligne correspondante.

Si on veut compléter la colonne, il faut ajouter individuellement le nombre de cellules nécessaire pour la garnir.

Pour ajouter une ligne à un tableau, il faut commencer par sélectionner la ligne au-dessous de laquelle viendra se placer la nouvelle ligne. Pour cela, le plus simple est d'amener le pointeur de la souris sur la bord de la cellule la plus à gauche de la ligne jusqu'à ce qu'il se change en une petite flèche noire tournée vers la droite. Ensuite :

1. Cliquez. La ligne entière passe en vidéo inverse.
2. Cliquez sur Tableau/Fractionner les cellules.
3. Dans la boîte de dialogue Fractionnement des cellules, cliquez sur le bouton radio devant Fractionner en lignes.
4. Cliquez sur le bouton OK. Une nouvelle ligne s'affiche au-dessous de la précédente (voir Figure 20.16).

Info

On ne peut donc pas ajouter une ligne au-dessus de la première ligne d'un tableau.

Figure 20.16 : Insertion d'une nouvelle ligne dans un tableau.

Pour insérer une nouvelle colonne à droite d'une colonne existante, on procède de la même façon, à ce détail près qu'à l'étape 3, c'est sur le bouton radio placé devant Fractionner en colonnes qu'il faut cliquer.

Info

On ne peut donc pas ajouter une colonne à gauche de la première colonne d'un tableau.

Pour raccourcir un tableau, on sélectionne la ligne ou la colonne à supprimer, puis on clique sur Edition/Couper ou on tape ^X.

Les formulaires

Pour créer un formulaire, affichez la barre d'outils appropriée en cliquant sur Affichage/Barre d'outils de formulaire. Il n'y a pas d'outil ou de rubrique de menu ayant pour nom Insérer un formulaire comme il en existe pour les tableaux. Le formulaire (plus précisément le conteneur <FORM> ... </FORM>) va être automatiquement créé lorsque vous définirez son premier composant. La Figure 20.17 indique les outils disponibles pour créer ces composants. Nous allons examiner l'utilisation de chacun de ces outils.

Figure 20.17 : La barre d'outils de formulaire.

Astuce

Pour préciser ou modifier certaines informations concernant un objet HTML de formulaire, affichez son menu contextuel en cliquant du bouton droit de la souris à l'intérieur. Cliquez ensuite sur la rubrique Propriétés du champ de formulaire.

La zone de texte simple

C'est ce qu'on désigne communément sous le nom de boîte de saisie. Pour la créer, cliquez sur l'outil de même nom. Si le bouton Afficher/Cacher est enfoncé, deux lignes de pointillés matérialisent les limites du formulaire. C'est à l'intérieur de cette zone qu'on devra placer les autres objets HTML du formulaire.

Pour que l'utilisateur sache ce qu'il doit y taper, il faut que cette zone de texte soit précédée d'un court texte indicatif. Placez le pointeur de la souris à gauche de la boîte de saisie et tapez votre texte. Terminez par un espace pour que le texte ne soit pas collé à la boîte de saisie (voir Figure 20.18).

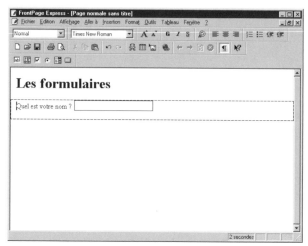

Figure 20.18 : Création d'une boîte de saisie.

Voici quel est le code généré par FrontPage Express :

```
<form method="POST">
    <p>Quel est votre nom ? <input type="text" size="20"
    name="T1"></p>
</form>
```

On remarque tout de suite qu'il manque une information capitale dans la balise initiale : l'attribut ACTION qui précise le programme de traitement du formulaire. Nous verrons plus loin comment on le définit.

Dans la boîte de dialogue Propriétés de la zone de texte (voir Figure 20.19), on peut préciser les éléments suivants :

- La valeur initiale qui sera affichée dans la boîte de saisie et transmise si l'utilisateur n'y a rien tapé, lorsqu'il cliquera sur le bouton Submit.

- Le nom de la boîte de saisie. Par défaut, les boîtes de saisie porteront les noms T1, T2, T3... dans l'ordre de leur création.

- La largeur de la zone de saisie, exprimée en nombre de caractères.

- S'il s'agit ou non d'un champ de type mot de passe. Dans l'affirmative, tout ce qui sera tapé dans cette boîte de saisie sera affiché sous forme d'astérisques.

Figure 20.19 : La boîte de dialogue des propriétés de la zone de texte.

Les cases d'option

Pour créer une case d'option (ce qu'on appelle communément un *bouton radio*), cliquez sur l'outil de même nom. Comme pour une zone de texte, il faut placer un texte devant le premier bouton radio d'un groupe pour indiquer à quoi correspond ce groupe. On sait (revoir éventuellement le Chapitre 8) que les boutons radio doivent être au nombre d'au moins deux pour avoir un sens. Comme on peut avoir plusieurs groupes de boutons radio dans un même formulaire, il faut donner le même nom (attribut NAME) à ceux qui doivent être associés. C'est à cela que va servir la boîte de dialogue des Propriétés d'une case d'option.

Création d'un groupe de cases

Pour le premier groupe, pas de problème, leur nom par défaut sera R1. Mais, à partir du deuxième groupe, il faut spécifier un autre nom. L'examen de la Figure 20.20 fera mieux comprendre ce qu'on entend par la notion de groupe. Comme il serait fastidieux d'appeler le menu contextuel de chacun des boutons qui viennent d'être créés pour changer leur nom, voici comment vous pouvez procéder pour vous épargner un travail aussi fastidieux qu'inutile :

1. Créez la première option du groupe et placez-y un bouton radio.

2. Cliquez du bouton droit de la souris pour appeler le menu contextuel de ce bouton radio.

3. Cliquez sur la rubrique Propriétés du champ de formulaire.

4. Dans la boîte de dialogue des Propriétés de la case d'option que montre la Figure 20.21, tapez le nom que vous allez donner au groupe (par exemple : Naissance, dans notre cas) dans la case Nom du groupe.

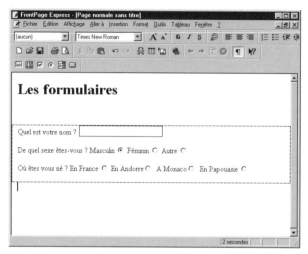

Figure 20.20 : Exemple de deux groupes de boutons radio (cases d'options).

5. Ne modifiez pas la valeur, vous comprendrez pourquoi un peu plus loin.

6. Cliquez sur le bouton OK. Vous revenez à l'écran d'édition de FrontPage Express.

7. Cliquez une fois sur le bouton radio que vous venez de créer pour le sélectionner.

8. Tapez ^C pour le copier dans le presse-papiers.

9. Tapez ensuite le nom des autres options et à la suite de chaque nom tapez ^V pour copier le bouton radio.

Figure 20.21 : La boîte de dialogue des propriétés de la case d'option.

Définition de l'option par défaut

Dans un groupe de cases d'option, il est d'usage que l'un des boutons soit présélectionné par défaut, mais ce n'est pas une obligation. Pour définir l'un des boutons comme actif par défaut, il suffit de cliquer sur le bouton radio Sélectionné devant la mention Etat initial (voir Figure 20.21). Voici le code généré par FrontPage Express :

```
<p>De quel sexe êtes-vous ?
    Masculin <input type="radio" checked name="R1"
➡value="V1">
    Féminin <input type="radio" name="R1" value="V2">
    Autre <input type="radio" name="R1" value="V3">
</p>
```

Les cases à cocher

A la différence des boutons radio, les cases à cocher ne sont pas mutuellement exclusives. Il n'est donc pas nécessaire de leur donner le même nom. Quant à leur valeur, par défaut c'est ON lorsqu'elles sont cochées. N'oublions pas que, lorsqu'une case n'est pas cochée, elle est ignorée lorsque le visiteur clique sur le bouton Submit. Seules seront donc transmises les valeurs des cases cochées. La Figure 20.22 montre comment se présente la boîte de dialogue des Propriétés de case à cocher. Voici un exemple de ce que génère FrontPage Express :

```
<p>Aimez-vous :
    la musique <input type="checkbox" name="C1">la
    littérature <input type="checkbox" name="C2">
    le cinéma <input type="checkbox" checked name="C3"
➡value="ON">
    la télévision <input type="checkbox" name="C4">
</p>
```

Figure 20.22 : La boîte de dialogue des propriétés de la case à cocher.

Zone de texte multiligne

Microsoft, jamais à court d'inventions, appelle cet objet de formulaire "zone de texte déroulante", ce qui peut prêter à confusion avec la boîte à liste déroulante (appelée "menu déroulant"), que nous verrons plus loin. Aussi nous en tiendrons-nous au nom communément admis de "zone de texte multiligne". C'est avec ce type de contrôle qu'on invite généralement le visiteur à donner son opinion sur tel ou tel sujet. La Figure 20.23 montre quels sont les champs à renseigner. On n'est naturellement pas obligé d'indiquer une valeur initiale. Dans ce cas, c'est une valeur "vide" qui sera transmise lorsque l'utilisateur cliquera sur le bouton Submit.

```
<p>Que pensez-vous du Web ?
   <textarea name="Aeb" rows="4" cols="40">
   Rien</textarea>
</p>
```

Figure 20.23 : La boîte de dialogue des propriétés de la zone de texte multiligne.

Menu déroulant

Un menu déroulant correspond à la balise <SELECT> qui est représentée par une sorte de boîte à liste déroulante dont les fonctions sont un mélange des propriétés d'un groupe de cases à cocher et d'un groupe de boutons radio. Voici la marche à suivre pour créer un menu déroulant :

1. Saisissez le texte de présentation des choix et terminez par un espace.

2. Cliquez sur le bouton Menu déroulant de la barre d'outils de formulaire. La boîte de dialogue Propriétés du menu déroulant s'affiche.

3. Si vous voulez autoriser des choix multiples, cliquez sur le bouton Oui placé en face de Autoriser les sélections multiples.

4. Cliquez sur le bouton Ajouter. Une seconde boîte de dialogue, Ajout d'un choix, s'ouvre.

5. Dans cette dernière, tapez le choix proposé dans la boîte de saisie Choix.

6. Si vous voulez associer une valeur à ce choix, cochez la case placée devant Spécifier une valeur et tapez cette valeur dans la boîte de saisie située au-dessous. Si vous ne le faites pas, la valeur du choix sera représentée par le libellé du choix lui-même, présentement affiché en grisé (voir Figure 20.24).

7. Si vous voulez que le choix que vous venez d'ajouter soit présélectionné, cliquez sur le bouton radio Sélectionné, dans la zone Etat initial. Par défaut, les nouveaux choix ne sont pas présélectionnés.

8. Cliquez sur le bouton OK de la seconde boîte de dialogue.

9. Recommencez les étapes 4 à 8 jusqu'à avoir ajouté tous les choix que vous avez prévus.

10. Cliquez sur le bouton OK de la première boîte de dialogue.

Voici un exemple du code créé par FrontPage Express pour un menu déroulant :

```
<p>Comment avez-vous connu cette page ?
  <select name="D1" multiple size="2">
    <option>Par un lien</option>
    <option>Par les news</option>
    <option>Par une revue</option>
    <option selected>Par hasard</option>
  </select></p>
<p>
```

Figure 20.24 : Les deux boîtes de dialogue utilisées pour créer un menu déroulant.

Boutons

Outre les deux boutons traditionnels Submit et Reset (Envoyer et Rétablir, en français), on peut créer des boutons "ordinaires" auxquels n'est attachée aucune fonction prédéterminée et qui servent principalement à appeler des routines de script.

Les boutons Envoyer et Rétablir

Rappelons que le premier est indispensable si vous voulez exploiter les informations recueillies par le formulaire. La création d'un bouton Envoyer est d'une grande simplicité : cliquez sur l'outil Bouton de commande de la barre d'outils de formulaire et un bouton Envoyer sera inséré à l'endroit où était le pointeur de la souris.

> **Astuce**
>
> Contrairement aux autres objets HTML de formulaire, aucun texte d'appel n'est nécessaire avec les boutons Envoyer et Rétablir puisque leur fonction est affichée dessus.

Pour transformer un bouton Envoyer en bouton Rétablir, cliquez sur la rubrique Propriétés du champ de formulaire dans son menu contextuel. La barre d'outils reproduite sur la Figure 20.25 apparaît. Cliquez alors sur le bouton radio placé devant Rétablir.

Si "Envoyer et "Rétablir" ne vous conviennent pas, rien ne vous empêche de taper un autre texte dans la boîte de saisie placée devant Champ/ Etiquette. Par exemple : "C'est parti, mon kiki !" au lieu d'Envoyer, et "Je veux recommencer" au lieu de Rétablir. En général, il ne sert à rien de donner un nom particulier aux boutons Envoyer et Rétablir puisqu'ils déclenchent une action immédiate.

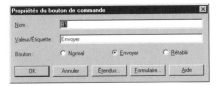

Figure 20.25 : La boîte de dialogue des propriétés du bouton de commande.

Un bouton ordinaire

Procédez comme pour un bouton Envoyer, et, dans la boîte de dialogue des Propriétés du bouton de commande, cliquez sur le bouton radio placé devant Normal. Par défaut, ce bouton portera le nom "Bouton", ce qui est bien vague. A vous de faire preuve d'imagination selon la fonction à laquelle vous destinez le bouton. Il faut prêter attention au nom que vous allez donner au bouton puisque c'est principalement par ce moyen que le script commandé identifiera le bouton qui l'a appelé. Par défaut, les boutons sont appelés B1, B2, B3... dans l'ordre de leur création.

Les informations secrètes

On sait qu'un formulaire permet d'envoyer des informations dont le visiteur n'aura pas connaissance au moyen de la balise <INPUT> dont l'attribut TYPE prend la valeur hidden. FrontPage Express n'a prévu aucune commande ou outil visible pour ce type d'élément, mais il existe néanmoins un moyen simple de le créer que nous allons vous indiquer :

1. Cliquez n'importe où dans le formulaire. Le menu contextuel apparaît.

2. Dans ce menu contextuel, cliquez sur Propriétés du formulaire.

3. Dans la boîte de dialogue Propriétés du formulaire, cliquez sur le bouton Ajouter.

4. Dans la seconde boîte de dialogue Paire Nom/Valeur qui apparaît, saisissez le nom et la valeur que vous voulez donner à ce champ (voir Figure 20.26).

5. Cliquez sur le bouton OK de cette boîte de dialogue.

6. Répétez les étapes 3 à 5 pour tous les champs de type hidden que vous souhaitez créer.

7. Cliquez sur le bouton OK de la première boîte de dialogue.

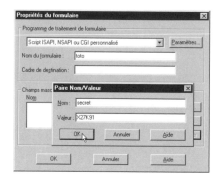

Figure 20.26 : La boîte de dialogue des Propriétés du formulaire.

Voici un exemple du code généré par FrontPage Express :

```
<input type="hidden" name="Secret" value="ABZ651">
```

> **Astuce**
>
> Cette boîte de dialogue vous permet de donner un nom à votre formulaire au moyen de la boîte de saisie prévue à cet effet. Ce nom ne sera utile (mais pas indispensable) que si votre page comporte plusieurs formulaires et un ou plusieurs scripts afin d'identifier le formulaire d'où proviennent certaines informations.

Bouton Image

Désolé, mais FrontPage Express ne propose aucun outil pour ce type de bouton. Néanmoins, étant son usage relativement rare, on peut pardonner cette nouvelle lacune à l'enfant de Microsoft. Le lecteur désireux de s'affranchir de cette limitation pourra insérer directement le code nécessaire (dont il trouvera la description au Chapitre 8) au moyen de la rubrique Balise HTML du menu Insérer.

Il est temps de compléter la balise <FORM>

Il nous manque encore un élément important dans notre formulaire : l'adresse à laquelle faire parvenir les informations recueillies. Ici encore, vous allez utiliser la boîte de dialogue des Propriétés du formulaire dans laquelle vous cliquerez sur le bouton Configurer. La Figure 20.27 vous présente la boîte de dialogue dans laquelle vous devez indiquer la valeur de l'attribut ACTION du formulaire, c'est-à-dire la destination des informations recueillies.

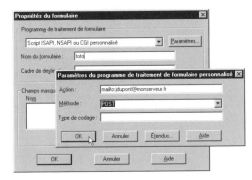

Figure 20.27 : Ne pas oublier d'indiquer où doivent aboutir les informations recueillies.

Voici le code généré par FrontPage Express :

```
<form action="mailto:jdupont@monserveur.fr"
     method="POST" name="toto">
```

Astuce

La valeur par défaut POST du champ ACTION convient pour la plupart des cas. Mais on peut éventuellement la remplacer par GET.

Comme nous l'avons vu au Chapitre 8, il est assez rare que les fournisseurs d'accès autorisent leur abonné à installer un script CGI de traitement de formulaire sur leur serveur. Aussi se rabat-on souvent sur un envoi à destination d'une adresse e-mail. Malheureusement, cela ne marchera pas si le visiteur a mal configuré son navigateur. Nous avons indiqué, à la section *Envoi des informations à une adresse mailto:* du Chapitre 8, comment utiliser une adresse d'envoi de type normal et les services de certains éditeurs ou fournisseurs d'accès pour être sûr de recevoir toujours les informations envoyées dans une boîte aux lettres électronique.

Astuce

L'utilisation de la boîte à liste déroulante placée dans la partie supérieure est réservé à des usages professionnels et sa présence a de quoi surprendre dans un logiciel aussi "dépouillé" que FrontPage Express !

Chapitre 21

Les Assistants
et les WebBots

Lorsque vous créez une nouvelle page, nous avons vu qu'un choix vous était proposé entre cinq options : une page blanche, deux assistants (Assistant page d'accueil et Assistant page de formulaire), deux modèles (Formulaire d'enquête et Formulaire de confirmation) et une curieuse rubrique intitulée "Nouveau dossier en mode Web" (voir la Figure 17.1).

Comme tout assistant qui se respecte, ceux-ci vous proposent une suite de feuilles de propriétés (variantes de la classique boîte de dialogue) que vous devez renseigner pour aboutir à une page spécialisée sans avoir le souci de l'organiser vous-même. Bien entendu, rien ne vous empêche ensuite de la reprendre pour l'améliorer si elle ne vous convient pas telle quelle. Quant aux modèles, ce sont des pages toutes prêtes que vous devez éditer pour les adapter à votre cas particulier. Enfin, nous ne pourrons rien vous dire de la nouvelle rubrique "Nouveau dossier en mode Web", car lorsqu'on tente de l'utiliser, un message d'erreur signale l'absence d'un fichier dans le répertoire approprié de FrontPage Express (vérification effectuée sur deux distributions différentes). Et, bien entendu, rien là-dessus dans l'aide en ligne !

Nous allons voir ce qu'on peut attendre de ces gadgets.

L'Assistant Page d'accueil

Lorsque vous cliquez sur cette rubrique, une première feuille de propriétés (voir Figure 21.1) vous informe que cet Assistant "vous aide à créer une page d'accueil personnalisée, qui vous permet de parler de vous à vos amis et collègues et de publier des liens [...]". Voilà qui peut paraître intéressant pour une page non plus personnelle, mais individuelle. Mais est-il réellement satisfaisant de parler de soi[1] ? Est-ce là un sujet qui va attirer beaucoup de monde ?

---

1. "Le moi est haïssable", Pascal, *Pensées*.

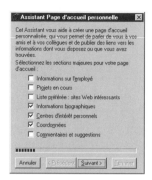

Figure 21.1 : La première feuille de propriétés.

Comme on le verra, certaines mentions (*Informations sur l'employé*, par exemple) sortent assez nettement du cadre d'une véritable page personnelle. Nous allons parcourir toutes les étapes proposées par l'Assistant en indiquant les rubriques que nous avons retenues pour chaque feuille. Nous verrons à la fin la page qui en est résultée. Pour passer d'une rubrique à l'autre, on clique sur le bouton Suivant.

- **Feuille 1.** Rubriques retenues : Informations biographiques, Centres d'intérêt personnels et Cordonnées.

- **Feuille 2.** Deux champs sont proposés : URL de la page et Titre de la page. FrontPage Express incrémente un compteur interne et vous propose une URL de la forme home$x$.htm et "Page d'accueil x" comme titre. Nous les remplacerons respectivement par accueil.htm et par "Moi, ma vie, mon œuvre".

- **Feuille 3.** Il nous est demandé de sélectionner un format pour notre section biographie. Retenons Centres d'intérêt.

- **Feuille 4.** Nous indiquons quelques-uns de nos hobbies (de nos violons d'Ingres, si vous préférez) et nous choisissons de les présenter sous forme de liste à puces. (Nous laissons subsister la faute de frappe visible sur la Figure 21.2 afin d'illustrer la façon de corriger le résultat final.)

- **Feuille 5.** Parmi les rubriques proposées et qu'on peut voir sur la Figure 21.3, nous retiendrons Adresse électronique et Adresse URL.

Astuce

Un bon conseil, n'indiquez jamais ni votre adresse ni votre numéro de téléphone personnels dans une page Web : vous ne savez jamais sous quels yeux ça peut tomber !

Figure 21.2 : Présentation des éléments de la page.

Figure 21.3 : Références personnelles (adresse...) de la page.

- **Feuille 6.** C'est un récapitulatif des sections de notre page personnelle dans lequel on peut modifier l'ordre de présentation. Telle qu'elle nous est proposée (Informations biographiques, Centres d'intérêt personnels et Coordonnées), elle reprend tout simplement l'ordre indiqué dans la Feuille 1 et nous n'y apportons aucune modification.

- **Feuille 7.** Elle ne comporte aucune zone à renseigner. Il ne nous reste donc plus qu'à cliquer sur le bouton Terminer.

On peut regretter qu'à aucun moment il ne nous ait été proposé d'insérer une image ni de choisir un fond de page. Pour avoir une bonne idée de ce que contient cette page, mieux vaut la voir avec un navigateur. C'est ce que nous allons faire après l'avoir sauvegardée comme d'habitude. Curieusement, bien que nous ayons indiqué comme URL dans la Feuille 2 `accueil.htm`, c'est `moimavie.htm` qui nous est proposé ici. Nous allons donc changer ce nom et le remplacer par `accueil.htm`.

Ce qui nous est proposé (voir Figure 21.4) ne risque pas de remporter un Web d'or, mais illustre parfaitement ce qu'on est en droit d'attendre d'un Assistant.

Astuce

Bien que FrontPage Express présente un fond de page de couleur gris, il sera néanmoins affiché en blanc. En effet, si vous regardez le code généré (Affichage/HTML), vous remarquerez que la balise initiale `<BODY>` ne contient pas d'attribut `BGCOLOR`.

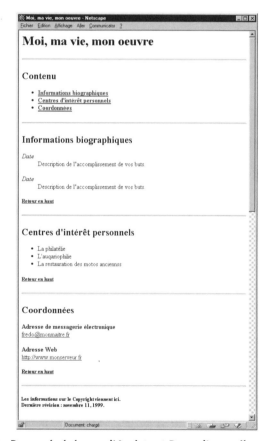

Figure 21.4 : Page générée par l'Assistant Page d'accueil personnelle.

Bien entendu, il faut maintenant renseigner toutes les rubriques puisque cette page ne comporte que des titres et sous titres généraux. Par exemple, le code généré par la liste à puces des informations biographiques se présente ainsi :

```
<ul>
  <li><a href="#bio"><strong>Informations biographiques
  </strong></a>
  </li>
  <li><a href="#centres d'intérêt"><strong>
     Centres d'intérêt personnels</strong></a>
  </li>
  <li><a href="#infocontact"><strong>Coordonnées</strong>
  </a>
  </li>
</ul>
```

On trouve ici des appels de liens internes : `#bio`, `#centres d'intérêt`, `#infocontact`, conduisant à autant de sections dans lesquelles il faudra saisir les informations (et éventuellement les images) appropriées. Bien entendu, cela se fera au niveau de l'éditeur, sans qu'il soit besoin de mettre les mains dans le code généré.

Attention

On peut se demander si cette utilisation directe de caractères accentués sera acceptée sans difficulté par tous les navigateurs et sur toutes les plates-formes. La réponse prudente à cette question est : non.

Il ne faut pas s'inquiéter de voir apparaître dans le code généré des commandes comme celle-ci :

```
<p>
<!--webbot bot="PurpleText"
preview="Vous pouvez créer des liens depuis les éléments
ci-dessus vers des pages Web contenant plus
d'informations."
s-viewable=" " -->
</p>
```

ou celle-ci :

```
<h5>
Les informations sur le Copyright viennent ici.<br>
Dernière révision : <!--webbot bot="TimeStamp" startspan
s-type="EDITED" s-format="%B %d, %Y" -->octobre 16,
1998<!--webbot
bot="TimeStamp" i-checksum="31450" endspan -->.
</h5>
```

Ce sont des artifices de FrontPage Express. Le premier permet simplement d'afficher les commentaires en pourpre dans sa fenêtre d'édition et le second de mettre à jour automatiquement la date de la dernière révision. Ce sont des WebBots internes et il n'est donc pas nécessaire que le serveur possède les extensions FrontPage (nous expliquerons un peu plus loin, à la section "Les composants WebBots", en quoi elles consistent). On regrettera la francisation lourde du texte qui a conservé la forme chère aux Anglo-Saxons (*Les informations sur le Copyright viennent ici*). N'oubliez pas de supprimer ou de remplacer ce texte par une véritable mention de copyright. (Encore qu'on puisse se demander si c'est bien utile pour une page personnelle.)

En définitive, cet Assistant a le mérite de définir un cadre bien organisé, ce qui pourra aider les débutants qui ne savent pas toujours comment s'y prendre pour organiser leurs idées. Il ne faut pas se dissimuler qu'il reste encore pas mal de pain sur la planche (de surf ?) avant d'aboutir à quelque chose de réellement présentable. Mais, là, c'est votre imagination qui sera au pouvoir.

L'Assistant Page de formulaire

Son but avoué est de "vous aider à créer un formulaire qui peut être utilisé pour recueillir des informations générales sur les utilisateurs et enregistrer les résultats dans une page Web ou un fichier texte sur le serveur Web". Nous allons examiner feuille par feuille ce que propose cet Assistant.

- **Feuille 1.** Elle propose, comme la Feuille 2 de l'Assistant précédent, une URL et un titre pour la page qui va être créée. Ici, c'est `form1.htm` et Page de formulaire 1. De la même façon que dans le cas d'une page personnelle, on aura presque toujours intérêt à les remplacer par un texte personnalisé.

- **Feuille 2.** Elle sert à définir les questions qui vont être posées par le formulaire, en conjonction avec une boîte de dialogue qu'on ouvre en cliquant sur le bouton Ajouter. Divers types de questions peuvent être posés dont la boîte à liste déroulante supérieure donne une idée (voir Figure 21.5). La forme exacte sous laquelle est formulée la question est modifiable.

  Pour plusieurs types de questions, une nouvelle boîte de dialogue permet de préciser ces options sous forme de menu déroulant, de cases d'options (boutons radio), de liste, etc. La Figure 21.6 en montre un exemple. Il ne faut pas oublier de saisir le nom de variable qui désignera l'ensemble de ces choix.

Figure 21.5 : Proposition de questions pour les choix simples.

En cliquant sur le bouton Suivant, on remonte à la feuille 2 où on peut ajouter une nouvelle question. On sort de ce cycle en cliquant sur le bouton Suivant de la feuille au lieu de cliquer sur le bouton Ajouter.

Figure 21.6 : Choix des propositions pour les questions à options.

- **Feuille 3.** Elle offre différentes formes de présentation pour les questions du formulaire : paragraphes normaux, listes (numérotées, à puces ou de définitions) et propose de définir un sommaire pour la page (voir Figure 21.7).

- **Feuille 4.** Cette feuille demande sous quelle forme devront être collectés les résultats : page Web, fichier texte ou traitement par un script CGI. Pour les deux premières options un nom de fichier résultat est proposé, qu'on peut modifier à volonté. C'est la dernière option qu'il faut choisir si on veut envoyer les résultat à une adresse e-mail. En cliquant sur le bouton Terminer, on achève la création du formulaire.

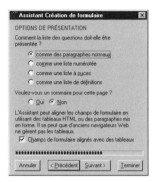

Figure 21.7 : Options de présentation du formulaire.

Attention

Si on choisit un script CGI ou un envoi par mailto:, il ne faudra pas oublier ensuite d'indiquer le chemin d'accès et le nom du script de traitement sur le serveur au moyen de la rubrique Propriétés du formulaire qui se trouve dans le menu contextuel.

Il faut sauvegarder comme à l'accoutumée le fichier qui vient d'être créé. La Figure 21.8 donne une idée de la présentation du formulaire et on voit que, comme dans le cas de la page personnelle, il reste des aménagements à apporter en ce qui concerne le test de présentation et la présentation générale.

Voici un exemple du code généré par FrontPage Express :

```
<form action="--WEBBOT-SELF--" method="POST">
  <!--webbot bot="SaveResults"
  u-file="file:///C:/WINDOWS/TEMP/formrslt.htm"
  s-format="HTML/DL" b-label-fields="TRUE" -->

  <p>Choisissez une des options suivantes :</p>
  <blockquote>
   <p>
    <input type="radio" checked name="Couleur"
    ➥value="Bleu"> Bleu <br>
    <input type="radio" name="Couleur" value="Rouge">
    ➥Rouge <br>
    <input type="radio" name="Couleur" value="Vert">
    ➥Vert <br>
```

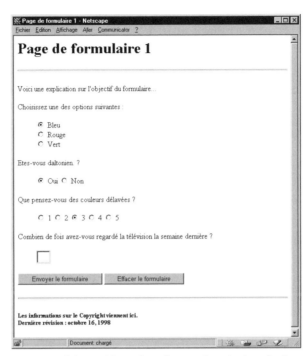

Figure 21.8 : Formulaire créé par l'Assistant de création de formulaire.

```
 <br>
</p>
</blockquote>

<p>Etes-vous daltonien. ?</p>
<blockquote>
 <p>
  <input type="radio" checked name="dalto"
  ➥value="Oui"> Oui
  <input type="radio" name="dalto" value="Non"> Non
 <br>
 </p>
</blockquote>

<p>Que pensez-vous des couleurs délavées ?</p>
 <blockquote>
  <p><input type="radio" name="delav" value="1"> 1
  ➥<input
    type="radio" name="delav" value="2"> 2 <input
    type="radio" checked name="delav" value="3"> 3
    ➥<input
```

```
                type="radio" name="delav" value="4"> 4 <input
                type="radio" name="delav" value="5"> 5 <br>
                </p>
         </blockquote>
         <p>
          Combien de fois avez-vous regardé la télévision la
           semaine dernière ?</p>
          <blockquote>
           <p><input type="text" size="2" maxlength="2"
           name="tv"> <br>
           </p>
          </blockquote>

          <p>
          <input type="submit" value="Envoyer le formulaire">
          <input type="reset" value="Effacer le formulaire"> </p>
         </form>
```

Deux choses sont à noter :

- D'abord l'abus des ruptures de lignes (`<BR>`) et de paragraphe (`<P>`) qui conduit à avoir une présentation dilatée en hauteur ; ce qui, dans le cas d'un formulaire contenant de nombreuses questions, va très vite obliger l'utilisateur à faire défiler le texte du formulaire — cela ne favorise pas des réponses cohérentes.

- Ensuite l'utilisation d'un composant WebBot pour l'enregistrement des réponses dans un fichier HTML. Sur un serveur non équipé des extensions serveur Microsoft FrontPage, **ça ne marche pas.** Sur MultiMania, par exemple, on obtiendra ce que montre la Figure 21.9.

En conclusion, pour le retour des informations de formulaire, il vaut bien mieux, ici aussi, avoir recours à l'envoi par courrier électronique évoqué au Chapitre 8.

Les deux modèles

La Figure 21.10 montre un extrait du long questionnaire proposé par le modèle Formulaire d'enquête. Nous ne sommes pas réellement convaincu de son utilité, car il demandera bien trop d'adaptations pour chaque cas particulier. Mieux vaut alors utiliser l'Assistant création de formulaire. Quant au second modèle, il est prévu pour fonctionner en corrélation avec l'Assistant création de formulaire et nécessite la présence sur le serveur des extensions Microsoft FrontPage.

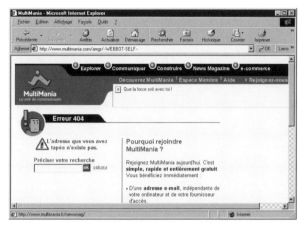

Figure 21.9 : Ce qui arrive quand le serveur n'a pas installé les extensions FrontPage.

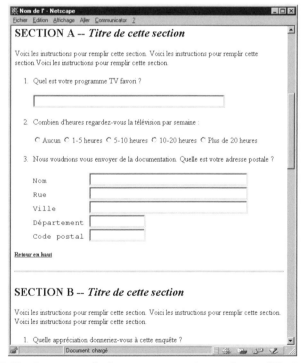

Figure 21.10 : Fragment de la page proposée par le modèle Formulaire d'enquête.

Les composants WebBots

Microsoft définit les *composants WebBots* comme étant des objets dynamiques d'une page Web évalués et exécutés lorsque l'auteur enregistre la page ou lorsque le visiteur accède à la page. Cette classification illustre les deux types : ceux qui sont actifs dans FrontPage Express lui-même et ceux qui agissent au moment du transfert de la page du serveur vers le client. Nous en avons déjà rencontré deux du premier type un peu plus haut, dans la section "L'Assistant Page d'accueil". Quant à ceux du second type, ils nécessitent la présence, sur le serveur, d'un package spécial, vendu par Microsoft et appelé "Les extensions FrontPage". Pour des raisons de sécurité, beaucoup d'administrateurs système de serveurs refusent d'installer sur leur machine des logiciels qui pourraient présenter des risques pour la sécurité de leur machine.

> **Info**
>
> Ce n'est pas du tout une attitude paranoïaque, car les premières versions de ces extensions FrontPage contenaient précisément une faille de sécurité.

Les composants WebBots statiques

Pour insérer ce type de composant, commencez par placer le point d'insertion en cliquant dans votre page à l'endroit où doit être inséré le Webbot. Cliquez ensuite sur Insertion/Composant WebBot. La boîte de dialogue reproduite sur la Figure 21.11 s'affiche, vous proposant trois composants WebBot.

Figure 21.11 : La boîte de dialogue d'insertion d'un composant WebBot.

Le composant Horodateur

Nous avons dit qu'il était de bonne pratique d'indiquer la fraîcheur de chaque page Web en indiquant à quelle date elle a été mise à jour. C'est ce que réalise le composant WebBot *Horodateur*. Lorsqu'il est sélectionné, une boîte de dialogue (voir Figure 21.12) permet de choisir le type de date à insérer et le format sous lequel elle doit être insérée. Pour le premier paramètre, mieux vaut conserver l'option par défaut "la dernière édition de cette page", et, quant au format, on n'a que l'embarras du choix. Les formats "à la française" se trouvent en tête.

Figure 21.12 : La boîte de dialogue du composant WebBot Horodateur.

Si on promène le pointeur de la souris sur une zone de la page où se trouve un composant WebBot, il prend la forme d'un petit robot, comme le montre la Figure 21.13, ce qui permet de le repérer facilement. Dans cet exemple, le code généré par FrontPage est le suivant :

```
<strong>Dernière mise à jour le
  <!--webbot bot="Timestamp"
      startspan s-type="EDITED" s-format="%d %B %Y" -->
      12 novembre 1999
  <!--webbot bot="Timestamp" i-checksum="1948" endspan -->
</strong>
```

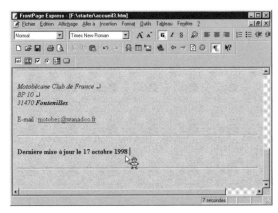

Figure 21.13 : Comment repérer la présence d'un composant WebBot dans une page en cours d'édition.

Lorsque cette page sera chargée par un navigateur, seule la date sera affichée, puisque les appels au composant `Timestamp` sont placés dans des commentaires.

Le composant Insertion de fichier

C'est sans aucun doute l'une des innovations les plus pratiques proposées par FrontPage Express, car elle revient à implémenter un fichier d'inclusion (comparable au `#include` bien connue de ceux qui pratiquent le langage C) qui permet de reproduire un même texte (éventuellement accompagné d'images) dans n'importe quelle page. L'une des meilleures applications en est peut-être la mention de Copyright que nous allons prendre comme exemple.

1. Commencez par créer avec FrontPage Express un fichier contenant ce qui suit :

`Copyright © 1999 Jules Dupont`
`La reproduction de cette page est autorisée sous réserve de mention d'origine.`

2. Sauvegardez-le sous le nom de `copyrigh.htm`.

3. Dans chaque page où vous voulez qu'apparaisse cette mention, insérez le composant WebBot approprié en cliquant sur Insertion/Composant WebBot, puis en choisissant le composant Insertion de fichier (voir Figure 21.14).

4. Dans la boîte de dialogue qui s'ouvre, indiquez comme nom de fichier : `copyrigh.htm`.

Figure 21.14 : Insertion dans chaque page d'un copyright à l'aide du composant WebBot Insertion de fichier.

La Figure 21.15 montre comment se présentera la page aux yeux du visiteur. Voici le code généré par FrontPage Express :

```
<!--webbot bot="Include" startspan u-include="copyrigh.htm"
tag="BODY" -->
<p>
<font size="4">
<strong>Copyright © 1999 Jules Dupont</strong>
</font>
<br>
<em>La reproduction de cette page est autorisée sous réserve
de mention d'origine.
<br>
</em>
</p>
```

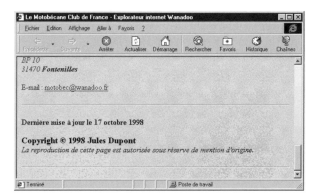

Figure 21.15 : Comment un navigateur affiche le contenu d'un fichier inséré.

Cette insertion est statique, c'est-à-dire qu'elle est effectuée au moment de l'édition du fichier. Si le contenu du fichier `copyrigh.htm` est modifié, cela n'aura aucun effet sur le contenu de la page tant que cette dernière n'aura pas été chargée dans FrontPage puis sauvegardée.

Le composant WebBot dynamique

C'est le seul, parmi les trois que propose FrontPage Express, qui nécessite l'installation préalable des extensions FrontPage sur le serveur.

> **Info**
>
> Nous avons vu plus haut que certains Assistants généraient un code qui exigeait, lui aussi, l'installation des extensions FrontPage sur le serveur.

Le composant Recherche

Nous ne le mentionnons que par souci d'exhaustivité. Vous allez comprendre pourquoi en examinant ci-dessous le code qui a été généré par Front-Page Express. Après avoir cliqué sur Insertion/Composant WebBot puis choisi Recherche dans la boîte de dialogue qui s'affiche, vous voyez apparaître la boîte de dialogue des Propriétés qui est reproduite sur la Figure 21.16. Voici un exemple du code généré par FrontPage Express :

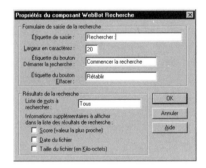

Figure 21.16 : La boîte de dialogue des propriétés du composant WebBot Recherche.

```
<!--webbot bot="Search" startspan
   s-index="All"
   s-fields="TimeStamp,Weight"
   s-text="Rechercher :"
   i-size="20"
   s-submit="Commencer la recherche"
   s-clear="Rétablir" tag="FORM" -->
<form>
 <p>
```

```
    <b>Rechercher :</b>
     <input type="text" name="search" size=20>
    </p>
    <p>
     <input type="submit" value="Commencer la recherche">
     <input type="reset" value="Rétablir">
    </p>
  </form>
  <!--webbot bot="Search" i-checksum="1527" endspan -->
```

Comme on peut le voir, sur un serveur d'où sont absentes les extensions FrontPage, la seule partie du code HTML qui sera active est le formulaire inséré. Comme celui-ci ne comporte aucune valeur pour l'attribut ACTION (qui n'est même pas mentionné dans la balise initiale), il ne se passera donc strictement rien.

Il n'est pas possible de donner avec certitude davantage d'indications sur l'utilisation de ce composant WebBot en raison de l'indigence, déjà signalée à plusieurs reprises, de l'aide en ligne de FrontPage Express. Toutefois, si on se réfère à la documentation du grand frère FrontPage, on apprend que la recherche s'effectue dans toutes les pages du site Web d'après un ou plusieurs mots clés, ceux-ci pouvant être associés par les opérateurs and, not et or. Des regroupements peuvent être effectués parmi les critères de recherche à l'aide de parenthèses. Le résultat de la recherche est alors présenté sous forme de tableau de liens vers les pages contenant le texte recherché. La zone Résultats de la recherche permet d'afficher des compléments d'information.

Attention

L'utilisation de ce composant WebBot est à envisager avec prudence, et seulement après s'être assuré que le serveur où sera installé son site Web dispose bien des extensions FrontPage de Microsoft.

Partie III

Le transfert des fichiers par FTP avec WS_FTP

Chapitre 22

Installation et mise en œuvre de WS_FTP

Le transfert d'un site Web sur le serveur

Une fois les fichiers HTML constituant un site Web écrits et testés, il faut les transférer sur un serveur pour que le monde entier puisse en admirer le contenu. Pour cela, on doit mettre en œuvre le protocole appelé FTP (*File Transfer Protocol*), directement (au moyen d'un logiciel appelé *client FTP*) ou indirectement (en activant une fonction particulière de l'éditeur HTML). En effet, certains éditeurs HTML comme FrontPage, FrontPage Express, Arachnophilia ou Web Construction Kit contiennent un logiciel de transfert de fichiers plus ou moins élaboré.

Dico

On appelle *client FTP* le logiciel installé chez l'utilisateur pour échanger des fichiers avec le *serveur FTP*.

Malheureusement, en procédant ainsi, l'auteur Web ne voit plus du tout ce qui se passe : c'est le logiciel qui "pense" pour lui. Comme avec tous les processus automatisés, on n'est jamais réellement sûr que tout s'est bien passé et, en cas de problèmes lors du test de la présentation installée sur le serveur, si quelque chose ne marche pas, il est généralement difficile de comprendre pourquoi, donc de réagir en connaissance de cause.

Au contraire, avec un client FTP traditionnel, on effectue un travail de broderie et on sait exactement ce qu'on a fait. En outre, comme nous le verrons, ces logiciels permettent d'effectuer un certain nombre d'opérations de gestion des fichiers et des répertoires tant sur le serveur que sur son propre disque.

On comprend très bien que, pour la mise à jour de leur site, des entreprises comme Renault, TF1 ou IBM recourent à des processus automatisés, parfaitement justifiés étant donné la richesse et la complexité du site et la manipulation du grand nombre de fichiers de natures diverses que cela implique. Mais l'auteur d'une page personnelle n'a à manipuler qu'un nombre restreint de documents HTML et d'images, parfois de fichiers audio. Et point n'est besoin d'avoir des connaissances poussées en informatique pour utiliser un client FTP. Il en existe de très nombreux, parmi lesquels l'un des plus connus et des plus utilisés est probablement WS_FTP en raison de sa simplicité d'emploi et de la multiplicité des fonctions qu'il autorise.

Info

Alors que la langue anglaise dispose de deux mots pour désigner le transfert de fichiers entre un client et un serveur (*uploading* : vers le serveur et *downloading* : à partir du serveur), la langue française est pour une fois prise en défaut : nous n'avons que le seul mot *téléchargement* et il faut lever l'ambiguïté en indiquant le sens de l'opération.

Organisation des fichiers

Nous allons brièvement revenir sur l'organisation à adopter pour ses fichiers afin de faciliter la maintenance de son site Web. D'une façon générale, la structure des fichiers que l'on conserve sur sa machine personnelle locale doit être la même que celle qui se trouve sur le serveur, au nom du répertoire principal près. C'est la seule façon de s'y retrouver sans ambiguïté.

La question qui se pose est de savoir le degré de liberté autorisé par l'hébergeur (fournisseur d'accès ou autre prestataire). Certains fournisseurs d'accès n'autorisent pas la création de plusieurs répertoires. La plupart, heureusement, sont plus compréhensifs. Si, pour un site personnel de taille modeste on peut tout mettre dans le même sac : documents HTML, images, fichiers audio, etc., il n'en est plus de même dès que le nombre de fichiers à gérer grandit au-delà d'une douzaine de fichiers. C'est au moment de la conception de son site qu'il faut réfléchir à cette organisation car, plus tard, il sera difficile de la modifier étant donné les répercussions que cela aurait sur l'organisation des liens vers d'autres pages ou vers des images.

L'organisation à adopter est généralement la suivante, en supposant que le répertoire que vous a alloué votre hébergeur s'appelle `dupont` :

```
dupont·····¦
           ¦ images
           ¦ videos
           ¦ audio
           ¦ ... et ainsi de suite
```

Dans le répertoire `dupont`, vous mettrez uniquement vos documents HTML et, dans les autres, les fichiers du type indiqué par le nom du sous-répertoire. Cela n'impose que de légères contraintes au niveau de l'écriture des URL. Par exemple, pour incorporer une image dans votre page, vous écrirez :

```
<IMG SRC="images/monimage.gif" ... >
```

Taille des fichiers

La place qui vous est allouée varie selon l'hébergeur — nous l'avons vu au Chapitre 15 — de quelque 2 Mo à 50 Mo, la moyenne se situant générale-ment autour de 10 Mo. S'il ne s'agissait que de fichiers texte, cette place serait très suffisante, mais les fichiers d'images et surtout les fichiers audio de type WAV ou ceux d'animations occupent une place importante, si bien que la limite est rapidement atteinte.

Si, au cours du transfert de vos fichiers sur le serveur, le déroulement s'interrompt avec un diagnostic pas toujours très clair, la première des choses à laquelle il faut songer est le manque de place sur le serveur. Il n'existe pas tellement de solutions à ce problème et, en outre, ces solu-tions ne sont pas des solutions logicielles, mais "seulement" des solutions de bon sens. Vous pouvez chercher un hébergeur plus généreux. Vous pouvez également fractionner vos fichiers sur deux hébergeurs avec des liens passant de l'un à l'autre. Cette solution, si elle est efficace, présente néanmoins deux inconvénients sérieux :

- La gestion de vos fichiers devient plutôt compliquée et vous risquez fort de faire des mélanges si vous ne maintenez pas un état précis de leur localisation. En outre, l'écriture de vos liens entre pages se complique, car vous ne pouvez plus utiliser de liens internes pour certaines pages.

- La panne ou les difficultés d'accès concernant un seul serveur vont rendre vos visiteurs perplexes, certaines pages se chargeant rapide-ment alors que d'autres ne sont pas accessibles ou le sont difficilement.

Ce n'est donc pas la solution que nous préconisons.

Astuce

Si votre hébergeur habituel ne vous accorde pas toute la place nécessaire, changez-en. Nous avons vu qu'il en existait de généreux vous accordant 50 Mo. Pour une présentation personnelle, cet espace semble plus que suffisant.

Une bonne solution pour diminuer la place occupée par les fichiers de votre site Web consiste à réduire la taille de vos images (réduire celle du texte vous imposerait un douloureux processus d'automutilation au bénéfice illusoire étant donné la petite taille des documents HTML). Vous pouvez aussi envisager une conversion de format. Souvent, une image JPEG a une taille inférieure à celle qu'elle aurait en format GIF. Presque tous les programmes graphiques possèdent une fonction de conversion (LView Pro, Paint Shop Pro, Imaging, Adobe Photo DeLuxe...). Pensez éventuellement à réduire le nombre de couleurs de vos images. Comme nous l'avons dit au Chapitre 5, 256 couleurs, c'est bien suffisant dans 99 % des cas.

HTM ou HTML ?

Il s'agit ici davantage d'une guerre de religion que d'un impératif technique. HTML est couramment utilisé sur les systèmes UNIX. HTM était imposé aux utilisateurs de Windows par l'ancienne structure des noms de fichier héritée de MS-DOS. Cet usage semble avoir perduré puisque vous avez certainement remarqué que, par défaut, FrontPage Express donne l'extension HTM aux fichiers qu'il crée.

Quel que soit le type du système d'exploitation du serveur, notre expérience nous a montré que les deux suffixes étaient admis. Dès lors, il paraît inutile de s'imposer des contraintes à ce niveau.

Comment se procurer WS_FTP

Evidemment, le moyen le plus simple serait d'utiliser un client FTP si nous en avions déjà un. Comme ce n'est généralement pas le cas, il existe heureusement un moyen simple de résoudre ce problème de l'œuf et de la poule : c'est d'utiliser un navigateur. Il existe plusieurs sources auprès desquelles on peut se procurer ce logiciel. Nous n'en citerons que deux :

- le site Web de son éditeur : **http://www.ipswitch.com/french/index .html** ;

- le site universel de TUCOWS : **http://tucows.ciril.fr/files/ws _ftple .exe** ou **http://tucows.chez.delsys.fr** (miroirs français).

Ce logiciel existe en deux versions : "LE" (*limited edition*) et "PRO" (professionnelle). La première est ainsi décrite par l'éditeur : "Version qui dispose de toutes les fonctionnalités de l'application, qui est offerte gratuitement aux particuliers pour un usage privé à domicile, aux étudiants et aux enseignants des établissements d'enseignement ainsi qu'aux fonctionnaires des services publics aux Etats-Unis." C'est celle que nous utiliserons. Fin 1999, les plus récentes versions disponibles portaient respectivement les numéros 5.06 et 6.02. La Figure 22.1 montre qu'il a obtenu la cotation la plus élevée (les cinq vaches) chez TUCOWS.

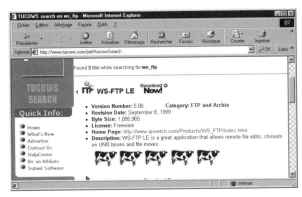

Figure 22.1 : WS_FTP LE proposé par TUCOWS.

Si nous avons choisi d'utiliser TUCOWS plutôt que Ipswitch, c'est parce que ce moyen est le plus universel et qu'il convient très bien au téléchargement d'autres fichiers. En se limitant aux trois premiers champs (**tucows.ciril.fr**), on aura l'occasion de découvrir quelques-uns des trésors qu'il propose à la convoitise de ses utilisateurs. Signalons que l'autre serveur français, **http://tucows.chez.delsys.fr**, semble avoir quelques difficultés à répondre depuis le dernier trimestre 1999. Essayez donc plutôt celui du CIRIL.

Après avoir saisi l'URL indiquée plus haut dans le navigateur de son choix et terminé par une frappe sur <Entrée>, vous verrez apparaître la boîte de dialogue illustrée par la Figure 22.2. Cliquez sur le bouton Enregistrer le fichier. La boîte habituelle de sélection de répertoire va s'afficher. Après avoir choisi celui qui vous convient, le téléchargement va commencer. Avec une liaison à 56 Kbps, cela vous demandera une dizaine de minutes. Le fichier s'appelle **ws_ftple.exe** et sa taille est de 1 060 Ko.

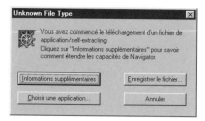

Figure 22.2 : Le téléchargement va être lancé.

Installation de WS_FTP

Lancez l'Explorateur de Windows et double-cliquez sur **ws_ftple.exe** pour amorcer l'installation. Vous verrez s'afficher l'écran reproduit sur la Figure 22.3. Cliquez sur le bouton Next pour que l'installation démarre. La boîte de message reproduite sur la Figure 22.4 s'affiche, vous demandant si vous appartenez bien à l'une des catégories d'utilisateurs pour lesquels l'usage gratuit du logiciel est admis. Cliquez évidemment sur le bouton OK. L'installation se poursuit alors de façon classique. Vous pouvez accepter les options par défaut qui vous seront proposées. WS_FTP LE sera installé dans le répertoire C:\Program Files\Ws_ftp.

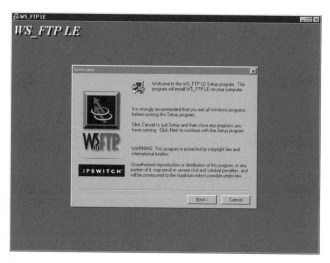

Figure 22.3 : Ecran d'accueil de l'installation de WS_FTP LE.

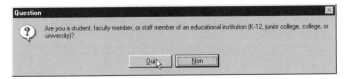

Figure 22.4 : Si vous rentrez dans une de ces catégories, vous avez le droit d'utiliser gratuitement WS_FTP LE.

Info

Dans les trois chapitres suivants, nous dirons maintenant pour abréger WS_FTP au lieu de WS_FTP LE.

Chapitre 23

Configuration de WS_FTP

Avant de pouvoir utiliser WS_FTP, il faut configurer un certain nombre de paramètres. Par bonheur, il existe de nombreuses valeurs par défaut qui conviennent dans la plupart des cas. En outre, il reste possible de modifier dynamiquement les valeurs des paramètres les plus utiles au cours d'une session et de conserver ou non ces changements pour les sessions suivantes.

Lorsque vous le lancez pour la première fois, WS_FTP affiche l'écran reproduit sur la Figure 23.1 où on voit la superposition d'une fenêtre Propriétés de session à l'écran WS_FTP proprement dit à deux fenêtres. La fenêtre des Propriétés de session sert à définir principalement l'adresse du serveur FTP sur lequel on veut se connecter et les paramètres qui s'y rattachent (principalement répertoire et mot de passe). Elle permet également de définir plus finement des paramètres généraux, propres à un serveur particulier. Nous allons examiner l'un après l'autre les quatre volets de cette fenêtre.

> **Astuce**
>
> Le lecteur pressé peut parfaitement utiliser WS_FTP en se contentant de renseigner le seul volet General. Il y perdra un peu en confort et en souplesse d'utilisation, mais le transfert des fichiers s'effectuera correctement.

La fenêtre de transfert comporte deux sous-fenêtres. Dans celle de gauche apparaissent les fichiers de sa propre machine, dans celle de droite, ceux du serveur sur lequel on se connecte. (Une option de configuration permet d'inverser cette disposition.) Nous examinerons plus loin le rôle des multiples boutons qu'elle comporte.

Il n'est pas nécessaire de s'être préalablement connecté à son fournisseur d'accès pour lancer et configurer WS_FTP. C'est seulement au moment où on clique sur le bouton OK (en bas et à gauche de la fenêtre) que la liaison doit être établie.

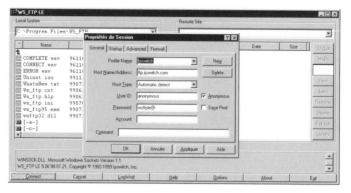

Figure 23.1 : Fenêtre des propriétés de session superposée à l'écran de WS_FTP.

Volet General

Ce volet comprend sept boîtes de saisie d'importance variable, deux cases à cocher, deux boutons à droite et une rangée inférieure de quatre boutons. Nous allons les étudier tour à tour, puis nous donnerons un exemple montrant comment utiliser concrètement ces rubriques.

Profil Name

Nous sommes ici devant une boîte à liste déroulante. En cliquant sur la petite flèche à droite, on affiche une liste de serveurs FTP fréquemment utilisés (tout au moins par les Américains), liste qu'on peut éditer à volonté en supprimant ceux qu'on n'a pas l'intention d'utiliser et en y ajoutant d'autres serveurs qu'on utilise fréquemment. Pour supprimer un nom, commencer par le sélectionner dans la liste des profiles et cliquez sur le bouton Delete.

Cette boîte de saisie contient le nom qu'on va donner au serveur. C'est un nom purement conventionnel et qui n'intervient pas dans la détermination de son adresse Internet. Il est néanmoins recommandé de choisir un nom significatif qui permette une identification facile.

Host Name/address

C'est ici que doit figurer l'adresse Internet du serveur auquel on veut se connecter. Généralement, ce sera une adresse "parlante", comme : **ftp.ipswitch.com** ou **ftp.multimania.com**. Attention, nous ne sommes plus ici sur le Web et il ne faut donc pas indiquer un protocole en tête de l'adresse (qui n'est d'ailleurs pas une URL au sens propre de ce mot).

La plupart des adresses de serveurs FTP commencent par **ftp**, mais ce n'est nullement une obligation. Ainsi, l'adresse du serveur FTP de la NASA est : **naic.nasa.gov**. L'adresse peut également être exprimée sous forme numérique (exemple : **153.208.14.3**), mais c'est plutôt rare.

Host Type

Cette boîte à liste déroulante permet le choix de divers types de serveurs. En dehors de cas très particuliers, on conservera "Automatic detect", laissant ainsi au logiciel le soin de voir à quel type de serveur il a affaire.

User Id

Ici, il y a deux cas à envisager : celui où on possède un compte ouvert sur le serveur auquel on se connecte (ce qui est le cas du serveur sur lequel on veut installer son site Web) et celui du serveur de fichiers comme TUCOWS qui est apte à servir n'importe quel utilisateur ne disposant pas d'un compte particulier. Dans ce dernier cas, le nom à indiquer est anonymous. C'est alors qu'on utilisera la case à cocher Anonymous. Pour les transferts de fichiers Web vers un fournisseur d'accès ou un hébergeur, il est indispensable d'indiquer son identifiant tel que ce dernier vous l'a indiqué.

Password

Selon le cas dans lequel on se trouve pour le choix du serveur, le mot de passe à indiquer ici a un sens différent. Dans le premier cas (serveur sur lequel vous avez un compte ouvert), vous devez indiquer le mot de passe qui vous a été attribué lors de l'ouverture du compte. Ce mot de passe n'est pas nécessairement celui qui a été utilisé pour se connecter sur le fournisseur d'accès. Prenons un exemple pour faire comprendre ce distinguo.

Supposons que vous vous appeliez Jules Dupont et que vous ayez un compte ouvert sur le fournisseur d'accès mouli.net avec un mot de passe 5Tp1cH. C'est ce mot de passe que vous allez utiliser pour vous connecter sur mouli.net. Supposons maintenant que vous ayez ouvert un compte sur MultiMania (qui est un serveur n'offrant pas de prestations de fournisseur d'accès). Votre compte y a été ouvert sous le nom arturo et vous avez choisi 7uv40F78 comme mot de passe. Ce sont ces deux derniers paramètres que vous devez indiquer lorsque vous vous connecterez sur le serveur FTP de MultiMania (dont l'adresse est **ftp.multimania.com**).

Si vous vous connectez sur un serveur de fichiers banalisé (TUCOWS, par exemple), vous allez le faire en *anonymous*, et l'usage veut que vous indiquiez ici votre adresse e-mail. Et si vous n'en avez pas ? Peu probable, penserez-vous ! Pas tellement. D'abord, votre fournisseur d'accès peut ne pas vous offrir ce service (très peu probable). Ou bien, vous avez décidé, par conviction intime, de ne pas vous servir du courrier électronique (vous ne savez pas ce que vous perdez !). Deux solutions s'offrent alors à vous : emprunter l'adresse e-mail (réelle) d'un de vos amis ou en forger une quelconque. Le plus souvent, ça marchera. Si votre honnêteté naturelle répugne à ce déguisement, rien ne vous empêche de vous faire ouvrir un compte e-mail gratuit sur un des nombreux prestataires (Hotmail, par exemple) qui vous offrent ce service. Rien ne vous oblige ensuite à utiliser cette adresse.

Account

Certains serveurs peuvent vous ouvrir un compte particulier pour bénéficier de leur service de transfert de fichier. Ce cas est très rare (presque exclusivement utilisé par les serveurs VM/CMS), mais c'est ici que vous devrez indiquer l'intitulé de ce compte. Dans 99 % des cas, vous laisserez donc ce champ blanc.

Comment

Vous indiquez ainsi un texte quelconque qui sera affiché lorsque vous sélectionnerez le serveur dans la boîte à liste Profile Name. C'est un moyen d'identification complémentaire, à vrai dire rarement utilisé.

Case à cocher Anonymous

Si vous avez choisi de vous connecter en *anonymous*, en cliquant sur cette case, vous renseignerez automatiquement le champ User Id avec anonymous et le champ Password avec votre adresse e-mail. Par défaut, celle-ci est **wsftple@** qui n'est pas une bonne adresse e-mail. Il faut donc la modifier et déclarer la vôtre une fois pour toutes. Pour cela, voici la marche à suivre :

1. Cliquez sur le bouton Annuler au bas de la fenêtre Propriétés de session, pour la refermer .

2. Cliquez sur le cinquième bouton de la rangée du bas (Options) pour ouvrir la boîte de dialogue à onze onglets Propriétés de WS_FTP LE.

3. Dans le champ E-Mail Address du volet General, saisissez votre **véritable** adresse e-mail (voir la Figure 23.2).

4. Cliquez sur le bouton OK pour l'enregistrer et refermer la boîte de dialogue.

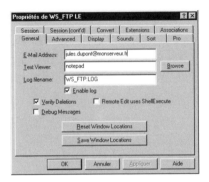

Figure 23.2 : Enregistrement de son adresse e-mail pour l'utiliser en guise de mot de passe lors des transferts en mode anonymous.

Si la case Anonymous n'est pas cochée, le mot de passe n'est pas affiché en clair, mais remplacé par des astérisques.

Case à cocher Save Pwd

Si cette case est cochée, le mot de passe que vous aurez saisi dans le champ Password sera mémorisé dans la liste des configurations utilisables et s'affichera automatiquement (sous forme d'astérisques) lorsque vous vous connecterez en mode nominatif (non *anonymous*). Dans le cas d'une machine qui est attachée à un seul utilisateur, on coche généralement la case.

Bouton New

En cliquant sur ce bouton, vous allez pouvoir créer une nouvelle entrée dans la liste des serveurs. Tous les champs, hormis Host Type (qui continue à afficher Automatic detect), sont alors effacés et c'est à vous de renseigner ceux qui sont indispensables.

Bouton Delete

En cliquant sur ce bouton, vous supprimez de la liste des serveurs celui qui est couramment affiché. Attention, la suppression est immédiate : aucune confirmation ne vous est demandée.

Création d'une nouvelle entrée

Nous allons maintenant voir comment créer une entrée dans la liste des serveurs. C'est ce que vous devrez faire pour transférer vos fichiers HTML sur votre serveur Web. Reprenons l'exemple de Jules Dupont qui a un compte ouvert sous le nom de jdupont sur le serveur mouli.net et dont le mot de passe est 5Tp1cù. Après avoir cliqué sur le bouton New, il va renseigner les divers champs de la fenêtre des paramètres de session qui apparaît ainsi que le montre la Figure 23.3 à la fin de l'opération.

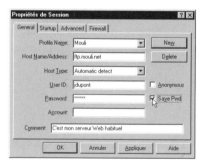

Figure 23.3 : Jules Dupont vient de configurer la connexion sur son serveur Web.

Pour mémoriser cette nouvelle entrée, il faut ensuite cliquer sur le bouton Appliquer (le troisième à partir de la gauche des quatre boutons de la rangée du bas). De cette façon, la connexion ne sera pas lancée sur le serveur, seuls ses paramètres étant enregistrés.

Volet Startup

Dans ce volet (voir Figure 23.4) se trouvent des commandes relatives aux fichiers à transférer.

Figure 23.4 : Le volet Startup des propriétés de session.

Initial Remote Host Directory

C'est le répertoire initial du serveur sur lequel on se connecte. Dans le cas où on transfère des fichiers HTML d'une présentation Web, c'est le serveur où vont être placés les fichiers. Dans le cas où on veut simplement "pomper" des fichiers sur un serveur public, c'est le serveur sur lequel se trouvent les fichiers que l'on convoite. En règle générale, on laisse ce champ vierge car, la plupart du temps, il suffira au serveur de l'identité de l'utilisateur (champs User Id et Password du volet General) pour déterminer le nom du répertoire dans lequel on est autorisé à déposer ses fichiers. Cependant, si on a créé des sous-répertoires (/images, par exemple) en indiquant le chemin d'accès approprié, on y sera automatiquement placé sans avoir à effectuer ce choix une fois la connexion établie. Le premier nom indiqué **ne doit pas être précédé d'un "/"**. Exemple : images.

Initial Local Directory

C'est le répertoire initial de sa propre machine. Dans le cas où on transfère des fichiers HTML d'une présentation Web, c'est celui où se trouvent actuellement ces fichiers. Dans le cas où on veut simplement "pomper" des fichiers sur un serveur public, c'est celui où l'on veut qu'ils aboutissent.

Initialize Command

Cette rubrique est presque toujours laissée vierge. Pour certains serveurs, il est nécessaire d'initier la session par l'envoi de commandes préalables (UNIX généralement).

Local file mask

C'est simplement un filtre qui permet d'alléger la présentation des fichiers dans la fenêtre principale de gauche. Si, par exemple, les fichiers à envoyer sur le serveur sont mélangés avec d'autres dans un répertoire de sa propre machine[1], en définissant comme filtre *.htm, on n'affichera que les fichiers HTML. Ce paramètre est surtout utile lorsqu'on effectue un transfert **vers** un serveur. Si ce champ est vierge, cela équivaut à *.*, c'est-à-dire que tous les fichiers seront affichés.

Remote file mask

C'est simplement un filtre qui permet d'alléger la présentation des fichiers dans la fenêtre principale de droite. Si, par exemple, les fichiers à recevoir du serveur sont de types divers et qu'on s'intéresse à des fichiers zippés, en définissant comme filtre *.zip, on n'affichera que les fichiers ayant l'extension *.ZIP. Ce paramètre est surtout utile lorsqu'on effectue un transfert **à partir** d'un serveur. Si ce champ est vierge, cela équivaut à *.*, c'est-à-dire que tous les fichiers seront affichés.

Time offset in hours

Ce champ permet d'ajuster le datage des fichiers en ajoutant ou en retranchant un nombre d'heures à l'heure de dernière modification d'un fichier. Supposons qu'on effectue plusieurs fois par jour depuis un serveur situé aux Etats-Unis le transfert d'un fichier d'informations boursières. Pour faciliter son travail, il pourra être commode de modifier l'heure attachée au fichier afin qu'elle soit conforme à sa propre heure locale. Dans ce cas, on indiquerait +6. Pour ce qui concerne les fichiers d'un site Web, ce paramètre est très généralement inutilisé.

Volet Advanced

Ici (voir Figure 23.5), nous entrons dans le domaine des paramètres le plus souvent ignorés, soit parce qu'ils ne sont pas utilisés par le serveur auquel on se connecte, soit parce qu'ils ne servent à rien pour le travail courant, soit parce que les valeurs par défaut sont satisfaisantes.

---

1. Ce qui n'est absolument pas recommandé.

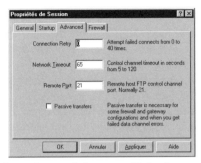

Figure 23.5 : Le volet Advanced des propriétés de session.

Connection Retry

C'est le nombre d'essais qui seront effectués pour tenter d'établir la connexion initiale avec le serveur. Les valeurs possibles sont comprises entre 0 (valeur par défaut) et 40. La valeur zéro signifie que si la première tentative échoue, on abandonnera. L'expérience montre que cette valeur convient dans presque tous les cas.

Network Timeout

C'est le nombre de secondes d'attente d'une réponse du serveur à une commande envoyée, quelle qu'elle soit (transfert, liste, modification de répertoire...). Ne concerne pas la connexion initiale dont les paramètres dépendent du logiciel TCP/IP utilisé (ici, donc de Windows). La valeur à donner est comprise entre 5 et 120 secondes (65, par défaut). Mieux vaut ne pas la modifier.

Remote Port

C'est l'adresse du port FTP du serveur sur lequel on se connecte. Quasiment tous les serveurs acceptent la valeur par défaut de 21. A ne pas modifier, donc, sauf si l'administrateur du serveur vous l'a indiqué expressément. (Cela peut se produire particulièrement dans le cas d'utilisation d'un *garde-barrière* que nous verrons brièvement dans la prochaine section.)

Passive transfers

L'utilisation de ce paramètre est réservée à certains cas particuliers dans le détail desquels nous n'entrerons pas ici. Il faut donc **ne pas cocher** cette case.

Volet Firewall

On désigne sous ce nom un dispositif de filtrage et de surveillance de connexions (la bonne traduction française n'est pas *mur de feu* — traduction littérale —, mais *garde-barrière*). En règle générale, on ne s'en servira pas et on laissera donc vierge la case Use Firewall. Si on travaille sur un réseau d'entreprise où est installé ce dispositif de filtrage, on demandera à l'administrateur système quels sont les paramètres à utiliser.

Les quatre boutons du bas

Le bouton OK

Une fois qu'on a choisi le serveur sur lequel on veut se connecter, on lance la connexion en cliquant sur ce bouton. Si on vient de définir les paramètres d'un nouveau serveur, ils seront préalablement sauvegardés.

Le bouton Annuler

La fenêtre des paramètres de session disparaît et on se retrouve devant la fenêtre de transfert. On obtiendrait le même résultat en cliquant sur la case de fermeture dans le coin supérieur droit de la fenêtre ou en appuyant sur la touche <Echap>. Il permet, par exemple, d'abandonner la définition d'un nouveau serveur.

Le bouton Appliquer

Comme nous l'avons dit plus haut, cliquer sur ce bouton mémorise les paramètres définis pour un nouveau serveur sans lancer la connexion.

Le bouton Aide

Comme son nom l'indique, ce bouton affiche une aide contextuelle, c'est-à-dire relative au volet devant lequel on se trouve.

La fenêtre des transferts

Lorsque la fenêtre des propriétés de session disparaît, soit parce qu'on a lancé une connexion, soit parce qu'on a cliqué sur le bouton Annuler, on peut voir la fenêtre des transferts en totalité. Nous allons en détailler les différentes fonctions et commandes.

Sur la Figure 23.6, on voit que cette fenêtre est divisée en deux sous-fenêtres pourvues des mêmes boutons, celle de gauche concernant les fichiers locaux et celle de droite, les fichiers distants. Entre les deux, deux boutons carrés marqués d'une flèche symbolisent le sens du transfert. Ils ne sont actifs que lorsqu'une connexion est établie et, bien entendu, ils sont mutuellement exclusifs : on clique sur l'un **ou** sur l'autre. Une fois sélectionné le ou les fichiers dans l'une des deux fenêtres, on déclenche le transfert en cliquant sur le bouton correspondant au sens du transfert à effectuer.

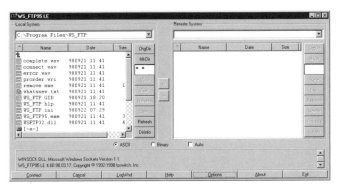

Figure 23.6 : La fenêtre des transferts de WS_FTP.

Choix du mode de transfert

On voit ensuite deux boutons-radio respectivement marqués ASCII et Binary et une case à cocher marquée Auto qui servent à préciser le mode dans lequel va s'effectuer le transfert des fichiers. Les deux premiers boutons ne sont pris en compte que si la case Auto est vierge. Si elle est cochée, ce sont les n derniers caractères (n compris entre 1 et 10) du nom de fichier qui déterminent le type du transfert. Tout ce qui n'est pas du texte est considéré comme étant du binaire. La raison de cette distinction repose sur la codification des fins de ligne qui est différente selon les systèmes d'exploitation utilisés. Sous MS-DOS, comme sous Windows, le délimiteur est constitué par une paire de caractères : un CR (Retour chariot : code hexa 0D) suivi d'un LF (alinéa : code hexa 0A) alors que, sous UNIX, par exemple, il n'y a qu'un LF.

La case Auto n'est pas cochée

C'est alors celui des deux boutons-radio qui est actif qui détermine le type du transfert, quel que soit le type du fichier transféré. Si c'est Binary, les fichiers seront transférés sans en modifier un seul bit. Si c'est ASCII, les délimiteurs de ligne seront automatiquement convertis dans la codification propre au système d'exploitation du client. WS_FTP conseille d'effectuer tous les transferts en mode binaire, sauf lorsqu'on sait avec certitude que ce sont des fichiers de type texte ou que serveur et client tournent sous le même système d'exploitation (ce qu'on ignore, dans le cas général).

La case Auto est cochée

Le mode du transfert est alors déterminé par les *n* derniers caractères (*n* compris entre 1 et 10) du nom de fichier transféré, quel que soit le sens du transfert. Par défaut, tous les fichiers dont l'extension est .TXT sont considérés comme des fichiers texte, mais on peut allonger cette (courte) liste au moyen du volet Extensions des options paramétrables commandées par un clic sur le bouton Option, dans la rangée du bas.

Quel mode choisir ?

Pour un site Web, nous avons affaire aux deux types de fichiers : texte pour les documents HTML et binaire pour les images, les sons, les animations... On pourrait donc croire que le processus de transfert normal serait de se placer en mode Auto en cochant la case correspondante après avoir enrichi la liste des fichiers de type ASCII avec .htm et .html. Mais l'expérience montre que tout se passe bien si on se contente de cocher le bouton radio Binary en laissant la case Auto vierge.

A cela, il y a une raison : dans un document HTML, les caractères CR, LF, TAB, espace ont la même valeur de simple séparateur et ne sont pas interprétés selon leur valeur conventionnelle (sauf lorsqu'ils se trouvent dans un élément <PRE>). En outre, lorsque plusieurs d'entre eux se suivent, seul le premier est pris en compte. Peu importe donc leur nombre, pourvu qu'il y en ait au moins un pour séparer les lignes.

> **Astuce**
>
> Pratiquement, il suffira donc de conserver l'option par défaut : bouton radio Binary coché et case à cocher Auto, vierge.

Les sept boutons inférieurs

Comme les samouraïs ou les mercenaires, les boutons de la rangée inférieure de la fenêtre des transferts sont au nombre de sept. Comme les trois mousquetaires (qui étaient quatre), ils représentent en réalité huit boutons, car le premier peut, comme nous allons le voir, retourner sa veste. Certains d'entre eux permettent de modifier dynamiquement certaines options définies dans la fenêtre des propriétés de session. Nous allons passer en revue leur utilisation dans l'ordre de leur importance relative.

Le bouton Options

En cliquant sur ce bouton, on fait apparaître une boîte de dialogue pourvue de onze onglets permettant de définir un certain nombre de paramètres généraux de transfert. Nous allons patiemment les passer en revue.

Le volet General

Comme l'indique son nom, cet onglet (que nous avons déjà rencontré plus haut, lors de la déclaration de notre adresse e-mail et qui est illustré par la Figure 23.3) permet de définir des options très générales au moyen de boîtes de saisie ou de cases à cocher. Les options par défaut conviennent dans la majorité des cas et on se trouvera bien de ne pas les modifier.

- **E-Mail Address.** Cette boîte de saisie contient l'adresse e-mail du client qui a été définie lors de l'installation de WS_FTP et qui est utilisée pour les transferts de fichiers en mode anonyme. C'est donc le moyen de la modifier si, par exemple, l'ordinateur est utilisé par quelqu'un d'autre que son utilisateur normal et que cette personne — remarquablement scrupuleuse — souhaite s'identifier. En plaçant un signe moins (–) devant l'adresse e-mail, on supprime la transmission par le serveur d'un certain nombre de messages informatifs dont nous reparlerons à propos du bouton LogWnd.

- **Text Viewer.** On indique ici le nom du programme (généralement un éditeur de texte simple du genre du Bloc-notes de Windows) qui permettra de visualiser le contenu des fichiers de type texte lorsqu'on cliquera sur l'un des boutons View ou Dirinfo qui se trouvent à droite des deux fenêtres principales. Par défaut, c'est précisément le Bloc-notes qui est utilisé (notepad.exe). Il n'y a pas de raison de modifier ce choix, sauf si on veut visualiser de gros fichiers, ce qui n'est pas conseillé, pour des raisons évidentes, lorsqu'on est connecté. Pour choisir un autre programme, on peut s'aider du bouton Browse qui affichera une boîte de sélection de fichier.

- **Log filename.** C'est le nom du fichier dans lequel seront enregistrés les messages de service si la case Enable log est cochée. Par défaut, ce fichier s'appelle WS_FTP.LOG et il est sauvegardé dans le répertoire du client correspondant à la fenêtre de gauche. En faisant précéder le nom d'un chemin d'accès complet, on peut choisir un autre répertoire.

- **Enable log.** Lorsque cette case est cochée, tous les messages de service échangés entre client et serveur sont *loggés* dans le fichier WS_FTP.LOG. C'est le mode par défaut. Son utilité n'est réelle que lorsqu'on n'arrive pas à se connecter, qu'on veut vérifier la liste des fichiers transférés lors de transferts importants et en présence d'incidents. Comme ces messages ne sont pas très nombreux, on préfère généralement les enregistrer et cette case est active par défaut.

- **Verify Deletions.** Cette case est cochée par défaut et il est vivement conseillé de ne pas modifier cette option, car c'est grâce à elle qu'une demande de confirmation vous sera adressée lorsque vous voudrez supprimer un fichier dans un de vos répertoires ou dans celui auquel vous avez accès sur le serveur.

- **Remote Edit uses ShellExecute.** Par défaut, cette case est vierge et mieux vaut la laisser ainsi. Cette option permet d'éditer directement un fichier sur le serveur, sans le transférer, au moyen d'un des programmes du serveur. Ce qui suppose plusieurs conditions : une parfaite connaissance du système d'exploitation de ce serveur, un droit d'utiliser le programme approprié et... du temps à perdre en connexion.

- **Debug Messages.** Ajoute des messages explicatifs en cas d'anomalie lors d'un transfert. A n'utiliser que dans des cas extrêmes, les messages d'erreur "normaux" étant presque toujours suffisants pour comprendre un incident de transfert.

- **Reset Window Locations.** Si, pour une raison ou une autre, on déplace la fenêtre (au sens général) de WS_FTP, cliquer sur ce bouton la ramènera à son emplacement original. Pratiquement inutile.

- **Save Window Locations.** Comme son nom l'indique, permet de retrouver une fenêtre aux dimensions habituelles si on a été amené à en modifier les proportions. Travaille en conjugaison avec le précédent bouton. N'est réellement utile que si on n'a pas agrandi la fenêtre de WS_FTP en plein écran. Dans la pratique courante, inutile.

Le volet Session

Ici, nous allons trouver des options par défaut qui ne sont pas forcément les meilleures et qu'on pourra donc avoir intérêt à modifier (voir Figure 23.7). Ces options peuvent être actives seulement dans le cadre de la session courante ou être mémorisées et s'appliquer à la session courante ainsi qu'à toutes les sessions ultérieures. Dans le premier cas, une fois les options choisies, on cliquera sur le bouton OK pour refermer la fenêtre. Pour mémoriser les options, on devra, auparavant, cliquer sur le bouton Set as Default.

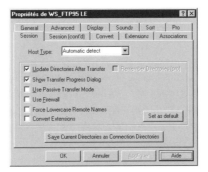

Figure 23.7 : Le volet Session des options de WS_FTP.

- **Host Type.** C'est la même option que celle que nous avons rencontrée dans le volet General de la fenêtre des propriétés de session. Pas plus qu'alors, il n'y a de raison de modifier l'option par défaut Automatic detect.

- **Update Directories After Transfer.** Si cette case est cochée, le contenu du répertoire distant sera réaffiché dans la fenêtre de droite chaque fois qu'on y aura transféré un fichier. Pour un site Web (qui peut contenir plusieurs centaines de fichiers), cela n'est généralement pas intéressant, car cela se traduit par une nette perte de temps. En outre, on a toujours la possibilité de forcer un réaffichage du contenu de ce répertoire en cliquant sur le bouton Refresh de la fenêtre correspondant à la destination des fichiers (par défaut, celle de droite).

Astuce

Pour gagner du temps, il est préférable de supprimer la coche présente dans cette case.

- **Show Transfer Progress Dialog.** Lorsque cette case est cochée (ce qui est sa valeur par défaut), une boîte de message affiche la progression des transferts dans les deux sens, ce qui peut être utile, principalement pour les fichiers de taille importante comme les fichiers d'images. On obtient ainsi une indication utile de la vitesse moyenne du transfert.

- **Use Passive Transfer Mode.** A n'utiliser que dans des cas très particuliers, lorsque, par exemple, la machine du client est protégée localement par un garde-barrière. Demander alors conseil à son administrateur de système. Par défaut, cette case n'est pas cochée.

- **Use Firewall.** Correspond au volet de même nom des propriétés de session. Même motif, même punition : demander conseil à son administrateur de système et, presque toujours, laisser cette case vierge.

- **Force Lowercase Remote Names.** Beaucoup de serveurs utilisent UNIX ou un système d'exploitation de même type, qui établit une distinction entre caractères majuscules et minuscules, ce qui n'est pas le cas de Windows. Dans un document HTML, on conseille, à juste titre, d'écrire tous les noms de fichier des appels de liens en minuscules. En cochant cette option, on est certain que tout se passera bien et que l'utilisateur n'obtiendra pas, en cliquant sur un lien, l'abominable Error 404 (fichier non trouvé). Ce type d'erreur passe évidemment inaperçue lorsqu'on teste sa présentation Web en local.

Astuce

Voici une case, vierge par défaut, qu'on a intérêt à cocher pour éviter des erreurs sur la capitalisation des noms de fichiers.

- **Convert Extensions.** Cette case, vierge par défaut, permet une conversion automatique des extensions de fichiers lors du transfert, par exemple, pour ce qui nous concerne ici : `htm` en `html` ou inversement. Le type de conversion a effectuer est indiqué dans une liste qu'on peut éditer (voir, plus bas, les volets Convert et Extensions). Pratiquement, tous les serveurs admettent les extensions `.htm`, courantes sous Windows, ce qui fait qu'il n'est généralement pas nécessaire d'activer cette option.

- **Remember Directories.** Cette case, vierge par défaut, permet de mémoriser la liste des répertoires sur lesquels on a travaillé au cours d'une session, pour peu qu'on ait terminé celle-ci en cliquant sur le bouton Close. Peu utile dans le cas d'un site Web, donc à ne pas modifier.

- **Save Current Directories as Connection Directories.** Vient compléter dynamiquement les options du volet Startup des propriétés de session. Nous n'avons pas de position définie quant à l'utilité de ce bouton. A vous de choisir selon ce qui vous semblera le plus pratique.

Le volet Session (cont'd)

C'est la suite du précédent (*cont'd* est l'abréviation de *continued* : suite), trop petit pour contenir toutes les options utiles (voir Figure 23.8). Le bouton Set as default y joue donc le même rôle que dans le volet Session pour mémoriser les options choisies.

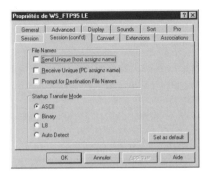

Figure 23.8 : Le volet Session (cont'd) des options de WS_FTP.

- **Send Unique.** Sur la plupart des serveurs, la réception d'un fichier de même nom qu'un des fichiers du répertoire courant efface ce fichier dont le contenu est remplacé par le fichier transféré. C'est générale-ment ce qui est le plus pratique pour mettre à jour un site Web. Si on désire désactiver cette option, il faut cocher cette case. C'est le système d'exploitation du serveur qui va alors modifier le nom du fichier pour éviter l'écrasement du précédent fichier de même nom. (Cette fonctionnalité n'est pas toujours possible.) Par défaut, cette case est vierge et il est conseillé de ne pas la modifier.

- **Receive Unique.** Cette option est symétrique de la précédente, s'appliquant aux fichiers locaux de l'utilisateur. Dans le cadre d'un site Web, elle est généralement inutile, la quasi totalité des transferts s'effectuant dans l'autre sens. Par défaut, cette case est vierge et il est conseillé de ne pas la modifier.

- **Prompt for Destination File Names.** Lorsque cette case est cochée, pour chaque fichier transféré, une boîte de message vous demandera le chemin d'accès et le nom du fichier, soit dans votre répertoire local, soit dans le répertoire du serveur, selon le sens du transfert effectué. Lorsque cette option est active, en appuyant sur la touche <Ctrl> avant de cliquer sur la flèche du transfert, la boîte de message ne s'affichera pas et le transfert s'effectuera avec les options par défaut courantes. A n'utiliser que dans des circonstances très particulières. Par défaut, cette case est vierge et il est conseillé de ne pas la modifier.

- **Startup Transfer Mode.** Cette zone de quatre boutons radio corres-pond aux options correspondantes de la fenêtre des transferts avec, en plus, le bouton L8 (qui n'est utilisé que pour des fichiers VMS conte-nant autre chose que du texte). On se reportera à ce que nous avons dit plus haut du choix du mode de transfert. Mieux vaut donc ne pas modifier les options par défaut.

Le volet Advanced

Certaines des options proposées ici (voir Figure 23.9) sont importantes pour l'exploitation régulière du logiciel. Nous insisterons donc sur leur emploi, glissant plus rapidement sur celles qu'il est préférable de conserver inchangées.

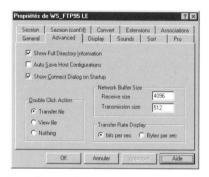

Figure 23.9 : Le volet Advanced des options de WS_FTP.

- **Show Full Directory Information.** Par défaut, cette case est cochée. Elle permet d'afficher des informations complémentaires en plus de la simple liste des fichiers contenus dans un répertoire, ce qui facilite un éventuel changement de répertoire au cours d'une session. Sur certains serveurs, cette option est inopérante.

- **Auto Save Host Configurations.** Cette case à cocher permet de sauvegarder le profil de la session. En cela, elle fait double emploi avec la fenêtre des propriétés de session. Mieux vaut donc accepter la valeur par défaut non cochée.

- **Show Connect Dialog on Startup.** Lorsque cette case est cochée (valeur par défaut), le dialogue initial de la session est affiché. Nous pensons qu'il est important de la conserver telle quelle car, lorsqu'on ne parviendra pas à se connecter, on en saura généralement la raison. Souvent, ce sera parce que le serveur ne répond pas ou qu'il y a déjà trop d'utilisateurs connectés.

- **Double Click Action.** Un double-clic sur un nom de répertoire le définit comme répertoire courant. Mais, sur un nom de fichier, trois actions sont possibles :

  - **Transfer file.** (Option par défaut) Le fichier sur lequel on a double-cliqué est transféré à l'autre extrémité du système client/serveur : si on double-clique sur le nom d'un fichier local, il va être transféré sur le serveur.

– **View file.** Le contenu du fichier est alors affiché en utilisant le programme dont le nom a été choisi dans le volet General. S'il s'agit d'un fichier distant, il sera préalablement transféré dans un répertoire temporaire du système local. Si le type de fichier est incompatible avec le logiciel de visualisation, les résultats sont imprévisibles. (Ce serait le cas d'un fichier d'images qu'on tenterait de visualiser avec le Bloc-notes, par exemple.)

– **Nothing.** Il ne se passe rien de particulier.

Astuce

Il est hautement recommandé de conserver l'option par défaut, car on a toujours la possibilité de visualiser le contenu d'un fichier au moyen d'un des boutons View situés à droite des deux fenêtres principales.

- **Network Buffer Size.** Les valeurs figurant dans les deux petites boîtes de saisie doivent être conservées telles quelles à moins qu'on n'ait des raisons réellement justifiées de les modifier.

- **Transfer Rate Display.** Ce paramètre spécifie l'unité qui sera utilisée pour afficher la vitesse de transfert lorsqu'on a activé l'option correspondante. On a le choix entre bits par seconde (qui permet une meilleure appréciation par rapport aux caractéristiques du modem utilisé) ou bytes (octets) par seconde (qui se rapproche davantage de ce qui intéresse directement l'utilisateur). Personnellement nous préférons la seconde option, mais c'est affaire de goût plus que de raison.

Le volet Display

On trouve ici (voir Figure 23.10) cinq cases à cocher (toutes inactives par défaut) et deux groupes de boutons-radio mutuellement exclusifs.

- **Alternate Screen Layout.** Inverse la disposition des deux fenêtres de transfert, la machine locale étant alors représentée à droite et le serveur à gauche. Peut-être pour les gauchers ? Et encore...

- **Show Buttons at Top of Screen.** Lorsque cette case est cochée, les boutons normalement affichés au bas de la fenêtre sont affichés en haut de la fenêtre. C'est affaire de coquetterie.

- **Hide Directory Buttons.** Lorsque cette case est cochée, les boutons de commande à droite des deux fenêtres disparaissent. Les fonctions qu'ils commandent restent accessibles au moyen d'un menu contextuel appelé par un clic du bouton droit de la souris. D'une utilité douteuse.

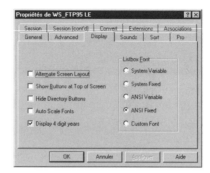

Figure 23.10 : Le volet Display des options de WS_FTP.

- **Auto Scale Fonts.** Lorsque cette case est cochée, la police de caractères utilisée s'adapte à la largeur des deux fenêtres de transfert. Hum...

- **Display 4 digit years.** A partir de l'an 2000, les dates seront plus clairement exprimées sous cette forme. Au lieu de 000102 (2 février 2000), on lira 20000102.

- **List Box Font.** Cette zone comporte cinq boutons proposant quatre types de polices de caractères prédéterminées et une (custom font) au choix de l'utilisateur pour l'affichage à l'intérieur des deux fenêtres. Par défaut, c'est la police ANSI fixed qui est choisie et nous pensons qu'il n'est pas réellement utile d'en changer.

Le volet Sounds

Comme Windows, WS_FTP permet de ponctuer certains événements par des bruits ou cris divers. Un groupe de trois boutons-radio mutuellement exclusifs propose de choisir entre : Nothing (rien), Beeps (bips) et Wave (onde). Par défaut, c'est ce dernier qui est actif (voir Figure 23.11). WS_FTP propose trois bruits de son cru : `complete.wav`, `connect.wav` et `error.wav` pouvant être utilisés pour les quatre circonstances suivantes : connection success (connexion réussie), connection failure (connexion impossible), transfer complete success (transfert réussi), transfer complete failure (transfert impossible). En cochant la case other failures (autres ratages) on peut aussi bruiter les autres catastrophes. Pour chacun de ces événements, on peut modifier le son proposé par défaut au moyen de la boîte de sélection de fichier qui apparaît lorsqu'on clique sur le bouton situé à droite de chacune des cinq boîtes de saisie.

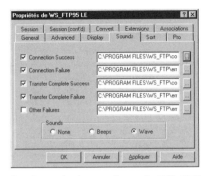

Figure 23.11 : Le volet Sounds des options de WS_FTP.

Pour notre part, nous préférons cliquer sur Nothing, de façon à opérer sans accompagnement sonore, mais c'est là une question de goût personnel.

Le volet Sort

Ce volet permet de modifier l'ordre de tri qui gouverne la présentation des fichiers dans les deux fenêtres de transfert (voir Figure 23.12). Il existe une liste d'options pour chaque fenêtre et chacune propose les options suivantes :

Figure 23.12 : Le volet Sort des options de WS_FTP.

- **No sort.** Pas de tri, les fichiers sont affichés dans l'ordre où ils se trouvent dans leur répertoire.

- **Sort on Name.** Les fichiers sont triés par nom de fichier. Option par défaut.

- **Sort on Extension.** Les fichiers sont triés par type (extension).
- **Sort on Date.** Les fichiers sont triés par date de dernière modification.
- **Sort on Size.** Les fichiers sont triés par taille.

Normalement, les fichiers sont triés en ordre alphabétique ou numérique croissant. En cliquant dans la case Reverse Order, ils seront triés en ordre décroissant.

Trois autres cases concernent la façon dont les répertoires seront présentés :

- **Directories on top.** Les répertoires seront présentés avant les fichiers. Option par défaut.
- **Mix directories with files.** Les répertoires seront mélangés avec les fichiers.
- **Directories at bottom.** Les répertoires seront présentés après les fichiers.

Le volet Convert

Le volet Convert permet de définir les conversions d'extensions à effectuer lors des transferts (voir Figure 23.13). Pour que son contenu soit exploitable, il est nécessaire que la case Convert Extension du volet Session soit cochée. On définit l'extension à modifier dans la boîte de saisie Source et la nouvelle extension dans la boîte de saisie Destination. Ici, Source et Destination désignent respectivement la machine locale et le serveur Web lorsqu'on transfère les fichiers d'une présentation Web depuis sa propre machine. Si on opère dans le sens inverse, c'est évidemment le contraire.

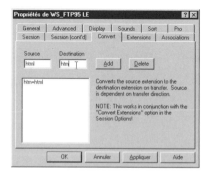

Figure 23.13 : Le volet Convert des options de WS_FTP.

On commence par saisir l'extension à transformer dans la boîte de saisie Source, on appuie sur la touche <Tab> et on définit la nouvelle extension dans la boîte de saisie Destination. On clique ensuite sur le bouton Add. Si on s'est trompé, on peut supprimer l'une des conversions listées en la sélectionnant d'un simple clic de souris et en appuyant ensuite sur le bouton Delete.

Le volet Extensions

Ce volet (voir Figure 23.14) sert à définir la liste des extensions de fichiers pour ceux qui seront automatiquement transmis en mode ASCII (texte) si la case Auto est cochée. Pour ajouter une extension à cette liste, il suffit de la saisir dans la petite boîte de saisie supérieure puis de cliquer sur le bouton Add. Elle apparaît alors dans la fenêtre inférieure. Pour supprimer une extension erronée, on la sélectionne d'un simple clic de la souris puis on appuie sur le bouton Delete. Le point doit impérativement figurer à gauche du texte qu'on saisit.

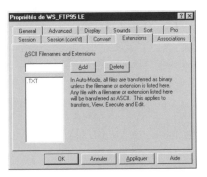

Figure 23.14 : Le volet Extensions des options de WS_FTP.

Le volet Associations

"Associations" a ici le même sens que sous Windows : lorsque, après avoir sélectionné le nom d'un des fichiers affichés à gauche ou à droite d'un simple clic, on clique sur le bouton Exec de la rangée placée à droite de la fenêtre, le programme "associé" au type de ce fichier est lancé, ce qui permet de voir (ou d'entendre, s'il s'agit d'un fichier audio) le contenu du fichier dans les meilleures conditions. WS_FTP se comporte alors comme l'Explorateur de Windows. Si une association pour un certain type de fichier existe déjà avec Windows, elle sera reprise.

Pour créer une nouvelle association ou modifier une association existante, on commence par cliquer sur la petite flèche à droite de la case Files with Extension (voir Figure 23.15). Si l'extension du type de fichier y figure, en cliquant dessus, on affiche le nom du programme associé dans la fenêtre immédiatement inférieure. Sinon, on tape cette extension. Ensuite, on peut regarder si le nom de ce programme figure déjà dans la fenêtre Associate with. Si oui, on clique dessus. Sinon, à l'aide du bouton Browse, on le recherche sur le ou les disques de son ordinateur. On termine en cliquant sur OK ou sur Appliquer.

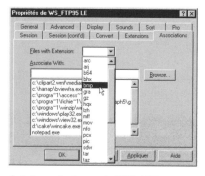

Figure 23.15 : Le volet Associations de WS_FTP.

Le volet Pro

Le volet Pro comprend des options qui ne sont actives qu'avec la version "pro" de WS_FTP. Il s'agit plutôt de gadgets et d'éléments de confort pas réellement nécessaires pour une exploitation courante.

Le bouton Connect/Close

Le bouton Connect/Close permet de lancer une connexion ou d'y mettre fin. En l'absence d'une connexion, il affiche Connect ; lorsqu'une connexion est établie, c'est Close qui est affiché. Ce bouton sert principalement à changer de serveur sans tuer puis relancer WS_FTP.

Le bouton Cancel

Lorsqu'un transfert est en cours, on peut y mettre fin en cliquant sur le bouton Cancel. Il faut cependant noter que certains serveurs n'apprécient pas ce type d'action et qu'il peut s'écouler un certain temps avant que l'on puisse transférer d'autres fichiers.

Le bouton LogWnd

Normalement, les trois dernières lignes des messages de service apparaissent au-dessus de la rangée inférieure des boutons. Lorsque tout se passe bien, c'est suffisant. Cependant, en cas d'incident ou si on veut savoir, par exemple, si un certain fichier a déjà été transféré, on peut visualiser l'intégralité du dialogue échangé entre le client et le serveur depuis le début de la connexion en cliquant sur le bouton LogWnd (voir Figure 23.16).

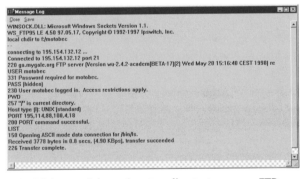

Figure 23.16 : Dialogue échangé entre client et serveur FTP.

Tous les messages de service sont enregistrés dans le fichier WS_FTP.LOG (que nous avons cité à propos de l'option Log Filename du volet General des options de WS_FTP). On peut donc toujours examiner le détail du dialogue, une fois la connexion terminée.

Le bouton Help

Cliquer sur le bouton Help affiche un menu classique d'aide générale, à la différence de ce qui se passe lorsqu'on est en train de définir une des options que nous venons d'étudier (menu relatif à l'option en cours).

Le bouton About

Lorsqu'on clique sur le bouton About, apparaît ce que nous pourrions appeler un écran publicitaire de Ipswitch (l'éditeur de WS_FTP) permettant d'obtenir des informations sur d'autres produits de cet éditeur, et en particulier, sur la version "pro" de WS_FTP.

Le bouton Exit

Le bouton Exit permet de quitter WS_FTP. On obtiendrait le même effet en appuyant sur <Alt>-<F4>.

Astuce

Toutes les options de configuration que vous avez choisies dans ces différentes fenêtres sont mémorisées dans le fichier `ws_ftp.ini` qui se trouve dans le même répertoire que WS_FTP (par défaut : `C:\Program Files\ ws_ftp`).

Chapitre 24

Réalisation des transferts de fichiers

Nous nous placerons dans le cas du transfert de fichiers HTML et images vers le serveur Web qui abritera votre présentation et nous supposerons que tous les paramètres nécessaires à un bon fonctionnement ont été définis préalablement comme nous venons de l'indiquer au Chapitre 23. Voici la marche à suivre :

1. Etablissez la connexion avec votre fournisseur d'accès.

2. Une fois celle-ci réalisée, double-cliquez sur l'icône de WS_FTP pour le lancer.

3. Choisissez dans la fenêtre des propriétés de session le nom de votre serveur Web.

4. Cliquez sur le bouton OK. La fenêtre des propriétés de session s'efface, présentant les deux fenêtres de transferts où celle de la machine locale (généralement, celle de gauche) affiche le répertoire où se trouvent les fichiers à transférer et celle de la machine distante (celle de droite, donc) est vide.

5. Au bout de quelques instants, vous allez voir des lignes défiler dans le bas de l'écran, au-dessus de la rangée des boutons rectangulaires, puis la fenêtre de droite va se remplir avec le contenu de votre répertoire sur la machine du serveur. La première fois, cette fenêtre sera vide puisque le répertoire ne contient rien encore.

La connexion entre votre machine locale et votre serveur étant physiquement réalisée, le transfert va pouvoir commencer.

Choix des répertoires

Si la configuration du volet Startup de la fenêtre des propriétés de connexion a été faite correctement, les répertoires affichés dans les deux fenêtres seront les bons. Si ce n'est pas le cas, il va falloir les modifier. D'un autre côté, vous pouvez aussi être amené à créer un ou plusieurs sous-répertoires, d'un côté comme de l'autre. Sur la machine du serveur, ce serait le cas, par exemple, si vous souhaitiez placer toutes les images du site Web dans un sous-répertoire `images` (pour l'instant inexistant).

Astuce

Normalement, au moment où la connexion est réalisée avec le serveur, le répertoire dans lequel vous vous trouvez est celui qui vous a été alloué. Il n'y a donc lieu de changer de répertoire de ce côté que pour accéder à un des sous-répertoires.

Le répertoire de destination existe déjà

Pour sélectionner un répertoire existant, le processus à suivre (identique pour les deux fenêtres) est le suivant :

- Si vous connaissez le chemin d'accès exact des fichiers à transférer, il y a deux façons de faire :

    - Ou bien cliquer sur le bouton ChgDir à droite de la fenêtre concernée et taper ce chemin d'accès (avec, éventuellement, le nom du disque) dans la boîte de dialogue qui s'affiche (voir Figure 24.1).

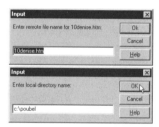

Figure 24.1 : La boîte de dialogue de changement de répertoire actif (en haut : répertoire du serveur ; en bas : répertoire du client).

    - Ou bien cliquer dans la fenêtre avec le bouton droit de la souris, ce qui fera apparaître le menu contextuel illustré par la Figure 24.2 et cliquer sur la rubrique Change Directory. La boîte de dialogue qui s'affiche est la même que celle reproduite sur la Figure 24.1.

Info

Comme on ne connaît généralement pas exactement l'arborescence du disque du serveur, il vaut mieux réserver cette méthode à la machine locale.

Figure 24.2 : Menu contextuel des transferts.

- Si vous ne connaissez pas le chemin d'accès exact des fichiers à transférer, vous devez procéder par approximations successives :
  - Pour changer d'unité de disque, placez-vous en bas de la liste à l'aide du curseur de la barre de défilement et double-cliquez sur le nom du disque à sélectionner (voir Figure 24.3).

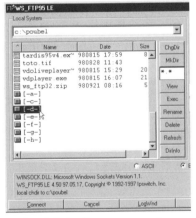

Figure 24.3 : Changer d'unité de disque courante.

  - Pour changer de répertoire, double-cliquez sur l'un des noms situés en tête de liste (les noms de répertoires sont précédés de la petite icône jaune habituelle de Windows) et continuez ainsi de proche en proche jusqu'à parvenir au répertoire souhaité. Pour remonter d'un étage dans l'arborescence, il faut cliquer sur la petite flèche verte tournée vers le haut qui apparaît sur la première ligne de la fenêtre (voir Figure 24.4).

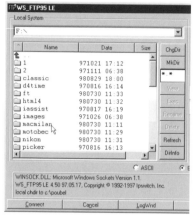

Figure 24.4 : Remonter au répertoire supérieur.

Le répertoire de destination n'existe pas

Ici encore, nous avons deux moyens de procéder : ou bien cliquer sur le bouton MkDir de la rangée de droite, ou bien choisir la rubrique Make Directory du menu contextuel. Dans les deux cas, une boîte de dialogue accueillera le nom du sous-répertoire à créer.

Attention

Sur les disques du serveur, on n'est autorisé à créer des sous-répertoires qu'à l'intérieur de son propre répertoire.

En cas d'erreur, nous verrons plus loin comment supprimer un répertoire.

Transfert d'un seul fichier

Avant toute chose, il faut s'assurer que la case à cocher Auto est bien cochée ou que le bouton Binary est bien actif, puisque nous avons vu que l'on pouvait ainsi transférer à la fois des documents HTML et des fichiers d'images.

Sélectionnez alors le fichier à envoyer dans la fenêtre de gauche et cliquez sur l'un des deux boutons centraux : celui qui porte une flèche vers la droite (de la machine locale **vers** le serveur). Si le fichier existait déjà, de deux choses l'une : ou bien celui qu'on transfère va écraser l'ancien sans rien dire (c'est, heureusement, le cas le plus fréquent), ou bien une boîte de message va demander confirmation de ce remplacement. Cela dépend des options que vous avez choisies lors de la configuration initiale de WS_FTP.

Info

Vous pouvez également cliquer sur la rubrique Transfer File du menu contextuel appelé en cliquant n'importe où dans une des fenêtres de transfert. Une boîte de dialogue s'affiche alors, vous demandant de taper le nom du fichier à transférer.

Transfert d'un fichier avec changement de nom

Vous pouvez profiter du transfert pour changer le nom du fichier. Ceux qui n'ont pas voulu configurer finement WS_FTP pourront utiliser cette fonctionnalité dans les deux cas suivants :

- Partant d'un environnement de type Windows où majuscules et minuscules sont confondues, on veut être certain que tous les noms des fichiers situés sur le serveur seront écrits en minuscules.

Astuce

Mais il est plus simple de cocher la case Force Lowercase Remote Names du volet Session des options générales de WS_FTP.

- On veut changer l'extension des noms de fichier de `.HTM` en `.html`.

Astuce

Ici encore, il est plus simple de cocher la case Convert Extensions du volet Session des options générales et de définir, comme nous l'avons dit plus haut, dans le volet Convert : `htm = html`.

En dehors de ces deux exemples, on peut souhaiter, pour d'autres raisons, que le même fichier existe sous deux noms différents sur la machine locale et sur le serveur. Bien que cela ne nous paraisse pas d'une utilité manifeste, nous allons indiquer comment procéder. Il faut modifier l'une des options de configuration et, pour ceci :

1. Cliquez sur le bouton Options de la rangée du bas.
2. Cliquez sur le deuxième onglet (Session (cont'd)).
3. Dans la fenêtre reproduite sur la Figure 23.8, cochez la case placée devant l'option Prompt for Destination File Names.
4. Refermez la fenêtre en cliquant sur son bouton OK.

Lors d'un transfert, la fenêtre reproduite sur la Figure 24.5 va s'afficher. Il suffit alors d'éditer le nom du fichier source pour qu'il soit conforme au nom sous lequel vous voulez le stocker sur le serveur.

Figure 24.5 : On peut changer le nom d'un fichier en même temps qu'on le transfère.

Transfert simultané de plusieurs fichiers

Selon la façon dont se présentent les fichiers à transférer, il y a deux façons de procéder :

- Si les noms des fichiers apparaissent en séquence dans la fenêtre, cliquez sur le premier, appuyez sur la touche <Maj> et, à l'aide de la touche <Flèche vers le bas>, descendez progressivement jusqu'à sélectionner tous les fichiers à transférer. Ou bien, après avoir cliqué sur le premier nom, appuyez sur <Maj> puis cliquez sur le dernier de la liste.

- Si les noms de vos fichiers ne se suivent pas, cliquez sur le premier, appuyez sur la touche <Ctrl> puis cliquez successivement sur chacun des noms des fichiers à transférer.

Dans les deux cas, lancez le transfert en cliquant sur le bouton central approprié.

Lors du transfert de chaque fichier, une petite fenêtre s'affiche, vous indiquant au moyen d'un curseur, la progression de la transmission. Dans le cas de fichiers HTML, généralement de petite taille, vous aurez à peine le temps de la voir, sauf pour les images de grande taille. Le débit affiché dans cette fenêtre est exprimé en octets par seconde ou en bits par seconde selon l'option qui a été choisie dans le volet Transfer Rate Display du volet Advanced des options de WS_FTP. Avec une connexion à 33,6 Kbps, il se situe généralement entre 2 et 3 Ko/s selon la charge du serveur et celle de la liaison Internet.

Chapitre 25

Autres fonctions et commandes de WS_FTP

Outre un transfert de fichiers dans un sens ou dans l'autre (client vers serveur ou serveur vers client), vous pouvez accéder à vos fichiers pour changer leur nom, les supprimer ou en lister le contenu, qu'ils soient sur votre propre machine ou sur celle du serveur. Bien entendu, sur ce dernier, vous devrez avoir les droits d'accès nécessaires, ce qui sera toujours le cas si vous travaillez dans le répertoire qui vous a été alloué. Son nom dépend de la façon dont la machine est administrée. Cela pourra être, par exemple, /~dupont ou bien /04/dupont. Généralement votre hôte vous propose une FAQ dans laquelle vous trouverez tous les renseignements nécessaires. Sinon, vous devrez le contacter, de préférence par e-mail, sinon par téléphone.

Dico

Une FAQ (*Frequently Asked Questions* ou, en français, *foire aux questions*) est un fichier texte contenant les questions les plus fréquemment posées sur un sujet donné accompagnées des réponses appropriées.

Gestion des fichiers

Lorsqu'on veut manipuler un fichier, on commence par le sélectionner en cliquant dessus. On a le choix, ensuite, entre l'utilisation d'un des boutons de la rangée de droite ou d'une des rubriques du menu contextuel étendu, plus étoffé ici, que montre la Figure 25.1.

Suppression d'un fichier

Cliquez sur le bouton Delete à droite de la fenêtre ou sur la rubrique Delete files du menu contextuel. Si l'option Verify Deletions du volet General des options a été activée (ce qui est chaudement recommandé), confirmation de cet assassinat vous sera demandée (voir Figure 25.2). Comme l'indique le pluriel de la rubrique du menu contextuel, on peut supprimer des groupes de fichiers constitués de la même façon que pour les transferts (voir la rubrique *Transfert simultané de plusieurs fichiers*, au Chapitre 24).

Figure 25.1 : Le menu contextuel étendu.

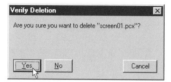

Figure 25.2 : Demande de confirmation lors d'une suppression de fichier.

Changement du nom d'un fichier

Cliquez sur le bouton Rename à droite de la fenêtre ou sur la rubrique Rename files du menu contextuel. Une boîte de dialogue vous demande alors d'indiquer le nouveau nom à donner au fichier (voir Figure 25.3). Terminez en cliquant sur OK (ou sur Cancel si vous avez changé d'avis). L'opération peut porter sur des groupes de fichiers.

Figure 25.3 : Demande de confirmation du changement de nom d'un fichier.

Visualisation du contenu d'un fichier

Pour visualiser le contenu d'un fichier texte, cliquez sur le bouton View à droite de la fenêtre ou sur la rubrique View file du menu contextuel. Le programme utilisé pour cela doit avoir été défini auparavant dans la boîte de saisie Text viewer du volet General des options de WS_FTP, comme nous l'avons vu au Chapitre 23 (c'est généralement `notepad.exe`). Par défaut, seuls les fichiers dont l'extension est .TXT peuvent être ainsi examinés, mais on peut étendre cette facilité en ajoutant des extensions dans le volet Extensions des options de WS_FTP (`.htm`, par exemple).

Pour les autres fichiers (images ou sons, par exemple), c'est sur le bouton Exec à droite de la fenêtre ou sur la rubrique Execute file du menu contextuel qu'il faut cliquer. Le programme utilisé est défini dans le volet Associations des options de WS_FTP.

Exécution d'un programme

Si le fichier sélectionné est un programme (extension `.exe`), en cliquant sur le bouton Exec à droite de la fenêtre ou sur la rubrique Execute file du menu contextuel, on peut lancer son exécution. Cela marche en général très bien pour les programmes situés sur la machine locale, mais pas sur ceux de la machine du serveur. En effet, pour des raisons de sécurité, beaucoup de fournisseurs d'accès interdisent l'exécution et souvent même le stockage sur leur disque dur de fichiers ayant l'attribut d'exécution.

Encore deux boutons de commande

On voit, à droite de chacune des deux fenêtres, deux boutons dont nous n'avons pas encore parlé :

- **Refresh.** Lorsqu'on n'a pas activé l'option du volet Session Update Directories After Transfer, après quelques transferts de fichiers, ce qui est affiché dans la fenêtre de droite ne reflète plus la réalité. En cliquant sur ce bouton, on force une relecture du répertoire courant de la machine distante et la fenêtre qui lui est attachée est mise à jour. On obtient le même effet en cliquant sur la rubrique Refresh List du menu contextuel.

- **Dirinfo.** Lorsqu'on clique sur ce bouton, le contenu du répertoire courant de la machine concernée est affiché avec le programme défini pour visualiser les fichiers texte (voir Figure 25.4), ce qui permet un examen plus facile des fichiers qu'il contient. On obtient le même effet en cliquant sur la rubrique Directory List du menu contextuel.

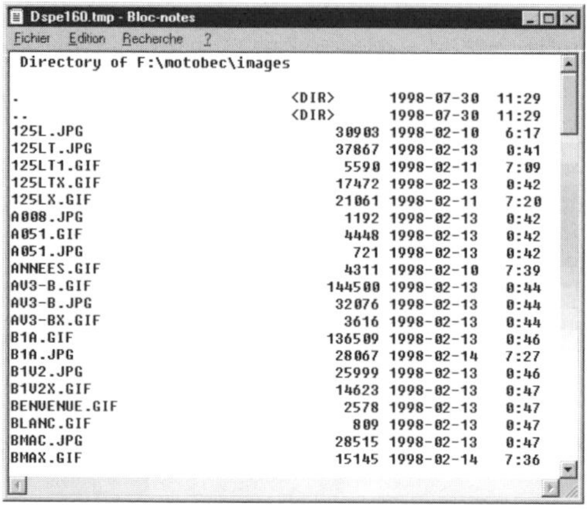

Dspe160.tmp - Bloc-notes
Fichier Edition Recherche ?
Directory of F:\motobec\images
. <DIR> 1998-07-30 11:29
.. <DIR> 1998-07-30 11:29
125L.JPG 30903 1998-02-10 6:17
125LT.JPG 37867 1998-02-13 0:41
125LT1.GIF 5590 1998-02-11 7:09
125LTX.GIF 17472 1998-02-13 0:42
125LX.GIF 21061 1998-02-11 7:20
A008.JPG 1192 1998-02-13 0:42
A051.GIF 4448 1998-02-13 0:42
A051.JPG 721 1998-02-13 0:42
ANNEES.GIF 4311 1998-02-10 7:39
AV3-B.GIF 144500 1998-02-13 0:44
AV3-B.JPG 32076 1998-02-13 0:44
AV3-BX.GIF 3616 1998-02-13 0:44
B1A.GIF 136509 1998-02-13 0:46
B1A.JPG 28067 1998-02-14 7:27
B1V2.JPG 25999 1998-02-13 0:46
B1V2X.GIF 14623 1998-02-13 0:47
BENVENUE.GIF 2578 1998-02-13 0:47
BLANC.GIF 809 1998-02-13 0:47
BMAC.JPG 28515 1998-02-13 0:47
BMAX.GIF 15145 1998-02-14 7:36

Figure 25.4 : Affichage du contenu d'un répertoire avec le bouton Dirinfo.

Autres commandes du menu contextuel

La Figure 25.5 montre ce qui s'affiche lorsqu'on clique sur la rubrique FTP Commands. Il s'agit d'une suite de commandes reconnues par les serveurs FTP et dont nous ne dirons rien de plus, sinon qu'il n'y a normalement aucune raison de les utiliser.

Sort...
Change Directory
Make Directory...
Delete Directory
Transfer file
Refresh list
Directory list
FTP Commands
CWD
PWD
HELP
SYST
SITE
QUOTE
LIST
NLST
RETR
STOR

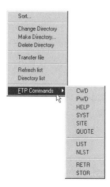

Figure 25.5 : Commandes reconnues par les serveurs FTP.

Une autre commande, Sort (tri), permet de trier dynamiquement le contenu d'une des fenêtres de transfert, quelle que soit l'option de configuration qui ait été choisie pour sa présentation. Une fenêtre appelée

Local Sort Options (ou Remote Sort Options, selon qu'on clique à gauche ou à droite) reproduit les options proposées dans le volet Sort (voir Figure 23.13) des options de WS_FTP. L'ordre de tri choisi n'est pas mémorisé et ne s'applique donc qu'à la session courante.

Il existe un autre moyen de modifier la présentation du contenu des fenêtres de transfert, c'est de cliquer dans l'en-tête de la colonne (Name, Size, Date) correspondant au critère de tri choisi. Pour inverser l'ordre de tri, il suffit de cliquer une seconde fois dans le même en-tête. Mais ce procédé ne permet pas de trier sur le type de fichier.

Modification de l'apparence des fenêtres

Par défaut, les deux fenêtres de transfert ont les mêmes dimensions. En attrapant le bord gauche de la fenêtre de droite du bout de la souris, on peut facilement modifier cette apparence (voir Figure 25.6), ce qui, à vrai dire, ne présente guère d'intérêt.

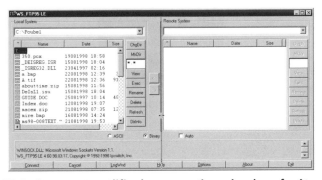

Figure 25.6 : Comment modifier les proportions des deux fenêtres.

Pour quitter WS_FTP

Pour quitter WS_FTP, il suffit de cliquer sur le bouton Exit, en bas et à droite de la fenêtre. Cela ne met pas fin à la connexion avec votre fournisseur d'accès et vous pouvez ensuite appeler tel programme qu'il vous plaira (courrier électronique ou navigateur, par exemple).

Annexe A

Les bonnes adresses

Livres et périodiques

On trouve des livres sur l'informatique dans la plupart des grandes librairies. Mais si vous avez besoin d'un livre peu courant ou d'origine étrangère, sachez qu'il existe à Paris, 6, rue Maître-Albert, une librairie exclusivement consacrée à l'informatique : "Le Monde en Tique" (tél. : 01 43 25 45 20), **http://www.lmet.fr/Homefr.html**.

L'Internet en général

- Un peu de tout sur l'Internet : *L'Internet professionnel*, par un collectif de 52 auteurs (CNRS Editions, 1995).

- Un ouvrage d'initiation : *Se former en un jour à l'Internet, 3ᵉ édition*, par Michel Dreyfus, éd. CampusPress, 1999.

- Un autre ouvrage d'initiation : *Le Tout en poche Internet, 2ᵉ édition*, par Ned Snell, éd. CampusPress, 1999.

- Les dessous de l'Internet : *Comment faire Internet ?* par Peter Kent, éd. CampusPress, 1999.

- Pour prendre un bon départ : *Le Starter Internet*, par Michel Dreyfus, éd. CampusPress, 1999.

- L'Internet en détail : *Internet*, par Yves Fréchil, éd. Sybex, collection *Mode d'emploi*, 1999.

- Mille et uns trucs pour l'Internet : *Internet, les meilleures astuces*, par Michel Dreyfus, éd. Sybex, collection *Mode d'emploi*, 1999.

HTML en général

- Une initiation : le *Tout en Poche HTML 4, 2ᵉ édition*, par Dick Oliver, éd. CampusPress, 1999 .

- La dernière version : *HTML 4.0, le Livre d'Or*, par Michel Dreyfus, éd. Sybex, 1997.

- Toutes les balises, une par une : *Le Dico HTML*, par Michel Dreyfus, éd. CampusPress, 1998.

Les éditeurs HTML

- Le produit phare de Microsoft : *FrontPage, le Livre d'Or 98*, par Michel Dreyfus, éd. Sybex, 1998.

Java

- Java facile : *Le Tout en Poche Java 2*, par Rogers Cadenhead, éd. CampusPress, 1999.
- Java très fort : *Le programmeur Java 2*, par Laura Lemay & Rogers Cadenhead, éd. CampusPress, 1999.
- Java, HTML et XML : *Ressources d'experts HTML 4, XML et Java 2*, par Eric Ladd et Jim O'Donnel, éd. CampusPress, 1999.

JavaScript

- *JavaScript et JScript*, par Michel Dreyfus, éd. Sybex, 1999.
- *Le Tout en Poche JavaScript 1.3*, par Michael Moncur, éd. CampusPress, 1999.
- *JavaScript, The Definitive Guide*, par David Flanagan, éd. O'Reilly, 1999.
- *Netscape JavaScript book*, par Peter Kent et John Kent, éd. Netscape Press, 1996.

Périodiques français

- Revues d'informatique traitant plus spécialement de l'Internet :

  Netsurf (mensuel) [**http://www.netsurf.fr**]

  .net (mensuel)

  Net@scope (mensuel) [**http://www.netscope.org**]

Ressources Internet

La plupart sont des sites Web parmi lesquels on trouvera quelques serveurs FTP. Rappelons que les adresses que vous trouverez ici, bien que soigneusement vérifiées une par une, ne sont pas garanties immuables. Plus vite qu'ailleurs, le temps fait ici son œuvre.

ActiveX

- **http://www.microsoft.com/france/activex/activex.htm**

Les scripts CGI

- La spécification CGI : **http://hoohoo.ncsa.uiuc.edu/cgi/interface .html**
- Matt's Free Perl CGI scripts : **http://www.worldwidemart.com/ scripts/**
- Bibliothèque Perl de gestion de formulaires : **http://cgi-lib.stanford .edu/cgi-lib/**

Compteurs d'accès

- A la disposition de tous : **http://www.digits.com/**
- Présentation des compteurs d'accès : **http://members.aol.com/ htmlguru/access_counts.html**
- Encore plus sur les compteurs d'accès : **http://www.digitmania. holowww.com/**

La création Web

- Tout (et le reste) sur HTML et le Web : **http://www.pageresource .com** (attention : un seul "R" !)
- Le guide de l'auteur Web : **http://www.hwg.org/**
- Le dépôt (?) : **http://cbl.leeds.ac.uk/nikos/doc/repository.html**
- Guide de style sur le HTML : **http://www.w3.org/hypertext/ WWW/Provider/Style/Overview.html**
- Microsoft vous propose : **http://www.microsoft.com/workshop/**

Les feuilles de styles

- Guide de style HTML : **http://www.w3.org/hypertext/WWW/Style/**

Logiciels de dessin et de visualisation

- LviewPro : **http://www.lview.com**
- Paint Shop Pro : **http://www.wska.com**
- CompuPIC : **http://www.photodex.com**
- ACDsee : **http://www.acdsystems.com**

Editeurs et convertisseurs HTML

- AOLpress : **http://www.aolpress.com/download.html**
- Arachnophilia : **http://www.arachnoid.com/arachnophilia**
- Hot Dog : **http://www.sausage.com**
- Web Construction Kit : **http://www.pierresoft.com**
- SpiderPad : **http://www.sixlegs.com/spidrpad.html**
- NetObjects Fusion : **http://www.netobjects.com**
- Les outils d'édition HTML en général : **http://www.w3.org/ hypertext/WWW/Tools/**
- Convertisseurs de texte vers HTML : **http://www.yahoo.com/ Computers_and_Internet/Software/Internet/World_Wide_Web/ HTML_Converters/**
- Quelques éditeurs HTML : **http://www.yahoo.com/Computers_and _Internet/Software/Internet/World_Wide_Web/HTML_Editors/**

Hébergement de pages Web

- Chez (France) : **http://www.chez.com**
- MultiMania (successeur de Mygale) : **http://www.multimania.fr**
- MyWeb (Suisse) : **http://myweb.vector.ch**
- Altern : **http://www.altern.org**
- Geocities (Etats-Unis) : **http://geocities.yahoo.com/home/**
- Tripod (Etats-Unis) : **http://www.tripod.com**
- Cité Web : **http://www.citeweb.net**

Images diverses

- Les icônes d'Antony : **http://www.cit.gu.edu.au/~anthony/icons/ index.html**
- Les cliparts de Barry : **http://www.barrysclipart.com**
- L'univers des cliparts : **http://nzwwa.com/mirror/clipart/index.html**
- Les cliparts de Yahoo! : **http://www.yahoo.com/Computers_and _Internet/Graphics/Clip_Art/**
- EERIE (France) : **http://www.eerie.fr/Pics/Icons**
- GIF Wizard Home page (compresseur d'images) : **http://uswest .gifwizard.com/**

Images réactives

- Documentation originale du NCSA : **http://hoohoo.ncsa.uiuc.edu/ docs/tutorials/imagemapping.html**
- MapEdit (outil de création d'images réactives sous Windows) : **http://www.boutell.com/mapedit/**
- LiveImage : **http://www.mediatec.com/**

Internet Explorer

- Le serveur de Microsoft : **http://www.microsoft.com/ie/**

Java

- Un des sites Java les plus renommés : **http://www.gamelan.com/**
- La boutique Java : **http://javaboutique.internet.com**
- Le serveur de Sun Microsystems : **http://www.javasoft.com/**
- Java vu par Yahoo! : **http://dir.yahoo.com/Computers_and _Internet/Programming_Languages/Java/**
- Sur les news : **fr.comp.java**
- Bigbyte : **http://www.bigbyte.com/**
- Developer.Com : **http://www.developer.com/directories/pages/dir .java.html**

JavaScript

- JavaScript.com : **http://www.javascript.com/**
- La planète JavaScript : **http://www.geocities.com/SiliconValley/7116/**
- DocJavaScript : **http://www.webreference.com/js/**
- Devhead : **www.zdnet.com/devhead/filters/javascript/**
- Hotsyte : **http://www.serve.com/hotsyte/**

Les moteurs de recherche et annuaires

- Altavista : **http://www.altavista. com**
- Ecila (français) : **http://www.ecila.fr/**
- Infoseek : **http://infoseek.go.com/**
- Lokace : **http://www.lokace.com/**

- Lycos : **http://www.lycos.fr**
- Matilda : **http://www.aaa.com.au/matilda**
- Nomade : **http://www.nomade.fr/**
- **Voilà : http://www.voilà.fr**
- Webcrawler : **http://www.webcrawler.com**
- Yahoo! : **http://www.yahoo.fr** (français) ou : **http://www.yahoo .com** (américain)

Le multimédia

- CoolEdit (éditeur de sons sous Windows) : **http://www.syntrillium .com**
- La FAQ du MPEG : **http://www.crs4.it/~luigi/MPEG/mpegfaq.html**
- Le célèbre QuickTime d'Apple : **http://quicktime.apple.com/**
- Tout ce que Yahoo! sait sur le multimédia : **http://www.yahoo.com/ Computers/Multimedia/**

Navigateurs

- Serveur de Netscape : **http://home.netscape.com**
- Informations générales sur les navigateurs : **http://browserwatch .iworld.com/**

Les noms de domaine

- En France, l'AFNIC : **http://www.nic.fr/presentation/**.Intermédiaire agréé, WorldNet : **http://www.worldnet.fr**
- Aux Etats-Unis, Network Solutions : **http://www.networksolutions .com**

La sécurité informatique

- PGP : **http://www.pgpi.com**
- La loi Godfrain : **http://www.cicrp.jussieu.fr/cicrp/loi-info.html** ou : **http://horla.enst.fr:8080/~vercken/securite/loi_88.html**
- La CNIL : **http://www.cnil.fr**

Les services de référencement

- Submit Hit : **http://submit-hit.eurodiacom.com**
- SubmitIt : **http://submit-hit.eurodiacom.com/index2.html**
- Submitnow.fr : **http://www.wakatepe.com/submitnow**
- Le Référenceur : **http://www.referenceur.com**
- Add me! : **http://www.addme.com**

Les sources de logiciels

- Tucows : **http://tucows.chez.delsys.fr** ou **http://tucows.ciril.fr/files/ws_ftple.exe**
- Download.com : **http://www.download.com**
- CENT.COM : **http://home.cnet.com**
- MR BIOS shareware : **http://www.mrbios.com/**
- Le supermarché du shareware : **http://www.shareware.com/**
- Evaluation de sharewares : **http://www.SharewareJunkies.com**
- Autres évaluations et téléchargements de sharewares : **http://www.sharepaper.com**

Vérificateurs HTML

- Astra SiteManager : **http://www.merc-int.com/products/**
- CSE HTML Validator : **http://htmlvalidator.com/**
- InfoLink : **http://www.biggbyte.com/freeware.html**
- HTML Powertools : **http://www.tali.com/indexo.html**
- SiteHog : **http://www.cix.co.uk/~allied-display/redhog/**
- Service de validation HTML du W3 : **http://validator.w3.org/**

Outils de validation de pages Web

- HTMLCheck : **http://www.crossmyt.com/hc/htmlchek/htmlchek.html**
- Weblint : **http://www.unipress.com/cgi-bin/WWWeblint**
- W3C : **http://validator.w3c.org**

Services de vérification HTML

- Doctor HTML : **http://www2.imagiware.com/RxHTML/**
- HTMLchek : **http://www.ijs.si/cgi-bin/htmlchek**

Les entités de caractères

Généralités

Rappelons que l'alphabet utilisé par HTML est l'alphabet ASCII standard de 128 caractères avec lequel il n'est pas possible de représenter les caractères accentués. Pour contourner cet obstacle, HTML utilise une représentation appelée *entités de caractères* qui consiste en une désignation abrégée du caractère à coder encadrée à gauche par "&" et à droite par ";". On peut remplacer la désignation abrégée par le code numérique représentant la position du caractère dans le jeu utilisé.

Outre les caractères nationaux (é, è, à... pour la France, ñ pour l'Espagne, par exemple), quatre caractères "normaux" doivent toujours être codés sous forme d'entités dans un document HTML parce qu'ils jouent un rôle particulier dans la grammaire du langage. Ce sont :

- < ou < qui représente le caractère "inférieur à" (<) ;
- > ou > qui représente le caractère "supérieur à" (>) ;
- & ou & qui représente le "et commercial" (&) ;
- " ou " qui représente le guillemet (").

N'oublions pas l'espace insécable ( ) qui joue un rôle important, en particulier dans l'affichage correct des cellules de tableaux vides.

Tableau des caractères nationaux

Le Tableau B.1 présente les entités de caractères correspondant à la représentation de quelques caractères nationaux auxquels ont été ajoutés quelques caractères "de service". On pourra remarquer l'absence du "e dans l'o" comme dans *œuvre* ou *cœur*. Il existe pourtant, mais en dehors de l'espace (0, 255) et seul Internet Explorer le reconnaît. Nous l'avons ajouté à la fin du Tableau B.1.

Il existe d'autres entités permettant la représentation des couleurs du jeu de cartes ou de symboles mathématiques, mais leur support n'est pas correctement assuré par tous les navigateurs. Aussi ne les avons-nous pas fait figurer dans ce tableau.

Tableau B.1 : Tableau des caractères nationaux

Alphabétique	Numérique	Description
		espace insécable
&iexcl;	&#161;	point d'exclamation inversé (¡)
&cent;	&#162;	"cent" (monnaie américaine)
&pound;	&#163;	Livre sterling (£)
&curren;	&#164;	symbole monétaire (¤)
&yen;	&#165;	Yen (¥)
&brvbar;	&#166;	barre verticale (¦)
&sect;	&#167;	symbole de section (édition)
&uml;	&#168;	tréma (¨)
&copy;	&#169;	copyright (©)
&ordf;	&#170;	indicateur ordinal féminin
&laquo;	&#171;	guillemet français ouvrant (")
&not;	&#172;	crochet de négation (¬)
&shy;	&#173;	tiret de césure (–)
&reg;	&#174;	marque déposée (®)
&macr;	&#175;	macron (¯)
&deg;	&#176;	degré (°)
&plusmn;	&#177;	symbole "plus ou moins" (±)
&sup2;	&#178;	exposant 2 (^{2})
&sup3;	&#179;	exposant 3 (^{3})

Tableau B.1 : Tableau des caractères nationaux (*suite*)

Alphabétique	Numérique	Description
&acute;	&#180;	accent aigu (´)
&micro;	&#181;	lettre grecque mu (µ)
&para;	&#182;	symbole "paragraphe" (§)
&middot;	&#183;	point médian (·)
&cedil;	&#184;	cédille
&sup1;	&#185;	exposant 1 (¹)
&ordm;	&#186;	indicateur ordinal masculin
&raquo;	&#187;	guillemet français fermant (")
&frac14;	&#188;	un quart (¼)
&frac12;	&#189;	un demi (½)
&frac34;	&#190;	trois quarts (¾)
&iquest;	&#191;	point d'interrogation inversé (¿)
&Agrave;	&#192;	A accent grave (À)
&Aacute;	&#193;	A accent aigu (Á)
&Acirc;	&#194;	A accent circonflexe (Â)
&Atilde;	&#195;	A tilde (Ã)
&Auml;	&#196;	A tréma (Ä)
&Aring;	&#197;	A anneau (Å)
&AElig;	&#198;	E dans l'A (Æ)
&Ccedil;	&#199;	C cédille (Ç)
&Egrave;	&#200;	E accent grave (È)
&Eacute;	&#201;	E accent aigu (É)
&Ecirc;	&#202;	E accent circonflexe (Ê)

Tableau B.1 : Tableau des caractères nationaux (*suite*)

Alphabétique	Numérique	Description
&Euml;	&#203;	E tréma (Ë)
&Igrave;	&#204;	I accent grave (Ì)
&Iacute;	&#205;	I accent aigu (Í)
&Icirc;	&#206;	I accent circonflexe (Î)
&Iuml;	&#207;	I tréma (Ï)
&ETH;	&#208;	Eth majuscule (Islande : Ð)
&Ntilde;	&#209;	N tilde (Ñ)
&Ograve;	&#210;	O accent grave (Ò)
&Oacute;	&#211;	O accent aigu (Ó)
&Ocirc;	&#212;	O accent circonflexe (Ô)
&Otilde;	&#213;	O tilde (Õ)
&Ouml;	&#214;	O tréma (Ö)
&times;	&#215;	symbole de la multiplication (x)
&Oslash;	&#216;	O barré (Ø)
&Ugrave;	&#217;	U accent grave (Ù)
&Uacute;	&#218;	U accent aigu (Ú)
&Ucirc;	&#219;	U accent circonflexe (Û)
&Uuml;	&#220;	U tréma (Ü)
&Yacute;	&#221;	Y accent aigu (Y)
&THORN;	&#222;	THORN (islande : þ)
&szlig;	&#223;	sharp s, German (sz ligature)
&agrave;	&#224;	a accent grave (à)
&aacute;	&#225;	a accent aigu (á)

Tableau B.1 : Tableau des caractères nationaux (*suite*)

Alphabétique	Numérique	Description
&acirc;	&#226;	a accent circonflexe (â)
&atilde;	&#227;	a tilde (ã)
&auml;	&#228;	a tréma (ä)
&aring;	&#229;	a anneau (å)
&aelig;	&#230;	ae e dans l'a (æ)
&ccedil;	&#231;	c cédille (ç)
&egrave;	&#232;	e accent grave (è)
&eacute;	&#233;	e accent aigu (é)
&ecirc;	&#234;	e accent circonflexe (ê)
&euml;	&#235;	e tréma (ë)
&igrave;	&#236;	i accent grave (ì)
&iacute;	&#237;	i accent aigu (í)
&icirc;	&#238;	i accent circonflexe (î)
&iuml;	&#239;	i tréma (ï)
&eth;	&#240;	eth (Islande : ∂)
&ntilde;	&#241;	n tilde (ñ)
&ograve;	&#242;	o accent grave (ò)
&oacute;	&#243;	o accent aigu (ó)
&ocirc;	&#244;	o accent circonflexe (ô)
&otilde;	&#245;	o tilde (õ)
&ouml;	&#246;	o tréma (ö)
&divide;	&#247;	symbole de la division (÷)
&oslash;	&#248;	o barré (ø)

Tableau B.1 : Tableau des caractères nationaux (*suite*)

Alphabétique	Numérique	Description
&ugrave;	&#249;	u accent grave (ù)
&uacute;	&#250;	u accent aigu (ú)
&ucirc;	&#251;	u accent circonflexe (û)
&uuml;	&#252;	u tréma (ü)
&yacute;	&#253;	y accent aigu (y)
&thorn;	&#254;	thorn (Islande : Þ)
&yuml;	&#255;	y tréma (ÿ)
&OElig;	&#338;	Œ
&oelig;	&#339;	œ
	&#8364;	euro (€)

Petit glossaire des termes couramment utilisés sur l'Internet

Accentués (caractères). On appelle ainsi les caractères qu'on rencontre principalement dans les langues européennes : é, è, ç, ï, ñ... L'alphabet ASCII utilisé par HTML n'en permet pas une représentation littérale, c'est-à-dire telle quelle. Ne serait-ce qu'en raison des différences de codifications utilisées sur les différentes plates-formes (PC, Macintosh, machines UNIX...), il est nécessaire d'adopter une transcodification qui permette de les traduire correctement. On a recours pour cela à des *entités de caractères*.

ActiveX. Standard créé par Microsoft pour faciliter la communication entre des modules de programmes écrits dans des langages différents. Certains contrôles ActiveX peuvent être porteurs de virus.

Ancrage. Etiquette de référence unique dans un document HTML donné permettant d'afficher le document non pas à partir de son début, mais à partir de cet endroit. C'est un moyen pratique pour repérer les différentes sections d'un même document HTML.

Animation. Courte séquence d'images animées analogue à un clip vidéo, presque toujours accompagnée d'une partie sonore.

Animées (images GIF). On désigne sous ce nom une technique faisant appel à une propriété particulière des images GIF et qui consiste à reproduire un mouvement à l'aide d'une succession d'images affichées en séquence à la manière d'un dessin animé. Il existe pour cela des logiciels spécialisés comme GifAnim ou GIF GIF GIF.

Applet. Petit programme écrit en Java qui permet de réaliser certains effets plus ou moins pittoresques au détriment d'un temps de chargement parfois long et d'un risque non négligeable d'insécurité. En août 1998, on a découvert un virus pouvant se glisser dans une applet pour investir une machine. L'utilisateur soucieux du contenu de son disque dur et de faire des économies sur sa facture France Télécom peut généralement désactiver la machine virtuelle Java de son navigateur.

Arrière-plan. Fond d'écran d'un navigateur dont la couleur unie par défaut (blanc ou gris léger) peut être modifiée par l'utilisateur au moyen d'une option de menu ou imposée par l'auteur d'une page Web. Peut alors être de teinte uniforme ou représenter une image. Si celle-ci est trop petite pour remplir tout l'écran, elle est reproduite par effet de mosaïque sur toute la surface de la fenêtre du navigateur. En anglais : *background*.

Ascenseur. Voir *Barre de défilement*.

ASCII (alphabet). *American Standard for Information Interchange.* Alphabet utilisé par HTML utilisant une représentation à 7 bits et permettant ainsi de traduire 128 caractères (dont l'espace). Pour représenter les caractères accentués ou certains spéciaux tels que le symbole Copyright ou l'espace insécable, on a recours à un artifice, celui des *entités de caractères*.

Attribut. Mot clé venant préciser ou compléter la signification d'un élément HTML. La plupart des attributs sont facultatifs, mais certains d'entre eux sont nécessaires comme `src`, dans l'élément `IMG`, qui précise la source de l'image à insérer dans la page Web. Certains attributs sont booléens, mais la plupart doivent recevoir explicitement une valeur à l'aide du signe "=". Exemple : `src="images/monimage.gif"`.

Audio. Qui concerne le son. On appelle *carte audio* une carte insérée dans un ordinateur pour lui donner la parole ou lui permettre d'imiter le son d'instruments de musique. Pour créer un lien vers un fichier audio, on peut écrire une commande de la forme : `Ecoutez <A src="easywinr.wav">Easy Winner de Scott Joplin</A>`.

AVI. *Audio Video Interleaved.* Format de fichier créé par Microsoft pour représenter des animations. Plutôt délaissé au profit d'autres formats tels que QuickTime et MPEG.

Balise. Repère inséré dans un document HTML pour indiquer l'insertion d'un objet ou la mise en forme d'une partie du contenu. Le W3C lui a substitué le terme *élément*, plus générique.

Bande passante. D'une façon générale, la bande passante d'un dispositif quelconque est définie par les bornes minimale (0, éventuellement) et maximale du nombre d'éléments (au sens général) passant par le dispositif, par unité de temps. Appliquée à l'Internet, cette expression caractérise le débit d'informations pouvant circuler à un instant donné. Plus grande est la bande passante, plus courts sont les temps d'accès et de transfert. Le *spam*, les images trop grandes et les fichiers audio de type WAV dans une présentation Web concourent à diminuer la bande passante.

Barre de défilement. Barre verticale située à droite d'une fenêtre et portant un curseur qu'on peut faire glisser avec une souris, faisant ainsi défiler le texte verticalement dans un sens ou dans l'autre. On dit aussi *ascenseur.*

Berners-Lee (Tim). Inventeur avec Robert Cailliau du Web, au CERN, en 1989. Actuellement directeur du W3C.

Booléen (attribut). Un attribut booléen est un attribut qui ne reçoit pas de valeur. Par défaut, il est inactif alors que s'il est écrit tel quel dans la balise initiale de l'élément, il devient actif. Exemple : nohref.

Bouton. Petit objet graphique, généralement de forme rectangulaire et présentant un effet de relief, sur lequel peut cliquer l'utilisateur pour déclencher telle ou telle action particulière.

Boutons radio. Groupe de boutons représentant un ensemble d'options mutuellement exclusives (une seule d'entre elles peut être choisie à un instant donné). Représenté par un petit cercle au centre duquel s'affiche un gros point noir lorsque l'utilisateur a cliqué dessus, éteignant du même coup les autres boutons-radio du groupe.

Browser. Logiciel destiné à feuilleter (à parcourir) un document et plus particulièrement un document HTML. Après un certain temps d'hésitation, on a fini de le traduire par *navigateur.* (Les Québécois semblent préférer *butineur.*) Netscape Navigator et Internet Explorer occupent plus de 80 % du "marché", ce qui est une façon de parler puisque ces deux logiciels sont distribués gratuitement.

Cadre. Structure particulière dans laquelle la fenêtre du navigateur peut être divisée en zones rectangulaires indépendantes dont le contenu peut être modifié sans altérer celui des autres. Certains anciens navigateurs ne supportent pas cette structure. En anglais : *frame.*

Caractères. Voir *Police de caractères.*

Caractères accentués. Caractères propres à une langue et que HTML ne permet pas de représenter directement.

Caractères spéciaux. Caractères non alphabétiques ou numériques comportant certains symboles et signes conventionnels (Marque déposée, Copyright, par exemple).

Case à cocher. Petit objet graphique de forme carrée dans lequel peut apparaître une coche. Fonctionne en bascule : un clic et la coche apparaît ; un autre clic et elle disparaît. Sert à représenter différentes options parmi lesquelles on peut en choisir une ou plusieurs.

CERN. Sigle désignant le *Centre européen de recherche nucléaire* situé à Genève. C'est là que fut inventé le Web, en 1989.

CGI. *Common Gateway Interface* (interface de passerelle généralisée). C'est un moyen de réaliser un dialogue entre l'utilisateur et le serveur Web alors que, normalement, c'est d'un monologue qu'il s'agit dans lequel l'utilisateur joue le rôle du client. Cette technique a été mise en œuvre dans les formulaires où c'est l'habituel client (l'utilisateur) qui fait parvenir des données au serveur. Sur celui-ci, un programme (référencé par l'attribut action de l'élément FORM) va traiter ces données et éventuellement renvoyer des résultats sous forme d'une page Web dont le contenu dépend des informations transmises par l'utilisateur. Si on parvient ainsi à un début d'interactivité, c'est au prix d'une charge supplémentaire du serveur et de l'Internet et avec la pénalité d'une attente qui dépend de la bande passante.

Client/serveur. Type d'architecture informatique dans laquelle un *serveur* envoie des informations à un *client* selon sa demande. C'est, entre autres, le modèle du Web.

Conteneur. Type d'élément HTML dans lequel on peut insérer un objet particulier qui subira, de ce fait, l'action prévue par l'élément. Se compose d'une balise initiale et d'une balise terminale qui est identique à la balise initiale, mais précédée d'un slash (/). Exemple : <B>Ce texte sera affiché en gras</B>.

Contenu. Ce qui justifie une page Web, autrement dit le texte, les images et les éléments multimédia qui s'y trouvent. C'est une erreur trop répandue chez les auteurs Web que de s'attacher davantage au contenant (couleurs clinquantes, polices de caractères fantaisistes, images trop nombreuses, animations multiples, souvent hors de propos) au détriment du contenu, trop souvent indigent quant au sens, débile quant à la syntaxe et catastrophique quant à l'orthographe.

Cookies. Petits fichiers texte enregistrés sur le disque dur d'un utilisateur par une présentation Web, destinés généralement à mémoriser certaines options adoptées par l'utilisateur au moment de sa visite de la présentation. Contrairement à ce qu'on croit généralement, les cookies ne sont pas dangereux. Il est presque toujours possible de les refuser, soit au coup par coup, soit en activant certaines options de sécurité d'un navigateur.

Couleur. L'utilisation réfléchie de la couleur dans une page Web peut l'agrémenter et améliorer sa lisibilité. Son emploi maladroit ou excessif (arrière-plan trop sombre, texte d'une couleur trop proche de celle de l'arrière-plan, par exemple) peut inciter le visiteur à aller voir une autre présentation.

CSS. *Cascading Style Sheets* (feuilles de styles en cascade). Type de feuilles de styles retenu par le W3C pour faciliter la mise en page des documents HTML. Une première version (CSS1) est apparue en 1997 ; une seconde (CSS2) au début de 1998 et le W3C a jeté, fin 1999, les bases d'une troisième (CSS3). Les navigateurs sont loin (très loin, même, pour Netscape Navigator et encore davantage pour Opera) d'avoir actuellement implémenté toutes les spécifications de CSS1. L'auteur Web soucieux d'être vu dans de bonnes conditions par le plus grand nombre de visiteurs se gardera donc d'en faire une usage trop large dans ses pages.

DHTML. *Dynamic HTML.* Extension à HTML destinée à rendre les page Web dynamiques, donc plus vivantes. Fin 1999, les approches de Netscape et de Microsoft sont radicalement différentes, donc incompatibles. Pour une fois, c'est celle de Microsoft qui se rapproche le plus des recommandations du W3C. De ce fait, il serait imprudent de l'utiliser largement dans ses pages Web à moins de prévoir deux ensembles de balises dont un seul serait activé après avoir reconnu le type de navigateur utilisé par le visiteur (ce qui est très facile avec JavaScript).

Director. Nom d'un logiciel créé par Macromedia pour créer des animations ne nécessitant pas de gros fichiers.

DTD. *Document Type Definition.* Document définissant de façon formelle la syntaxe d'un langage tel que HTML ou SGML. Son usage est réservé aux spécialistes.

Editeur HTML. Editeur spécialisé dans la création des pages Web. Il en existe de tous types, depuis l'éditeur très proche du simple éditeur de textes comme le Bloc-notes de Windows jusqu'à des éditeurs WYSIWYG qui vous permettent (presque) d'ignorer les balises en générant automatiquement le code nécessaire à la suite d'un certain nombre de manipulations de souris et de frappes faites par l'utilisateur.

Enrichissement. Modification de l'apparence des caractères telle que la mise en gras, l'italique, le souligné ou la couleur.

Entités de caractères. Moyen utilisé pour représenter les caractères qui ne font pas partie de l'alphabet ASCII standard à 128 caractères comme les caractères accentués ainsi que quelques caractères ordinaires jouant un rôle particulier dans la grammaire de HTML. Il consiste à placer entre un "&" initial et un ";" terminal une désignation abrégée du caractère concerné. Exemple : é signifie "é". Une autre forme, moins évocatrice, consiste à remplacer la désignation abrégée par le numéro décimal du caractère. L'Annexe B contient le tableau des entités de caractères usuelles.

Espaces. HTML reconnaît deux sortes d'espaces typographiques : l'espace normale et l'espace insécable[1]. Dans un texte ordinaire, quel que soit le nombre d'espaces ordinaires consécutives, seule la première d'entre elles sera "affichée", sauf si le texte est inclus dans un élément PRE. L'espace insécable est codée par l'entité de caractère   (*non breaking space*). Plusieurs entités de ce type consécutives seront représentées comme une suite d'espaces, quel que soit l'élément dans lequel elles figurent. Enfin, la présence d'une espace insécable dans une cellule de tableau ne contenant rien d'autre permet une représentation normale des bordures de cette cellule.

Eudora. Nom d'un logiciel de courrier électronique très utilisé parce que très simple à utiliser tout en proposant de nombreuses fonctionnalités. Il en existe des versions pour Windows, Macintosh et UNIX. Sous Windows, on peut même se procurer une version gratuite, un peu moins complète que la version payante, mais néanmoins très suffisante pour les besoins courants. Pour plus de détails, voir le site Web de Qualcomm, son éditeur, à l'URL **http://www.eudora.com**.

Evénement. HTML désigne sous le nom d'*événement intrinsèque* les actions de l'utilisateur sur la souris ou le clavier. Il est possible, dans certaines commandes HTML, de déclencher une action particulière (l'appel d'une routine de script, par exemple) en utilisant un attribut particulier comme onmousedown, onkeyup, onchange, onblur...

Favori. Personnage qu'on retrouve dans l'ombre d'un grand. Exemple : "Le Maréchal d'Ancre était le favori de Catherine de Médicis." Autre acception : touffe de barbe sur chaque côté du visage comme dans la phrase : "Sous le second Empire, les hommes portaient presque tous des favoris." Microsoft a enrichi la langue française en utilisant ce terme pour traduire le mot anglais *bookmark*, que les gens avaient pris l'habitude de désigner sous le terme autrement précis et évocateur de *signet*.

Feuille de styles. Voir *Styles (feuille de)* et *CSS*.

Fichier. Un fichier est une collection d'éléments informatiques de même nature. D'une façon générale, on distingue les fichiers de programmes (qui contiennent des programmes exécutables ou des modules de bibliothèques) et les fichiers de données qui peuvent contenir des données numériques, du texte (formaté ou non), des images, des sons, des animations, etc. Un fichier HTML contient des commandes HTML.

---

1. Signalons que l'espace typographique est normalement du genre féminin.

Filet. Barre horizontale de séparation, de largeur et d'épaisseur variables, destinée à délimiter les différentes sections d'un document HTML. C'est la balise <HR> qui est utilisée pour afficher un filet. Avec les feuilles de styles, on peut même modifier sa couleur.

Flash. Nom du plug-in permettant de visualiser les animations créées par le logiciel Director de Macromedia.

Flottant (objet). Un objet HTML flottant peut être entouré par du texte. Pour cela, on utilise généralement l'attribut align en lui donnant les valeurs left (à gauche) ou right (à droite). Bien que l'usage de cet attribut soit déconseillé par le W3C depuis l'avènement des feuilles de styles, il reste néanmoins très utilisé pour ce type d'entourage.

Focus. On dit qu'un objet HTML d'une page a le *focus* lorsqu'il est réceptif aux événements extérieurs. Cette qualité s'acquiert par une sélection effectuée soit en cliquant dessus, soit par une suite d'appuis sur la touche <Tab>. Lorsqu'un élément HTML gagne le focus, il peut appeler une routine de traitement au moyen de l'attribut onfocus. Symétriquement, lorsqu'il le perd, il peut appeler une autre routine au moyen de l'attribut onblur.

Fonte. Voir *Police de caractères*.

Formulaire. C'est le moyen le plus courant pour permettre à l'utilisateur d'envoyer des données au serveur. Un formulaire consiste en un certain nombre de boîtes de saisie, de boutons-radio et de cases à cocher proposés par l'auteur Web et disposés à sa convenance. Une fois qu'il a terminé ses saisies, l'utilisateur a le choix entre cliquer sur un bouton *submit* (soumettre, envoyer) pour valider l'envoi et un bouton *reset* (réinitialisation) pour effacer tout et reprendre depuis le début. Les informations saisies sont généralement envoyées au serveur où elles seront traitées par un script CGI local désigné par l'attribut action. On peut également les expédier sous forme de courrier électronique à une adresse e-mail quelconque.

Franglais. Tendance naturelle à utiliser par paresse les mots du vocabulaire anglais sans se donner la peine de leur trouver un équivalent français ou de créer un mot à cet usage. Exemples : e-mail, spam, news, browser, mailer, web... Les Canadiens, toujours plus francophones que les Français, et qui ne craignent pas le ridicule, ont proposé des néologismes toujours étranges, parfois poétiques, tels que courriel, butineur, pollu ou polluriel, ouaibe. Certains de nos compatriotes et quelques organismes privés ou publics font de même, probablement parce que, trop casaniers pour aller faire un tour aux Etats-Unis, ils ignorent que les Américains nous ont emprunté pas mal de mots dans des domaines où notre supériorité est reconnue : filet mignon, brunette, cabernet...

Freeware. Logiciel du domaine public que chacun peut utiliser sans rien devoir payer à personne.

FTP. *File Transfer Protocol.* Protocole utilisé pour transférer des fichiers sur l'Internet.

GIF. *Graphics Interchange Format.* Format d'image popularisé par CompuServe et qui permet de représenter des images en 256 couleurs. Convient particulièrement bien aux images contenant de grands à-plats de couleurs comme les plans, les schémas ou les dessins réalisés à l'aide d'outils graphiques. Il n'y a pas de perte d'information. Les fichiers GIF ont pour extension .GIF. En raison de problèmes de copyright soulevés par l'utilisation d'un algorithme de compression breveté par Unisys et des royalties que ce dernier demande avec de plus en plus d'insistance, on a proposé pour le remplacer le format PNG, sans beaucoup de succès, à l'heure actuelle, il faut bien le reconnaître.

Hébergement. Pour qu'une présentation Web puisse être vue du monde entier, elle doit être *hébergée* sur un serveur Web, c'est-à-dire que les documents qui la constituent (fichiers HTML, images et autres) soient situés dans un répertoire de ce serveur qui est relié en permanence à l'Internet. Certaines entreprises, établissements publics et universités ont une connexion directe et peuvent donc héberger leurs présentations *in situ.* Les particuliers et les entreprises qui ne peuvent pas s'offrir une connexion permanente recourent alors à un prestataire extérieur qui hébergera leur présentation Web. Pour les entreprises, cet hébergement est naturellement payant selon un tarif où interviennent, entre autres, la taille des pages Web et leur fréquence de consultation. Pour les particuliers et les associations à but non lucratif, il existe un peu partout quelques généreux mécènes. Certains imposent à leur hébergé d'insérer des bandeaux publicitaires dans ses pages. On trouvera les adresses de quelques-uns d'entre eux au Chapitre 15 ainsi qu'à l'Annexe A.

HTML. *HyperText Markup Language* (langage hypertexte à balises) est un dérivé de SGML, langage utilisé pour la description de la structure de textes scientifiques. C'est la *lingua franca* du Web.

http://. Protocole spécifique du Web. Toutes les adresses (URL) de présentations Web commencent par cette suite de caractères. Lorsque l'adresse elle-même commence par **www**, on peut généralement omettre l'indication du protocole lorsqu'on la saisit dans la fenêtre appropriée du navigateur.

Hypertexte. Ensemble de textes informatiques pouvant être consultés au moyen d'un système de renvois matérialisé par des liens (en anglais : *hyperlinks,* rarement traduit par *hyperliens*). C'est le principe utilisé par le Web.

Internet. Réseau de réseaux couvrant toute la planète et qui constitue la couche de transport du Web. Il est aussi utilisé pour assurer d'autres types de transferts : courrier électronique, fichiers, vidéo et même téléphonie vocale. Doit-on dire "Internet" ou "l'Internet" ? Plusieurs autorités — et non des moindres — se sont prononcées pour l'emploi de l'article défini. Alain Rey, responsable du Petit Robert est venu conforter ce choix en déclarant dans une interview publiée dans *Libération* du 16 octobre 1998 : "Je le traite comme un nom commun, pas comme une marque. Mais, paradoxalement, je garde la majuscule. La seule certitude que l'on a, c'est que les attitudes puristes et académiques ne marchent jamais."

Internet Explorer. Navigateur distribué gratuitement par Microsoft. La version courante fin 99 est la 5.0. La version 6.0 devrait accompagner la sortie de Windows 2000.

Intranet. Réseau local dont le serveur diffuse des informations sous forme de site Web.

Java. Langage semi compilé créé par Sun Microsystems qui présente l'avantage d'être portable sur toutes les machines pour peu qu'elles disposent d'un logiciel spécial appelé *machine virtuelle Java*. Ce caractère d'universalité le rend particulièrement adapté aux présentations Web qu'il peut ainsi doter de gadgets divers. C'est un langage orienté objet, proche du C++, qui possède une syntaxe complexe le mettant hors de portée des débutants. Sa puissance lui permet de faire des opérations qui peuvent être dangereuses pour la machine de l'utilisateur. Aussi les navigateurs possèdent-ils généralement une option permettant de désactiver leur machine virtuelle Java. Les programmes écrits en Java sont appelés des *applets*.

JavaScript. Contrairement à ce que pourrait laisser supposer son nom, JavaScript n'est pas un "sous-Java". Il s'agit d'un langage simple, interprété, conçu par Netscape et dont la syntaxe est proche de celle de C, mais d'un C voisin de BASIC (la notion de pointeur n'existe pas en JavaScript). Si la notion d'objet est présente dans JavaScript, c'est de façon très atténuée. Plutôt qu'un langage orienté objet, mieux vaut dire que JavaScript est un langage *teinté* objet. Les routines écrites en JavaScript se placent généralement dans une balise SCRIPT placée presque toujours dans la section d'en-tête du document HTML. C'est un excellent langage pour traiter les événements intrinsèques de la souris et du clavier ou vérifier localement les saisies effectuées dans un formulaire par un utilisateur avant de les envoyer au serveur. Ce langage a fait l'objet d'une proposition de standardisation de l'ECMA. De son côté, Microsoft a réalisé sa propre implémentation, qui présente, comme toujours, quelques différences avec celle des standards, sous le nom de JScript.

JPEG. *Joint Photographic Expert Group.* Format d'image créé par un groupe d'experts et qui permet de représenter des images avec un nombre de couleurs quelconque (65 536 est courant). Il convient particulièrement bien aux images photographiques, plus mal aux images contenant de grands à-plats de couleurs. La qualité des images obtenues dépend du facteur de compression adopté, car c'est une représentation avec perte d'information. Les fichiers JPEG ont pour extension JPG.

JScript. C'est le nom donné par Microsoft à son implémentation de JavaScript, un peu moins complète que celle de Netscape et qui en diffère notablement sur certains points importants comme le traitement des événements.

Macromedia. Nom d'un éditeur américain qui vend (pour environ 300 dollars) un logiciel de création d'animations, Director, permettant de réaliser des scènes animées au moyen de fichiers peu encombrants. Pour visualiser ces animations, il suffit d'un plug-in (gratuit) qu'on peut se procurer sur le site de Macromedia, à l'URL :
http://www.macromedia.com/software/flash/

Mailer. Logiciel de traitement du courrier électronique.

mailto: Protocole spécifiant qu'une URL pointe vers une adresse de courrier électronique. On utilise principalement un tel protocole dans une balise ADDRESS ou dans l'attribut action d'une balise FORM.

Marqueur. C'est un élément vide qui n'a qu'une balise initiale et pas de balise terminale. Exemples : IMG, <HR>, <BR>.

Microsoft. C'est le numéro 1 mondial du logiciel, dont le président fondateur s'appelle Bill Gates. Microsoft équipe 95 % des ordinateurs personnels avec son système d'exploitation Windows (3.1, 95, 98, NT et bientôt 2000). Outre un grand nombre de logiciels, particulièrement dans le domaine de la bureautique, Microsoft propose un navigateur, Internet Explorer, distribué gratuitement. Ce navigateur se caractérise par une implémentation assez complète des spécifications de HTML 4.0 et des feuilles de styles CSS1. Dans le domaine du Web, il convient aussi de citer FrontPage qui est un éditeur HTML WYSIWYG de haut niveau et dont une version édulcorée, FrontPage Express, accompagne Windows 98. Nous l'avons étudié en profondeur dans la Partie II.

MIDI. *Musical Instrument Digital Interface.* Interface standardisée utilisée pour raccorder certains instruments de musique électroniques (synthétiseurs) à un ordinateur. Au lieu d'utiliser des sons numérisés, on emploie des codes définissant pour chaque note sa durée, sa hauteur, son intensité, son attaque, le type d'instrument à utiliser, etc. Les cartes audio pouvant équiper un micro-ordinateur reconnaissent ce type de notation.

MIME (types). *Multipurpose Internet Mail Extensions.* Moyen utilisé pour permettre d'inclure n'importe quel type de fichier dans un courrier électronique pour peu que le *mailer* utilisé par le destinataire sache interpréter ces types.

Miniature. Voir *Vignette.*

Mise en page. Façon de disposer les éléments dans une page Web pour qu'ils se présentent de façon agréable. Avant que n'apparaissent les feuilles de styles, la mise en page se faisait surtout à l'aide de tableaux dont on n'affichait pas les bordures. En effet, la balise TABLE est la seule qui permette de placer des objets HTML dans une page en leur assignant une position relative fixe. Les images flottantes sont également très utilisées lorsqu'on veut mêler étroitement texte et images. Malheureusement, certains effets sont encore actuellement impossible à réaliser, sinon au prix d'acrobaties d'écriture HTML telles que la restitution correcte n'en est généralement possible qu'avec un seul navigateur. Citons, par exemple, l'inclusion d'images non rectangulaires, la disposition du texte en plusieurs colonnes, la rotation d'images ou de paragraphes, même de multiples de 90°.

Moteur de recherche. Site Web spécialisé dans la recherche d'adresses sur l'Internet en partant d'un mot clé. Certains sont généralistes alors que d'autres opèrent sur des créneaux plus étroits. C'est l'outil à utiliser lorsqu'on veut connaître quels sont les sites Web traitant d'une question particulière. Tout le problème est alors de choisir le ou les mots clés de recherche de façon à ne pas ramener trop de réponses. Chaque moteur de recherche ayant sa propre grammaire, mieux vaut alors consulter des ouvrages spécialisés sur le sujet. Les principaux moteurs de recherche internationaux sont AltaVista, Infoseek, Lycos, Yahoo!. En France, citons Voila, Carrefour, Eureka, Ecila.

MPEG. *Moving Pictures Expert Group.* Format de fichiers multimédias élaboré par un groupe d'experts servant à représenter des images animées, sonorisées ou non. Les scènes sont décomposées en images successives (*frames*) et seuls les éléments qui diffèrent d'une image à l'autre sont codés. La création de fichiers à ce standard exige des dispositifs matériels onéreux, mais leur restitution peut s'effectuer avec un simple logiciel approprié, pour peu que l'ordinateur utilisé soit suffisamment rapide.

Multimédia. Tout ce qui n'est pas strictement du texte peut être considéré comme étant du multimédia : images (animées ou non), sons, réalité virtuelle...

Navigateur. Logiciel destiné à feuilleter (à parcourir) un document et plus particulièrement un document HTML. Voir *Browser.*

Netscape. Entreprise fondée en 1993 par Jim Clark et Marc Andreesen. A été jusqu'à ces deux dernières années le leader incontesté du marché des navigateurs avec son logiciel Netscape Navigator. A vu ses parts de marché s'effriter depuis l'entrée en lice d'Internet Explorer, le navigateur de Microsoft. Vendait également des logiciels de serveur Web. Depuis le deuxième trimestre 1998, le navigateur Netscape Navigator a été distribué gratuitement. L'entreprise a finalement été rachetée par AOL, fi 1998, mais l'évolution du navigateur se poursuit et la dernière version proposée (toujours gratuitement) en fin 1999 porte le numéro 4.7.

News. Système de communication utilisant l'Internet comme couche de transport et qui s'apparente au courrier électronique. Mais au lieu de s'adresser à un destinataire particulier, les messages (on dit *les articles*) sont envoyés à la cantonade et y répond qui veut. Pour tenter de mettre un peu d'ordre dans ce foisonnement, un certain nombre de catégories ont été créées, elles-mêmes subdivisées en groupes. Les serveurs de news en diffusent un nombre variable, généralement compris entre 10 000 et 30 000.

Outlook Express. Logiciel distribué par Microsoft en même temps que Windows 98 et qui remplit les fonctions de mailer et de lecteur de news. Moins complet qu'Eudora Pro pour le courrier électronique, il offre l'avantage de permettre une connexion sur plusieurs fournisseurs d'accès et son utilisation est assez facile.

Page Web. Une page Web est ce qui est affiché par un navigateur à partir d'un document HTML unique. Etant donné la diversité des écrans utilisés pour surfer sur le Web, la notion de page, au sens où on l'entend dans la chose imprimée, est ici dépourvue de sens.

Plug-in. Module logiciel destiné à travailler en collaboration avec un navigateur pour lui permettre d'afficher ou de faire entendre certains fichiers d'un format non reconnu de façon native.

Police de caractères. Ensemble des caractères comportant toutes les variations possibles (normal, gras, italique, majuscules et minuscules) d'un dessin particulier. Il existe deux grandes familles : les polices à pas fixe où chaque caractère occupe la même place en largeur (comme avec les machines à écrire mécaniques) et les polices proportionnelles où l'espace occupé est *proportionnel* au graphisme du caractère. Ce type de police est reconnu comme celui qui procure la meilleure lisibilité. Parmi les polices à pas fixe, la plus utilisée est appelée Courier (avec un seul "r"). Pour les autres, on n'a que l'embarras du choix : Times, Arial, Bodoni, Garamond, Baskerville, Gothic, Helvetica, etc. Le terme anglais est *font* qui explique la traduction *fonte* adoptée par certains, principalement dans les arts graphiques.

PNG. Nouveau format d'image créé récemment et destiné à remplacer le format GIF dont l'emploi soulève d'épineuses questions de copyright et de royalties. Encore incomplètement implémenté par les navigateurs. Les fichiers PNG ont pour extension .PNG.

Propriété. Ce terme est utilisé avec les feuilles de styles et il a un sens analogue à celui d'attributs pour les documents HTML simples. De même que ceux-ci, les propriétés doivent généralement recevoir une valeur, mais cette affectation se fait ici à l'aide du caractère ":". Exemple : `color:red`.

Protocole. Sur l'Internet, on utilise des messages de formats divers selon le type de ressource auquel on s'intéresse. Pour que le dialogue puisse s'établir entre le client et le serveur, il est nécessaire d'enrober les messages dans une enveloppe conventionnelle appelée *protocole*. L'indication de ce protocole fait partie de l'URL de la ressource. Pour le Web, par exemple, c'est **http://**.

RealAudio. Système de diffusion de sons (musique et/ou paroles) permettant une écoute presque instantanée de ce qui est transmis sans qu'il soit nécessaire d'attendre, comme avec les procédés traditionnels, que l'intégralité du fichier soit reçue. Malheureusement, étant donné l'engorgement actuel de l'Internet et les divers aléas de transmission, aux vitesses habituelles de 33,6 ou même 56 Kbps, ce qu'on entend est très souvent haché en petits fragments et la qualité sonore n'est pas au rendez-vous. Il est nécessaire de disposer du plug-in approprié à la réception. Pour plus de détails, consulter le site Web de RealAudio à l'URL **http://www.real.com**.

RFC. (*Request for comments*). Demande de commentaires sur de nouvelles propositions concernant différents standards de l'Internet. Une fois approuvés, ceux-ci portent la référence du RFC particulier qui a été utilisé pour les instruire.

Sécurité. Ensemble des règles qui permettent d'éviter la destruction malveillante ou involontaire et le vol de données dans un ordinateur. Les principales sources d'insécurité sont les virus, contre lesquels l'antidote le plus efficace consiste en des sauvegardes préventives des éléments sensibles. C'est à tort que certains accusent les cookies d'être un facteur d'insécurité.

Serveur. Machine jouant le rôle d'émetteur dans l'architecture client/serveur. Un serveur Web est une machine sur laquelle sont hébergées des présentations Web, qui reçoit les requêtes de ses clients et leur envoie les fichiers demandés.

SGML. *Standard Generalized Markup Language* (langage standard de marquage généralisé). C'est un langage normalisé (ISO 8879) qui permet de décrire de façon exhaustive la structure et le contenu de différents types de documents électroniques. Pour plus de détails, consulter **http://www.sgml.u-net.com/** et **http://www.oasis-open.org/cover/**.

Shareware. Forme de diffusion de logiciels permettant à l'utilisateur d'essayer un programme gratuitement et de ne le payer que s'il en est satisfait et décide de continuer à l'utiliser. Très utilisé sur l'Internet. Quelques puristes ont tenté de proposer les mots *graticiel* et *partagiciel* qui n'ont heureusement guère soulevé d'enthousiasme.

Signet. En anglais : *bookmark*. Mémorisation dans un navigateur de l'URL d'un site Web permettant d'y retourner facilement plus tard. Microsoft utilise le mot *favori*.

Site Web. On désigne souvent sous ce nom l'ensemble des documents HTML constituant une présentation. Il y a cependant un risque de confusion avec le serveur, site étant pris ici dans son sens réel de "site géographique". Mieux vaut, en général, adopter l'expression "présentation Web".

Spam. Egalement appelé "courrier poubelle", le spam est l'équivalent électronique des nombreux et inintéressants prospectus qui encombrent les boîtes aux lettres postales traditionnelles.

Styles (feuille de). Dans les traitements de texte traditionnels, une feuille de styles permet à différents auteurs de produire des textes respectant une mise en page commune selon des modèles préalablement définis. Pour les documents HTML, le W3C a proposé, au début de 1997, un système analogue appelé *Cascading Style Sheets* (feuilles de styles en cascade) qui apporte énormément de possibilités de mise en page aux pages Web. L'implémentation de la première version — CSS1 — n'est encore que partielle, ce qui n'a pas empêché le même W3C de proposer, en janvier 1998, une seconde version, CSS2, d'une grande complexité puis, fin 1999, une troisième. Pour plus de détails, consulter le site Web du W3C à l'URL **http://www.w3.org/Style/css/**.

Transparence. Dans une page Web, une image est dite "transparente" lorsqu'une certaine couleur, choisie par l'auteur d'une page Web, n'est pas affichée, permettant ainsi de voir le fond de page au travers. Cette propriété ne s'applique actuellement qu'aux images GIF.

URL. *Uniform Resource Locator* (adresse de ressource uniformisée). C'est le type d'adresse utilisée sur l'Internet, non seulement pour le Web, mais aussi pour toutes les ressources accessibles par ce moyen. Une URL se compose d'un *protocole* (**http://** pour les documents HTML, **ftp://** pour le FTP — transfert de fichiers par l'Internet —, **mailto:** pour le courrier électronique, etc.), suivi d'une désignation du domaine et du serveur sous une forme qui dépend de la ressource à laquelle on veut accéder.

Vignette. Le temps de chargement d'une image de bonne taille, riche de détails et de couleurs, est généralement important et risque d'impatienter le visiteur. Pour éviter cet écueil, on a recours à une petite image (moins de 200×200 pixels), réduction de l'image en vraie grandeur, utilisée comme appel de lien afin que l'utilisateur fasse un acte volontaire s'il veut voir tous les détails de l'image. Microsoft appelle ce type d'image une *miniature*.

Virus. Parasite logiciel pouvant nuire à l'intégrité des données et des programmes contenus dans un ordinateur. Contrairement à une crainte trop répandue, les virus actuellement connus ne peuvent pas nuire à l'intégrité du matériel et il y a peu de chance qu'ils y parviennent. Les présentations Web peuvent être porteuses de virus par le biais de contrôles ActiveX ou d'applets Java.

Visual Basic Script. Langage de script écrit par Microsoft à partir du BASIC pour concurrencer JavaScript dans les présentations Web. Seul, actuellement, Internet Explorer semble capable de l'exploiter.

W3C. *World Wide Web Consortium.* C'est l'organisation ayant en charge l'élaboration et le suivi des spécifications (remarquez que nous ne disons pas *normes*) concernant le Web. Elle est présidée par Tim Berners-Lee, inventeur du concept du Web. Pour tout renseignement complémentaire, on peut consulter le site Web du W3C à l'URL **http://www.w3c.org/**.

WAV. Format de fichiers audio numérisés créé par Microsoft et caractérisé par un échantillonnage exhaustif (sans perte d'information et/ou compression). La fréquence d'échantillonnage va de 11 kHz à 44,1 kHz, la numérisation peut s'effectuer avec 8 bits ou 16 bits et l'enregistrement peut se réaliser en mono ou en stéréo. Les fichiers créés selon ce format sont généralement de grande taille, ce qui rend difficile leur transmission sur l'Internet (il faut environ 10 Mo par minute de musique de qualité CD).

Web. *Web*, littéralement, c'est une toile d'araignée. Ce terme est un raccourci de *World Wide Web*, aussi appelé *WWW*, qui indique la nature tentaculaire de ce système de communication implicite par liens hypertexte. Certains font remonter son concept à un rapport de Vannevar Bush, conseiller de Roosevelt, datant de 1945. Plus sérieusement, on s'accorde à reconnaître que c'est en 1965 que Ted Nelson conçut un logiciel d'hypertexte. En 1987, Apple proposait Hypercard, basé sur le principe de l'hypertexte. En mars 1989, Tim Berners-Lee publiait un article intitulé "Hypertexte et le CERN". En 1991, fonctionne, toujours au CERN, le premier Web. Depuis, on sait comment le Web a été le moteur de la croissance de l'Internet.

Webmaster. On désigne sous ce nom le responsable d'une présentation Web dont l'adresse e-mail figure généralement dans la page. Il faut se garder, sous prétexte de répudier le franglais, de traduire cette expression par *webmestre* (sur le modèle de *vaguemestre*) comme le font trop d'ignorants, car ce serait associer un mot anglais (web) à un terme dérivé de l'allemand (meister).

WWW. *World Wide Web* (toile d'araignée mondiale). Voir *Web*.

WYSIWYG. *What you see is what you get* (généralement raccourci, en français, en *tel écran, tel écrit*). On dit qu'un éditeur est WYSIWYG lorsque la mise en forme à l'écran de ce que saisit l'utilisateur est très proche de ce qui sera imprimé sur le papier ou (dans le cas du Web) affiché sur l'écran du visiteur.

XML. *Extensible Markup Language* (langage à balises extensible). Langage créé dans l'intention de compléter HTML en lui apportant quelques-unes des fonctionnalités qui lui manquaient. La version la plus récente (1.3) date du 1er juin 1998. Le qualificatif "extensible" signifie que, contrairement à HTML, ce n'est pas un langage à format fixe, mais qu'il est capable de généraliser l'usage de SGML au Web en entier. Il s'agit donc en réalité d'un *méta langage* qui permet à tout un chacun de concevoir son propre langage, adapté à ses besoins particuliers. Il est lui-même écrit en SGML. Fin 1999, Internet Explorer 5.0 semble être le seul navigateur commercial à pouvoir comprendre et interpréter correctement une partie de XML.

Yahoo! Moteur de recherche qui est sans doute l'un des plus populaires (donc le plus utilisé) du Web. Son adresse est **http://www.yahoo.com** et il existe une antenne française à **http://www.yahoo.fr**.

Index

Achevé d'imprimer le 6 mai 2000 sur les presses de l'imprimerie «La Source d'Or»
63200 Marsat - Dépôt légal : 2ème trimestre 2000 - Imprimeur n° 8545